19/12 $1.00

Jean Canac-Marquis
en collaboration avec Francine Cyr

secondaire

GRAMMAIRE MODERNE

MANUEL DE RÉFÉRENCE ET D'APPRENTISSAGE

CONNAISSANCES GRAMMATICALES ET LEXICALES

Révision du contenu : Francine Cyr, M.A.
Révision linguistique : Marie Chalouh

Nous reconnaissons l'aide financière du gouvernement du Canada par l'entremise du Programme d'aide au développement de l'industrie de l'édition pour nos activités d'édition.

Dépôt légal : 2e trimestre 2000
Bibliothèque nationale du Québec
Bibliothèque nationale du Canada

ISBN : 2-89469-083-5
2-89114-726-X

Imprimé au Canada
2 3 4 5 6 04 03 02 01 00

Nous tenons à remercier

Monsieur Michel Therrien pour ses remarques judicieuses sur l'ensemble du contenu.

Nous tenons aussi à remercier monsieur Daniel Duval et madame Manon Devin pour leur relecture du tapuscrit et leurs commentaires pertinents.

Nous désirons aussi souligner l'apport de la série *Mots de passe 2* qui nous a inspirés pour la rédaction de certaines notions.

Enfin, nous remercions madame Diane Goyette pour ses remarques pertinentes sur l'aspect didactique de l'ouvrage.

Introduction

Rendre explicite ce qui est implicite, telle est l'orientation qui nous a guidés tout au long de l'ouvrage.

Ce choix nous a amenés à adopter un langage accessible dans la rédaction des divers chapitres et à faire ressortir le plus souvent possible le rapport entre la langue décrite et la langue de tous les jours.

L'observation, l'identification et la vérification des phénomènes reliés à la grammaire de la phrase, à la grammaire du texte, à l'orthographe et au lexique constituent le cœur du programme; nous croyons que l'approche que nous avons retenue dans *Grammaire moderne* et la présentation qui en découle sauront aider les élèves à construire leurs connaissances dans ces domaines.

Nous croyons aussi que les procédures d'observation, d'analyse, d'organisation et de reconnaissance des unités essentielles de la phrase et du texte que nous proposons permettront une meilleure compréhension du fonctionnement de la langue.

Grammaire moderne s'adresse surtout aux élèves du secondaire ainsi qu'aux élèves adultes du même ordre d'enseignement, mais d'autres utilisateurs ou utilisatrices pourront y trouver aussi des éléments d'information et de réflexion qui leur conviennent.

Le présent ouvrage résulte de choix que nous avons faits devant les problèmes de l'apprentissage et de l'enseignement de la grammaire. Nous espérons que ces choix vous conviendront et que *Grammaire moderne* deviendra un outil précieux pour votre compréhension de la langue.

Les auteurs

Quelques repères utiles

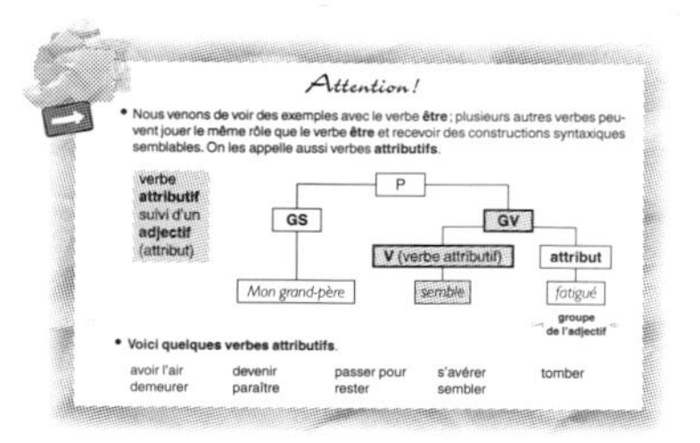

Cette rubrique présente des notions complémentaires par rapport à celles qui précèdent ; elle propose souvent aussi une réflexion sur les notions présentées ou attire l'attention sur un aspect plus spécifique de ces notions.

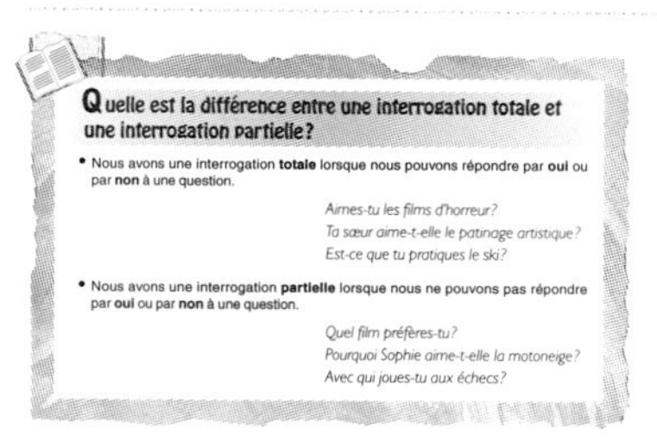

Cette rubrique présente des informations supplémentaires. Dans certains cas, elle peut apporter un éclairage nouveau.

Plusieurs personnes donnent le nom de **qualifiants** à ces adjectifs.

Ces deux procédés graphiques permettent généralement de présenter une brève réflexion sur le contenu ou le lexique.

Plusieurs personnes donnent plutôt le nom de **conjonction** (ou locution conjonctive) **de subordination** au subordonnant.

Le contenu de ce procédé graphique établit généralement des liens entre le métalangage utilisé dans le présent ouvrage et le métalangage de la grammaire traditionnelle.

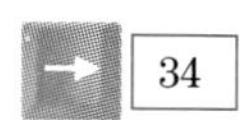 34

Ces pictogrammes renvoient à une notion préalable ou à une notion complémentaire.

MANIPULATIONS

+ : addition

− : effacement

↷ : déplacement

R : remplacement

ABRÉVIATIONS

G Adj.	: groupe de l'adjectif
G Adv.	: groupe de l'adverbe
G Inf.	: groupe de l'infinitif
GN	: groupe du nom
G Prép.	: groupe prépositionnel
GS	: groupe sujet
GV	: groupe du verbe
GCP	: groupe complément de phrase
CD	: complément direct
CI	: complément indirect
V	: verbe
P	: phrase

Table des matières

La grammaire de la phrase

La grammaire de la phrase

La grammaire de la phrase

La grammaire de la phrase

La grammaire de la phrase

La ponctuation

Le lexique

La phrase

Les types de phrases
- la phrase déclarative (.)
- la phrase impérative (.) (!)
- la phrase exclamative (!)
- la phrase interrogative (?)

Les formes de phrases
- la forme affirmative et la forme négative
- la forme active et la forme passive
- la forme neutre et la forme emphatique

Les espèces de phrases
- la phrase simple
- la phrase complexe
- la subordonnée
- la subordonnée relative
- la subordonnée complétive
- la subordonnée circonstancielle
- la subordonnée corrélative
- la subordonnée sujet

Des constructions particulières
- la phrase impersonnelle
- la phrase averbale
- la phrase infinitive
- la phrase à présentatif
- la phrase incidente

Qu'est-ce qu'une phrase?

PLAN SÉMANTIQUE

- Lorsqu'on parle ou lorsqu'on écrit, on le fait avec des phrases. Une phrase exprime une idée, un fait, une pensée, un sentiment; elle a un sens complet. Comme les idées sont nombreuses et variées, il y a donc différents types de phrases pour les communiquer.

PLAN SYNTAXIQUE

- Sur le plan de la structure, la phrase est composée de **groupes de mots** qui sont disposés dans un ordre particulier.

Ces groupes de mots peuvent être des **groupes sujets**, des **groupes du verbe** ou des **groupes compléments de phrase**.

→ 84 89 111

PLAN GRAPHIQUE

- La phrase commence par une **majuscule** et se termine par un **point**, un point d'exclamation, un point d'interrogation ou des points de suspension.

Quels sont les types de phrases?

Selon le message que l'on veut communiquer, on utilise quatre types de phrases: la phrase déclarative, la phrase impérative, la phrase exclamative et la phrase interrogative.

LA PHRASE DÉCLARATIVE (.)

- La phrase déclarative permet d'exprimer une idée ou une opinion, d'exposer un fait ou de raconter un événement. Elle commence par une majuscule et se termine par un point.

- La phrase déclarative est la plus fréquente. Les mots sont généralement présentés dans l'ordre habituel.

Christophe Colomb était un explorateur.
Annie deviendra une championne de ski.
Soraya n'aime pas les chiens.

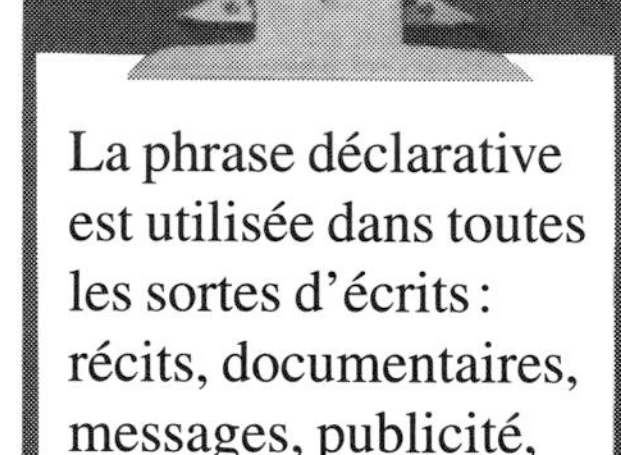

La phrase déclarative est utilisée dans toutes les sortes d'écrits: récits, documentaires, messages, publicité, textes argumentatifs, textes d'opinion, etc.

- La phrase déclarative qui est affirmative, active et neutre est considérée comme la phrase de base; la phrase de base ne contient qu'un seul verbe conjugué.

Christophe Colomb a découvert l'Amérique en 1492.

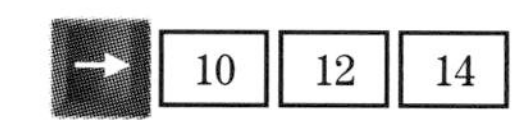

- La phrase de base comprend obligatoirement un **groupe sujet** et un **groupe du verbe** et peut inclure aussi un **groupe facultatif**.

- Il arrive, à l'occasion, que l'on utilise la structure de la phrase déclarative pour exprimer une demande, un conseil, etc.

Tu devrais venir au cinéma avec nous.

- La phrase déclarative est composée d'un **groupe sujet**, d'un **groupe du verbe** et, à l'occasion, d'un **groupe complément de phrase**.

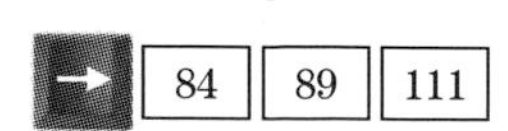

Plusieurs personnes donnent un autre nom au **groupe sujet**; elles l'appellent le **groupe du nom sujet**.

LA PHRASE IMPÉRATIVE (.) (!)

- La phrase impérative sert à donner un ordre, un conseil, une consigne ou à exprimer un souhait. Elle commence par une majuscule et se termine généralement par un point ou un point d'exclamation.

> On utilise aussi la phrase impérative lorsqu'on écrit un texte pour **faire agir** une personne ou la **persuader**.

Viens ici!

Va dehors, cela vaudra mieux.

Incorporez les œufs au mélange.

Portez-vous bien.

- La phrase impérative est composée obligatoirement d'un **groupe du verbe** et, à l'occasion, d'un **groupe complément de phrase**. Il n'y a pas de **groupe sujet** exprimé dans la phrase impérative. Le groupe sujet est sous-entendu.

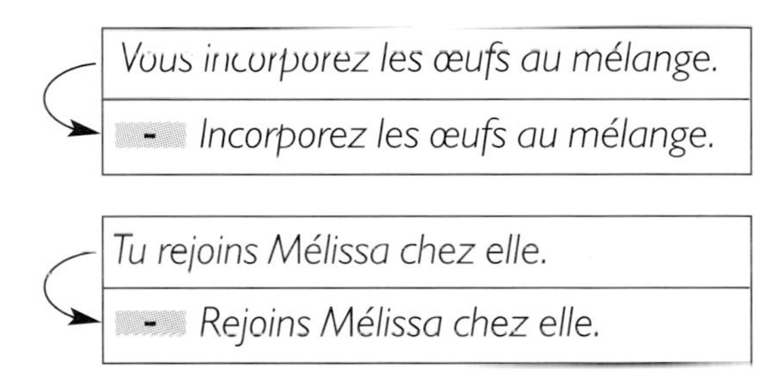

- Le verbe de la phrase impératve est au mode impératif.

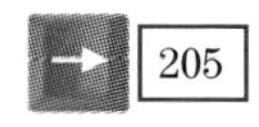
205

- Le pronom personnel qui suit le verbe au mode impératif et qui en est le complément est relié à ce verbe par un **trait d'union**.

Bois-en!

Regarde-le!

Penses-y!

Demandez-le-lui!

Attention!

La phrase impérative exprime un ordre, mais il existe plusieurs autres façons d'exprimer un ordre. Voici les principales.

Une phrase non verbale :	*Pêche interdite.*  55
Une interjection ou une locution interjective :	*Silence !* *Ah non !*
Un verbe au mode subjonctif :	*Qu'il reste à la maison !*
Une phrase infinitive :	*Ne pas flâner.*

Qu'est-ce qu'un mot en apostrophe ?

- Souvent, dans une phrase impérative, on place des mots en apostrophe pour indiquer à quelle personne ou à quel animal on s'adresse.

Choupette, viens ici.

Allez, Jade, parle-moi.

- Ne pas oublier d'utiliser une ou deux virgules pour mettre les mots en apostrophe.

LA PHRASE EXCLAMATIVE (!)

- La phrase exclamative sert à exprimer fortement un sentiment, une émotion ou un ordre. Elle commence par une majuscule et se termine par un point d'exclamation.

On utilise souvent la phrase exclamative en publicité, dans les textes d'humour, dans les messages, dans les textes expressifs, dans les textes argumentatifs ou en poésie.

J'adore les sports!
Comme c'est excitant!
Que c'est beau!
Quelle bonne nouvelle!
C'est un projet fantastique!
Allez là-bas!

- On **ajoute** souvent des mots exclamatifs tels que **comme**, **quel**, **que**, etc., à une phrase déclarative pour former une phrase exclamative.

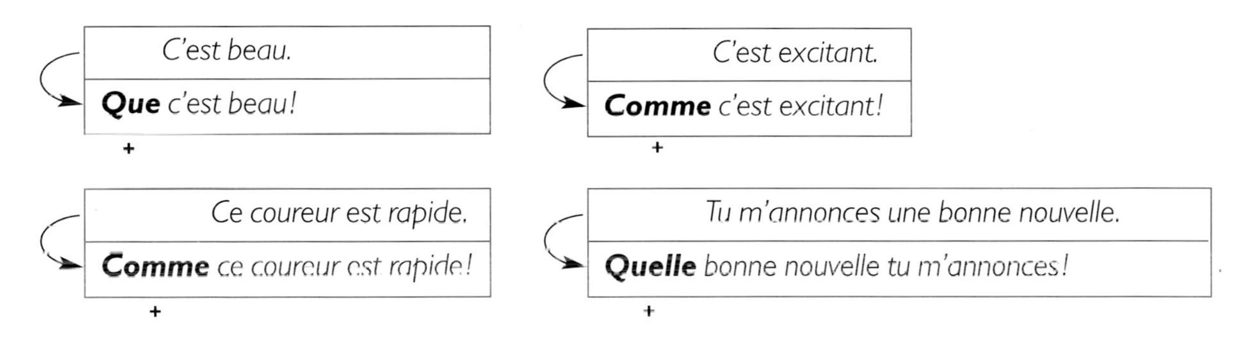

LA PHRASE INTERROGATIVE (?)

- La phrase interrogative sert à poser une question. Elle commence par une majuscule et se termine par un point d'interrogation.

Est-ce que vous venez à la maison?
Connais-tu le fonctionnement du radar?

Nous utilisons la phrase interrogative surtout dans les entrevues, les dialogues, la publicité, les textes argumentatifs.

- On utilise la phrase interrogative pour **demander** une **information**, une **explication** ou une **précision**.

INFORMATION ▶ *Où est la rue Dupuis?*
EXPLICATION ▶ *Pourquoi aimes-tu le cinéma?*
PRÉCISION ▶ *À quelle heure veux-tu que j'arrive pour souper?*

Quelle est la différence entre une interrogation totale et une interrogation partielle?

- Nous avons une interrogation **totale** lorsque nous pouvons répondre par **oui** ou par **non** à une question.

Aimes-tu les films d'horreur?
Ta sœur aime-t-elle le patinage artistique?
Est-ce que tu pratiques le ski?

- Nous avons une interrogation **partielle** lorsque nous ne pouvons pas répondre par **oui** ou par **non** à une question.

Quel film préfères-tu?
Pourquoi Sophie aime-t-elle la motoneige?
Avec qui joues-tu aux échecs?

L'interrogation directe

- Il y a plusieurs façons de construire une phrase interrogative, soit

A en déplaçant le pronom sujet **après** le verbe (inversion) de la phrase de base ;

*Après l'école, **tu** joues au soccer.*
avant

*Après l'école, joues-**tu** au soccer?*
après

▶ **Verbe + groupe sujet + ?** *Viens - **tu** ?*	**INTERROGATION TOTALE**
▶ **Groupe complément de phrase + verbe + groupe sujet + (au choix) + ?** *Après l'école, joues **tu** au soccer ?*	**INTERROGATION TOTALE**

B en ajoutant un **pronom de rappel** après le verbe de la phrase de base ;

Nathalie préfère le ski.

+
*Nathalie préfère-t-**elle** le ski?*
pronom de rappel

▶ **Groupe sujet + verbe + pronom de rappel + ?** *Le chien aboie **- t - il** ?*	**INTERROGATION TOTALE**
▶ **Groupe sujet + verbe + pronom de rappel + (au choix) + ?** *Nathalie aime **- t - elle** le camping ?*	**INTERROGATION TOTALE**

C en ajoutant un **mot** ou une **expression d'interrogation** à la phrase de base;

Tu aimes le cinéma.

\+
Est-ce que *tu aimes le cinéma?*
expression d'interrogation

▶ Expression d'interrogation + verbe + groupe sujet + (au choix) + ? **Depuis quand** *joues - tu au hockey ?*	INTERROGATION PARTIELLE
▶ Mot d'interrogation + verbe + groupe sujet + (au choix) + ? **Pourquoi** *aime - t - elle la motoneige ?*	INTERROGATION PARTIELLE
▶ Expression d'interrogation + verbe + groupe sujet + (au choix) + ? **Avec qui** *joues - tu aux échecs ?*	INTERROGATION PARTIELLE

De plus, le pronom sujet est déplacé après le verbe.

▶ Expression d'interrogation + groupe sujet + verbe + (au choix) + ? **Est-ce que** *tu aimes le cinéma ?*	INTERROGATION TOTALE
▶ Mot d'interrogation + groupe sujet + verbe + pronom de rappel + (au choix) + ? **Pourquoi** *Nathalie aime -t- elle le camping ?*	INTERROGATION PARTIELLE

De plus, un pronom de rappel est ajouté après le verbe.

D en ajoutant un **point d'interrogation** à la fin d'une phrase déclarative (ordre habituel).

Tu nous accompagnes.

\+
*Tu nous accompagnes***?**
point d'interrogation

Ce procédé appartient plutôt à la langue parlée; dans la langue écrite, on le retrouve dans les dialogues.

▶ Groupe sujet + verbe + ? *Tu viens* **?**	INTERROGATION TOTALE
▶ Groupe sujet + groupe du verbe + ? *Jean-Sébastien est fatigué* **?**	INTERROGATION TOTALE

- On place un **trait d'union** entre le verbe et le pronom sujet lorsque celui-ci est après le verbe.

Viens-tu?
Avec qui joues-tu aux échecs?
Suit-elle toujours des cours de gymnastique?

- On place un **t** (3e personne du singulier) entre le verbe et le pronom sujet lorsque le verbe se termine par une voyelle.

*Le chien aboie-**t**-il?*
*Nathalie aime-**t**-elle la motoneige?*

- Il existe d'autres façons de construire une phrase interrogative, mais on les trouve surtout dans la langue parlée.

Qu'est-ce qu'une interrogation indirecte?

- L'interrogation indirecte est une **subordonnée complétive**; elle indique **sur quoi** porte l'interrogation.

→ 27

Les subordonnants sont généralement ceux de l'interrogation directe auxquels il faut ajouter **si**. On n'utilise pas le point d'interrogation.

7 ←

*Je ne sais pas **pourquoi il est parti**.*
*Nous aimerions savoir **comment il a fait cela**.*
*J'ignore **s'il pense à son avenir**.*

J'ignore [une chose].
↓
[Est-ce qu'il pense à son avenir?]
→ *J'ignore s'il pense à son avenir.*

- Dans l'interrogation indirecte, le verbe est généralement à l'**indicatif**.

- Contrairement à l'interrogation directe, l'interrogation indirecte maintient l'**ordre habituel** des mots.

Les formes de phrases

Nous allons observer et analyser trois paires de formes de phrases :
– la forme **affirmative** et la forme **négative** ;
– la forme **active** et la forme **passive** ;
– la forme **neutre** et la forme **emphatique**.

LA FORME AFFIRMATIVE ET LA FORME NÉGATIVE

- Presque tous les types de phrases que nous avons décrits (pages 2 à 9) peuvent se présenter sous les deux formes suivantes : la forme **affirmative** ou la forme **négative**.

- La forme **affirmative** est la forme habituelle.
C'est aussi la forme la plus fréquente.

Plusieurs personnes parlent de forme **positive** plutôt que de forme **affirmative**.

- La forme **négative** se construit généralement en ajoutant **ne** et un autre terme de négation (adverbe, déterminant, pronom) à la phrase affirmative.

  Voici les termes de négation les plus fréquents : **pas**, **jamais**, **aucun**, **plus**, **personne**, **rien**, **guère**.

	Types	La forme affirmative	La forme négative
LA PHRASE	*déclarative*	*Soraya habite en ville.*	*Soraya **n'**habite **pas** en ville.* *Soraya **n'**habite **plus** en ville.*
	déclarative	*Annie deviendra une championne de ski.*	*Annie **ne** deviendra **jamais** une championne de ski.*
	déclarative	*Steve est satisfait de la situation.*	*Steve **n'**est **guère** satisfait de la situation.*
	déclarative	*Quelqu'un a sonné à la porte.*	***Personne n'**a sonné à la porte.*
	impérative	*Approchez!*	***N'**approchez **pas**!*
	exclamative	*C'est excitant!*	*Ce **n'**est **pas** excitant!*
	interrogative	*Connais-tu le fonctionnement du radar?*	***Ne** connais-tu **pas** le fonctionnement du radar?*

- La négation peut porter sur le **groupe du verbe**, le **groupe sujet** ou le **groupe complément**.

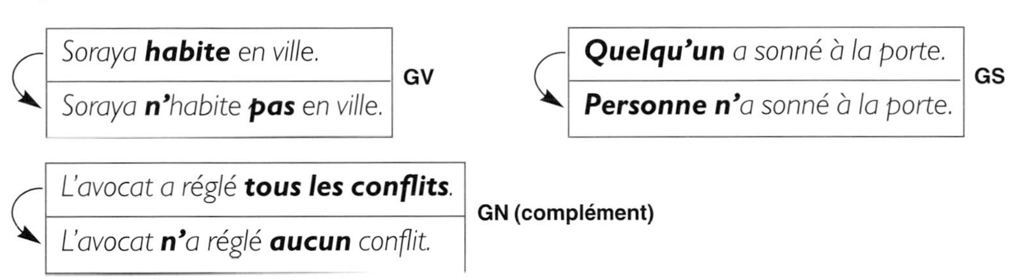

- Le **ne** devient **n'** quand il est suivi d'un verbe qui commence par une **voyelle** ou un **h** muet.

*Soraya **n'**habite plus en ville.*
*Steve **n'**est guère satisfait de la situation.*
*Ali **n'**a pas l'habitude de jouer au hockey.*

- Le **ne** devient aussi **n'** quand il est suivi du pronom **y**.

*Il **n'**y va pas.*

- Les mots **du** et **des** d'une phrase affirmative sont généralement remplacés par **de** à la forme négative.

- Lorsque, dans une phrase négative, on utilise les pronoms **on** ou **en** devant un verbe qui commence par une **voyelle** ou un **h** muet, il ne faut pas oublier le **n'** de la négation.

***On n'**aime pas cette sorte de musique.*

ET NON

On aime pas cette sorte de musique.

LA FORME ACTIVE ET LA FORME PASSIVE

- Presque tous les types de phrases que nous avons décrits (pages 2 à 9) peuvent se présenter sous la forme **active** ou la forme **passive**.

- La forme active est la forme la plus fréquente. La phrase à la forme active peut contenir un verbe transitif, un verbe intransitif, un verbe impersonnel, un verbe pronominal, ou même ne pas contenir de verbe conjugué. C'est le plus souvent l'absence de l'auxiliaire **être** qui nous permet de reconnaître qu'une phrase est active.

- Pour qu'elle puisse être transformée en phrase passive, la phrase active doit contenir un verbe transitif direct.

→ 181

- Lorsqu'une phrase active est mise au passif, le **complément direct** (CD) du verbe de la phrase active devient le **sujet** (GS) de la phrase passive, et le **sujet** de la phrase active devient le **complément** de la phrase passive.

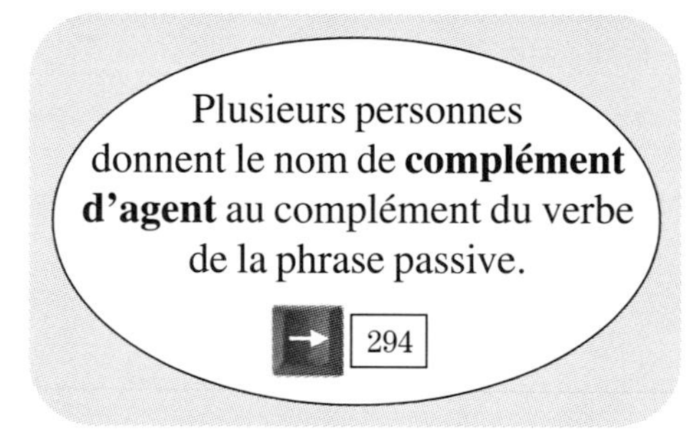

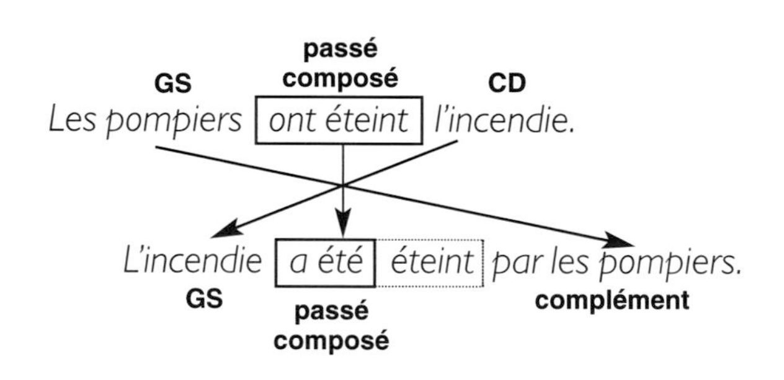

Attention !

La transformation d'une phrase active à la forme passive est parfois impossible, particulièrement avec les verbes **avoir**, **pouvoir**, **valoir**, etc., ou des locutions verbales comme **perdre la tête**.

- La phrase **passive** est obtenue en utilisant le verbe **être** au même temps que le verbe de la phrase active, accompagné du **participe passé** du verbe concerné.

LA PHRASE	LA FORME ACTIVE	LA FORME PASSIVE
déclarative	**passé composé** *Les pompiers **ont éteint** l'incendie.*	**passé composé** *L'incendie **a été éteint** par les pompiers.*
déclarative	**passé composé** *La mécanicienne n'**a** pas **réparé** la voiture.*	**passé composé** *La voiture n'**a** pas **été réparée** par la mécanicienne.*
déclarative	**passé simple** *On **posa** des questions aux policiers.*	**passé simple** *Des questions **furent** posées aux policiers.*
exclamative	**passé composé** *Comme ce spectacle **a frappé** notre imagination!*	**passé composé** *Comme notre imagination **a été frappée** par ce spectacle!*
interrogative	**présent** *Est-ce que le règlement **permet** ce coup?*	**présent** *Est-ce que ce coup **est permis** par le règlement?*

- Il arrive assez fréquemment qu'il n'y ait **pas de complément** dans une phrase passive; le complément est comme **sous-entendu**.

Une averse est prévue dans la soirée.

Des questions furent posées aux témoins.

La fenêtre fut ouverte de l'intérieur.

LA FORME NEUTRE ET LA FORME EMPHATIQUE

- Presque tous les types de phrases que nous avons décrits (pages 2 à 9) peuvent se présenter sous la forme **neutre** ou la forme **emphatique**.
- La forme neutre est la forme la plus fréquente ; elle ne contient pas de mise en relief.
- La forme emphatique sert à attirer l'attention sur un élément de la phrase.
- La forme emphatique est plus fréquente à l'oral qu'à l'écrit.
- Il existe plusieurs façons de construire une phrase emphatique. Voici les plus fréquentes.

MISE EN RELIEF DU		LA FORME NEUTRE	LA FORME EMPHATIQUE Mise en relief par c'est... qui / ce sont... qui c'est... que / ce sont... que
	groupe sujet	*[Ta sœur] est bonne au tennis.* **GS**	***C'est*** *ta sœur* ***qui*** *est bonne au tennis.*
		[Tu] le feras, n'est-ce pas? **GS**	***C'est*** *toi* ***qui*** *le feras, n'est-ce pas?*
	groupe complément de phrase	*Il ira au cinéma [demain].* **GCP**	***C'est*** *demain* ***qu'****il ira au cinéma.*
	complément direct	*Vous incorporez [les œufs] au mélange.* **CD**	***Ce sont*** *les œufs* ***que*** *vous incorporez au mélange.*
	complément indirect	*Stéphanie ne se souvient pas [de sa voisine].* **CI**	***C'est*** *de sa voisine* ***que*** *Stéphanie ne se souvient pas.*

MISE EN RELIEF DU		LA FORME NEUTRE	Mise en relief par ce qui... c'est / ce que... c'est
	groupe sujet	*[La rose] est importante.* **GS**	***Ce qui*** *est important,* ***c'est*** *la rose.*
	complément direct	*Soraya adore [les chiens] !* **CD**	***Ce que*** *Soraya adore,* ***ce sont*** *les chiens!*

MISE EN RELIEF DU		LA FORME NEUTRE	LA FORME EMPHATIQUE **Mise en relief par un pronom**
	groupe sujet	*Peter a retrouvé ses clés.*	*Peter, **il** a retrouvé ses clés.*
	groupe sujet	*J'ai composé un beau poème.*	***Moi**, j'ai composé un beau poème.*
	groupe sujet	*Les chevaux courent dans la prairie.*	*Les chevaux, **ils** courent dans la prairie.*
	complément direct	*Elle a remis son devoir à temps.*	*Son devoir, elle **l'**a remis à temps.*
	complément direct	*Tu ne l'as pas entendue arriver.*	***Elle**, tu ne l'as pas entendue arriver.*

Attention !

Il ne faut pas abuser de la mise en relief, mais elle peut être utile dans les textes publicitaires, les textes expressifs ou les textes argumentatifs.

Les espèces de phrases

LA PHRASE SIMPLE

Qu'est-ce qu'une phrase simple?

- Une phrase simple est une phrase qui ne contient généralement qu'un seul verbe conjugué.

*Il **a dépensé** tout son argent.*

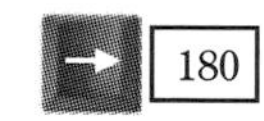

- Une phrase simple peut ne pas contenir de verbe.

À chacun son métier.
Non!

LA PHRASE COMPLEXE

Qu'est-ce qu'une phrase complexe?

- Une phrase complexe est la réunion de plusieurs phrases qui contiennent généralement des verbes conjugués. Ces phrases peuvent être **coordonnées**, **juxtaposées** ou **subordonnées**.

SUBORDONNÉE CIRCONSTANCIELLE DE TEMPS ▶ ***Quand tu seras prêt**, nous partirons.*

SUBORDONNÉE RELATIVE ▶ *Le mécanicien a réparé la voiture **que l'on a remorquée**.*

SUBORDONNÉE COMPLÉTIVE ▶ *Jean-Sébastien aimerait **que tu ailles le voir**.*

SUBORDONNÉE SUJET ▶ ***Que tu me demandes de t'accompagner** me surprend.*

PHRASES COORDONNÉES ▶ ***Le chien court dans la rue** et **le cheval galope dans la prairie**.*

PHRASES JUXTAPOSÉES ▶ ***Le chien court dans la rue, le cheval galope dans la prairie** tandis que le chat se repose sur la galerie.*

Plusieurs personnes disent plutôt qu'une phrase complexe est la réunion de plusieurs **propositions**.

Qu'est-ce qu'une subordonnée?

- Une subordonnée est une phrase qui a une fonction de **complément** ou de **sujet** (à l'occasion) dans une autre phrase.

- Plusieurs personnes donnent le nom de **phrase matrice** à la phrase qui accueille, qui reçoit, qui intègre, qui enchâsse une **subordonnée**.

- La **subordonnée** est une phrase qui s'insère, qui s'intègre, qui s'enchâsse dans une **phrase matrice**.

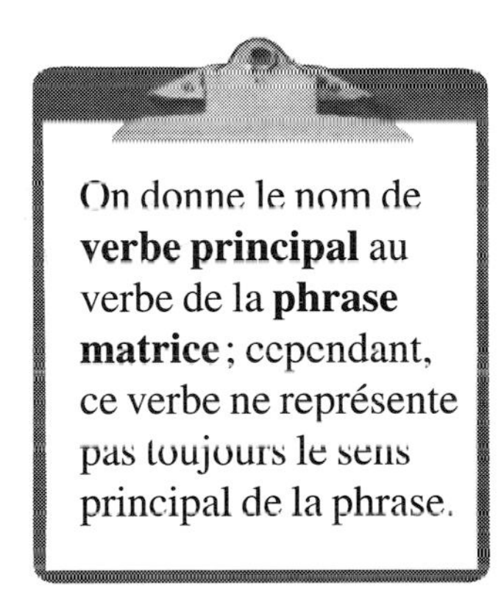

Je souhaite ***que tu viennes me voir****.*

Quand tu seras prêt*, nous partirons.*

Regarde la voiture rouge ***que mon père a achetée****.*

Qui dort *dîne.*

- Une subordonnée est introduite par un **subordonnant**; la **conjonction** (ou locution conjonctive) **de subordination** et le **pronom relatif** introduisent les diverses sortes de subordonnées.

Quelles sont les fonctions des subordonnées?

- On peut dire que la presque totalité des subordonnées ont une fonction de **complément**. Elles peuvent être compléments d'un **nom**, d'un **pronom**, d'un **verbe**, d'un **adjectif**, d'un **adverbe** ou d'une **phrase tout entière**.

Très fréquente	**NOM** ▶	*Est-ce que tu connais* ***la ville*** *[où elle est née]* (subordonnée) *?*
Fréquente	**PRONOM** ▶	*Est-ce Mélissa? Non, ce n'est pas* ***elle*** *[que j'ai vue au parc]* (subordonnée)*.*
Très fréquente	**VERBE** ▶	*Elle* ***aime*** *[que je lui raconte des blagues]* (subordonnée)*.*
À l'occasion	**ADJECTIF** ▶	*Il était* ***content*** *[qu'on pense à lui]* (subordonnée)*.*
À l'occasion	**ADVERBE** ▶	*C'est* ***là*** *[où je dois aller]* (subordonnée)*.*
Très fréquente	**PHRASE** ▶	*[Dès que tu es prête]* (subordonnée)*,* ***on prend le train pour Toronto****.*

- Cependant, il peut arriver qu'une subordonnée ait une fonction de **sujet**. La subordonnée sujet est généralement introduite par **que** (qu'), **qui** ou **quiconque**.

Qu'il soit fatigué *est normal.*

Qui dort *dîne.*

Quiconque a vu un grizzly *reconnaît que c'est un animal impressionnant.*

Quelles sont les sortes de subordonnées?

- Les subordonnées se répartissent ainsi: la subordonnée **relative**, la subordonnée **complétive**, la subordonnée **circonstancielle**, la subordonnée **corrélative** et la subordonnée **sujet**.

> Plusieurs personnes donnent le nom de **conjonctive** à la subordonnée **complétive**.

- Chaque sorte de subordonnée présente des caractéristiques spécifiques que nous analyserons dans les pages suivantes.

Qu'est-ce qu'une subordonnée relative ?

Plusieurs personnes donnent le nom de **subordonnant** au pronom relatif.

- Une subordonnée relative est une phrase qui commence généralement par un **pronom relatif**.

qui	que	quoi	dont	où	lequel, auquel, duquel

272

- Un pronom relatif a généralement un **nom** ou un **pronom** comme antécédent.

La chatte [***que** j'ai reçue en cadeau*] *a eu quatre chatons.*
subordonnée relative

J'aime ces films [***qui** montrent des avions en action*].
subordonnée relative

As-tu aperçu l'avion [***dont** je t'ai déjà parlé*] ?
subordonnée relative

Est-ce toi [***qui** apportes les cannes à pêche*] ?
subordonnée relative

Je ne trouve pas celui [***que** j'ai choisi*].
subordonnée relative

La personne [***à qui** j'ai fait signe*] *est sourde-muette.*
subordonnée relative

C'est un projet [***auquel** je tiens beaucoup*].
subordonnée relative

Attention !

Beaucoup moins fréquemment, l'antécédent d'un pronom relatif peut être un **adjectif**, un **adverbe** ou une **phrase**.

Distrait [*qu'il était*], *il n'a pas vu la voiture qui approchait.*
subordonnée relative

C'est là [*qu'il apprit la mauvaise nouvelle*].
subordonnée relative

Ce foulard n'est pas le sien, [*que je sache*].
subordonnée relative

- Il y a deux types de subordonnées relatives :
  - **la déterminative**
    On ne peut la supprimer sans changer de façon importante le sens de la phrase.

    Le chat ***que j'ai trouvé*** *est gentil.*

  - **l'explicative**
    On peut la supprimer sans modifier le sens de la phrase ; elle est généralement encadrée de virgules.

    Mon chien, ***qui ne me quitte jamais****, est affectueux.*

305

- La subordonnée relative suit généralement d'assez près son antécédent.

272

antécédent
Le chat, [qui est tombé de l'arbre], ne s'est pas blessé.
subordonnée relative

Quelles peuvent être les fonctions d'une subordonnée relative ?

- La subordonnée relative a le plus souvent une fonction de **complément du nom** ou du **pronom**, c'est-à-dire qu'elle est généralement rattachée à un **groupe du nom**.

19

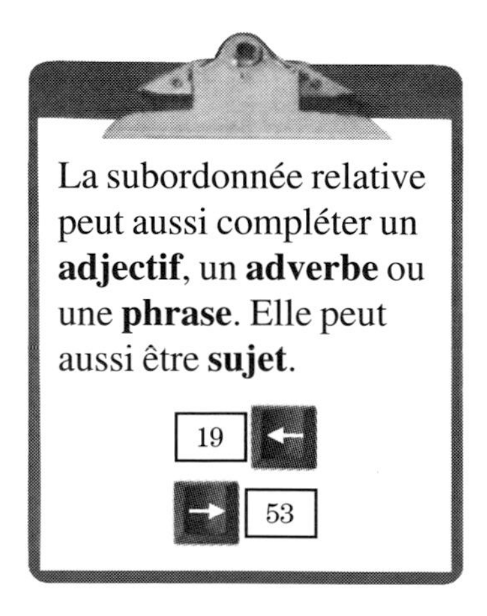

complément du nom *policière*
Regarde la policière [qui dirige la circulation].
subordonnée relative

complément du pronom *toi*
C'est toi [qui apportes les cannes à pêche].
subordonnée relative

complément du nom *maison*
As-tu vu la maison [que mon père a construite] ?
subordonnée relative

- Le verbe de la subordonnée relative est **généralement** à l'**indicatif**.

*C'est toi qui **apportes** les cannes à pêche.*
*As-tu vu la maison que mon père **a construite**?*
*Mon chien, qui ne me **quitte** jamais, est affectueux.*

- Le verbe de la subordonnée relative peut aussi être au **subjonctif** lorsque, de façon générale, l'action de la relative est **incertaine** ou **irréelle**.

*Andréanne recherche un électricien qui **sache** exécuter un travail délicat, mais elle n'est pas sûre de le trouver facilement.*

*La pêche est la seule activité qui **puisse** l'inciter à prendre des vacances.*

- La subordonnée relative est généralement rattachée à un **groupe du nom** dont elle assure l'expansion. La subordonnée relative peut faire partie:

du **groupe sujet**

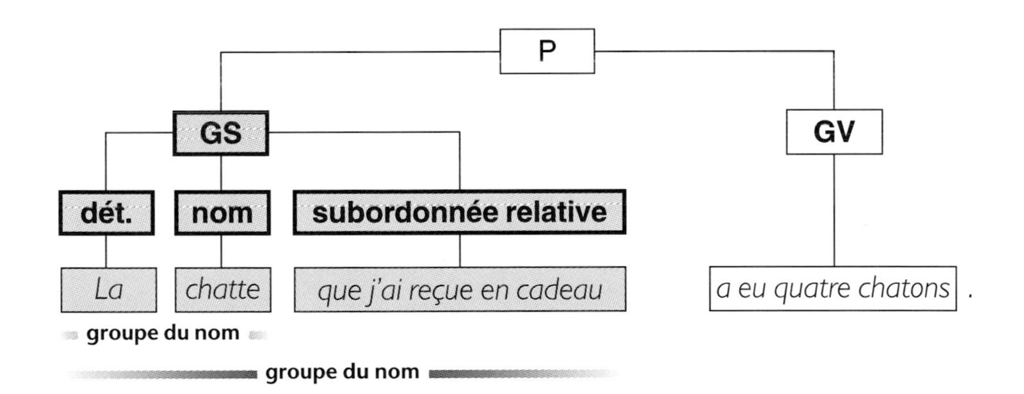

du **groupe du verbe**

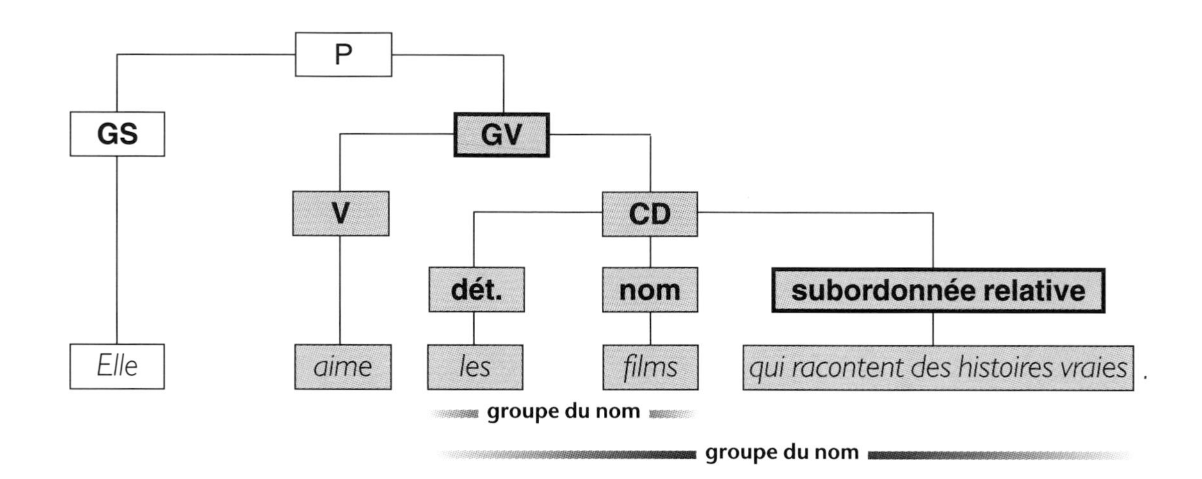

du **groupe complément de phrase**

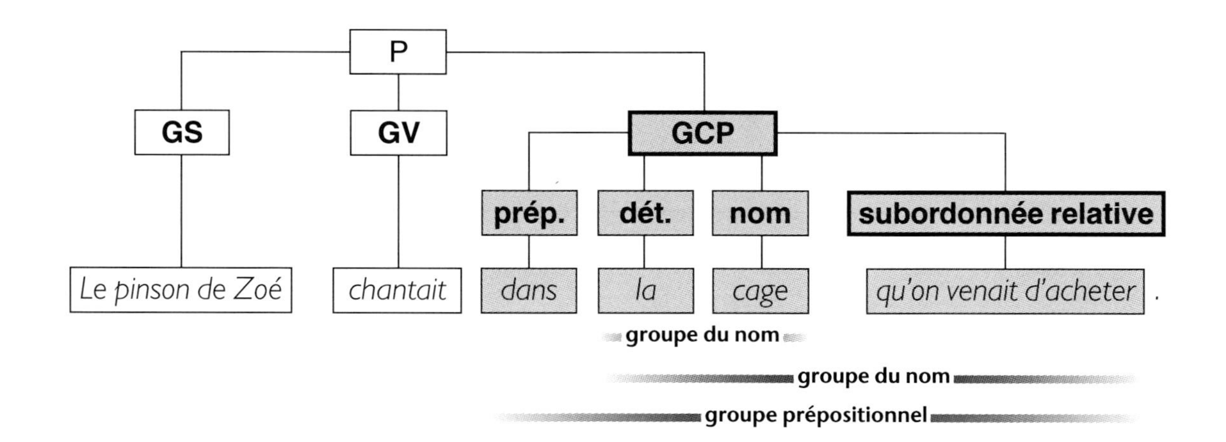

Comment reconnaître une subordonnée relative?

▶ On trouve le pronom relatif (qui, que, quoi, dont, où ou une forme de lequel) et on le souligne. C'est le début de la subordonnée relative (**/**).	*La chatte **/** que Martina a reçue en cadeau a eu quatre chatons.*
▶ On encadre le verbe conjugué qui suit le pronom relatif.	*La chatte **/** que Martina a reçue en cadeau a eu quatre chatons.*
▶ On trouve le groupe sujet du verbe conjugué en posant la question **Qui est-ce qui ?** ou **Qu'est-ce qui ?** devant ce verbe ; on encercle le groupe sujet.	*La chatte **/** que Martina a reçue en cadeau a eu quatre chatons.*
▶ On souligne aussi les mots qui accompagnent le verbe conjugué ; la subordonnée relative se termine (**/**) généralement après ces mots.	*La chatte **/** que Martina a reçue en cadeau **/** a eu quatre chatons.*

Les mots qui accompagnent le verbe conjugué peuvent être un **complément**, un **attribut** ou un **adverbe**.

Voici d'autres applications de cette procédure.	*Le chat, **/** qui est tombé de l'arbre **/**, ne s'est pas blessé.* *As-tu vu la maison **/** que mon père a construite **/**?*

Attention !

Les subordonnées relatives apportent différentes valeurs à la phrase matrice. Elles précisent ou qualifient les différentes informations (idées, arguments, sentiments, faits, etc.) d'un texte ; on peut aussi utiliser des équivalents – **infinitif**, **participe** ou **adjectif** – pour les simplifier.

INFINITIF

Monsieur Dubuc a trouvé un lac ***où il pourra pêcher du brochet***.
Monsieur Dubuc a trouvé un lac ***où pêcher du brochet***. R

PARTICIPE PRÉSENT

Notre voisine est une femme ***qui aime jardiner***.
Notre voisine est une femme ***aimant jardiner***. R

PARTICIPE ADJECTIF

Nous pensons souvent aux militaires ***qui sont partis pour assurer le maintien de la paix***.
Nous pensons souvent aux militaires ***partis pour assurer le maintien de la paix***. R

ADJECTIF

Cette émission de télévision, ***qui est très instructive***, *a présenté un reportage sur le laser.*
Cette émission de télévision, ***très instructive***, *a présenté un reportage sur le laser.* R

Pourquoi et comment introduire une subordonnée relative dans une phrase ?

On peut enrichir ou préciser un groupe du nom en lui ajoutant une subordonnée relative.

Plusieurs personnes disent **insérer** ou **enchâsser** au lieu d'**introduire**.

- Utilisons la phrase de base ***Le chat observe la souris.***

- Nous pouvons introduire une subordonnée relative à deux endroits : après ***le chat*** et après ***la souris***.

Le chat
- *qui appartient à Jade*
- *que j'ai acheté*
- *dont je t'ai parlé*

\+

observe la souris
- *qui est entrée par le soupirail.*
- *qui s'enfuit par un trou du mur.*
- *dont le pelage est gris.*

\+

- **Construction des subordonnées relatives**

PREMIÈRE PHRASE	DEUXIÈME PHRASE	PHRASE COMPLÈTE
Le chat observe la souris.	***Le chat** appartient à Jade.* **qui**	*Le chat **qui appartient à Jade** observe la souris.*
Le chat observe la souris.	*J'ai acheté **un chat**.* **que**	*Le chat **que j'ai acheté** observe la souris.*
Le chat observe la souris.	*Je t'ai parlé **d'un chat**.* **dont**	*Le chat **dont je t'ai parlé** observe la souris.*
Le chat observe la souris.	***La souris** est entrée par le soupirail.* **qui**	*Le chat observe la souris **qui est entrée par le soupirail**.*
Le chat observe la souris.	*Le pelage **de la souris** est gris.* **dont**	*Le chat observe la souris **dont le pelage est gris**.*
La ville est propre.	*Je suis allée **dans la ville**.* **où**	*La ville **où je suis allée** est propre.*

Qu'est-ce qu'une subordonnée complétive?

- Une subordonnée complétive est généralement introduite par le subordonnant **que** (**qu'**).

Plusieurs personnes donnent plutôt le nom de **conjonction** (ou locution conjonctive) **de subordination** au subordonnant.

- Cette subordonnée ne peut être ni supprimée ni déplacée au début de la phrase.

Quelles peuvent être les fonctions d'une subordonnée complétive?

- On donne le nom de **complétive** à cette subordonnée parce qu'elle a presque toujours une fonction de **complément**. Elle peut être complément **direct** ou **indirect** d'un verbe, complément d'un **nom** ou complément d'un **adjectif**.

complément direct (CD) du verbe

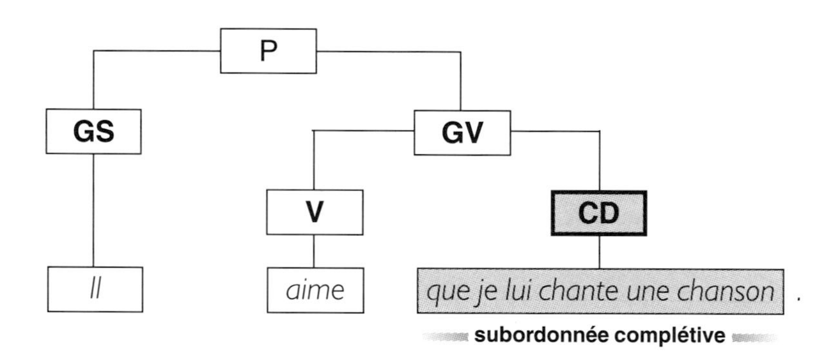

complément indirect (CI) du verbe

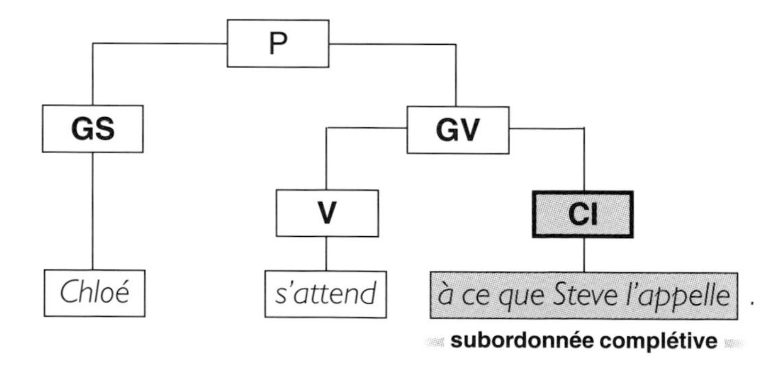

complément du nom

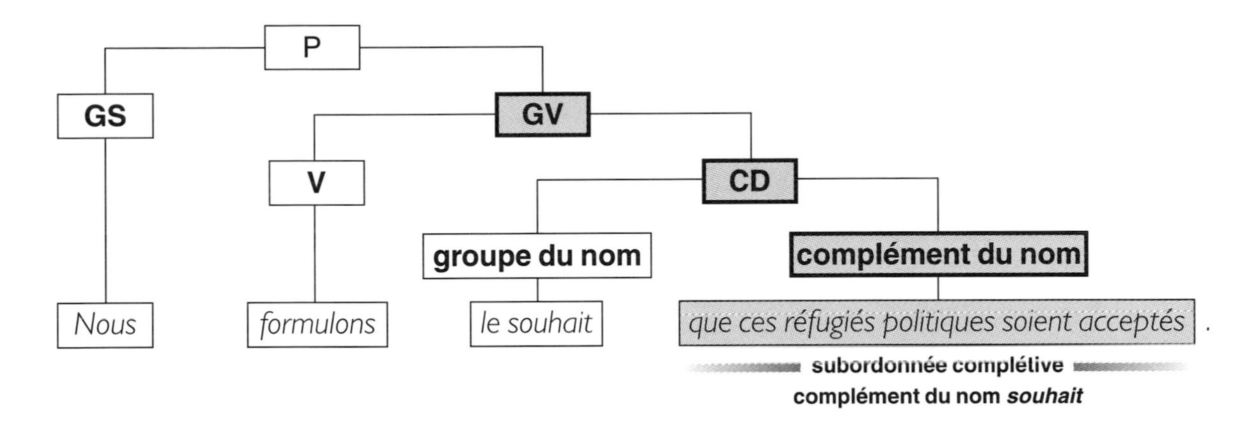

complément de l'adjectif

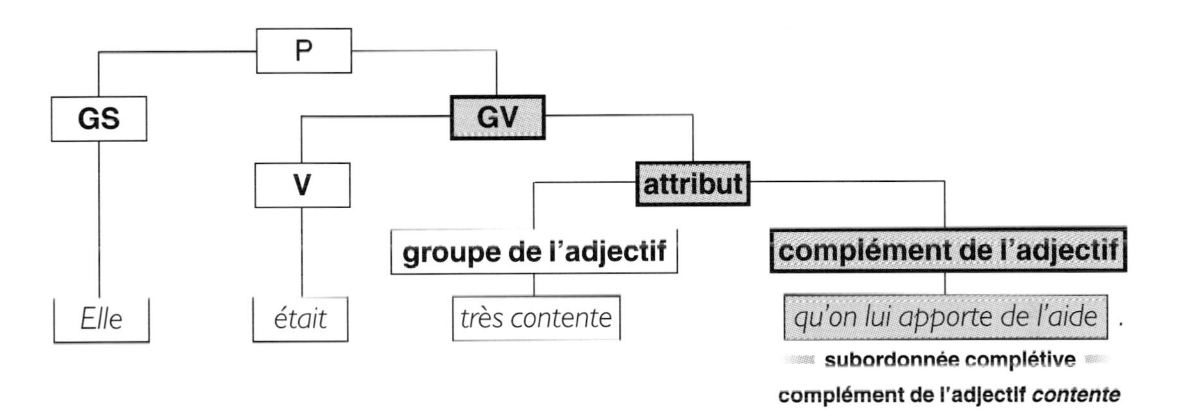

complément du verbe

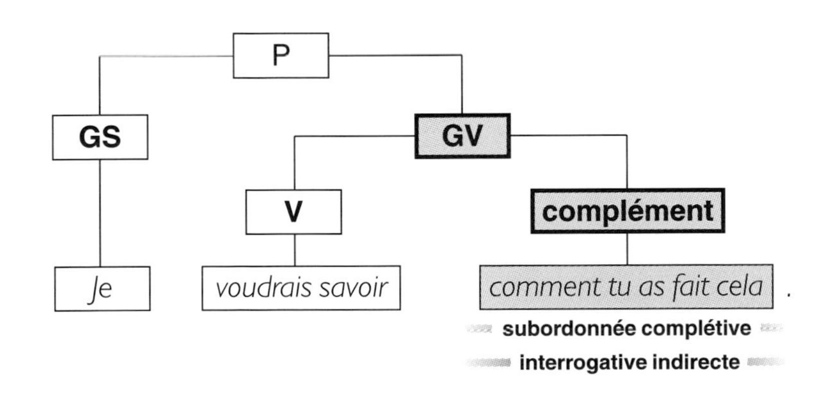

9

Attention !

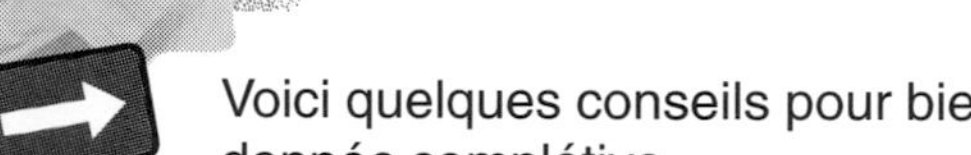

Voici quelques conseils pour bien choisir le **mode** (indicatif ou subjonctif) de la subordonnée complétive.

On emploie généralement l'**indicatif** lorsque le verbe principal :	
– exprime une **certitude**	*Je suis sûr qu'il* ***viendra****.* *Elle est certaine qu'il* ***fera*** *beau demain.*
– introduit un **discours indirect**	*Il dit qu'il* ***ira*** *bien.* *J'affirme qu'il* ***est*** *innocent.*
– exprime une **opinion**, un **jugement**	*Je pense qu'il* ***est*** *prudent.* *J'estime que tu* ***dois*** *partir maintenant.*
– exprime une **déclaration**	*Il avoue qu'il s'****est trompé****.*
– exprime une **perception**	*Je vois que vous* ***avez*** *de l'intérêt pour mon projet.*

→ 330

On emploie généralement le **subjonctif** lorsque le verbe principal :	
– exprime une **négation**	*Je ne crois pas qu'il* ***puisse*** *être là à temps.*
– exprime une **volonté** ou un **doute**	*Sandra souhaite que son amie* ***vienne*** *la voir.* *Je doute que tu* ***sois*** *content de tes résultats.*
– exprime un **sentiment**	*Je suis heureux que tu* ***sois*** *venu.*
– exprime la **nécessité**	*Ce projet exige qu'on* ***investisse*** *des sommes importantes.*
– exprime un **refus** ou un **empêchement**	*Le fermier refuse qu'on* ***nourrisse*** *ses animaux.*
– est un verbe de **forme impersonnelle** qui exprime la nécessité, l'obligation	*Il faut que tu* ***perdes*** *quelques kilos.*

→ 54

Comment reconnaître une subordonnée complétive?

▶ On trouve le **subordonnant** (généralement **que**) et on le souligne. C'est le début de la subordonnée complétive (**/**).	*Mon petit frère veut* **/** *que je lui raconte une histoire.*
▶ On encadre le verbe conjugué qui suit le subordonnant.	*Mon petit frère veut* **/** *que je lui raconte une histoire.*
▶ On trouve le groupe sujet de ce verbe conjugué en posant la question **Qui est-ce qui?** ou **Qu'est-ce qui?** devant celui-ci; on encercle le groupe sujet.	*Mon petit frère veut* **/** *que je lui raconte une histoire.*
▶ On souligne aussi les mots qui accompagnent le verbe conjugué; la subordonnée complétive se termine (**/**) généralement après ces mots.	*Mon petit frère veut* **/** *que je lui raconte une histoire* **/**.

Les mots qui accompagnent le verbe conjugué peuvent être un **complément**, un **attribut** ou un **adverbe**.

Voici d'autres applications de cette procédure.	*Je pense* **/** *qu'il est prudent* **/**. *Je doute* **/** *que tu sois content de tes résultats* **/**.

Attention !

- Il ne faut pas confondre le *que* qui est **conjonction de subordination** et le *que* qui est **pronom relatif**. Lorsque le *que* est précédé d'un nom ou d'un pronom, c'est généralement un pronom relatif. Lorsque le *que* est précédé d'un verbe, c'est généralement une **conjonction de subordination**.

*Il **aime** que je lui chante une chanson.*
verbe

*Le **chat** que j'ai recueilli est malade.*
nom

- La subordonnée complétive peut généralement **être remplacée** par un **infinitif** lorsque le sujet de la phrase matrice est le même que le sujet de la subordonnée complétive.

*Je suis sûr **que j'irai** chez mon oncle en fin de semaine.*
*Je suis sûr **d'aller** chez mon oncle en fin de semaine.* R

*L'élève croit **qu'il réussira** au prochain examen.*
*L'élève croit **réussir** au prochain examen.* R

- La subordonnée complétive peut aussi, dans certains cas, **être remplacée** par un **infinitif** lorsque le verbe de la phrase matrice est un verbe de perception.

*Elle sentait **que** la situation lui **échappait**.*
*Elle sentait la situation lui **échapper**.* R

Qu'est-ce qu'une subordonnée circonstancielle?

- Une subordonnée circonstancielle est généralement introduite dans la phrase par un subordonnant différent de **que**.

Nous arriverons ⌊***quand*** *le dîner sera prêt*⌋ .

Il préparait le petit déjeuner ⌊***pendant que*** *tu t'habillais*⌋ .

- Chaque subordonnée circonstancielle apporte une «circonstance particulière» à la phrase.
  Voici différentes circonstances possibles:

pourquoi → cause

but	cause	comparaison	concession	condition
conséquence	hypothèse	manière	opposition	temps

comment → manière ; quand → temps

- Une subordonnée circonstancielle a toujours une fonction de **complément**. Elle est souvent complément de toute la phrase et, comme telle, elle peut être **déplacée** et **supprimée**.

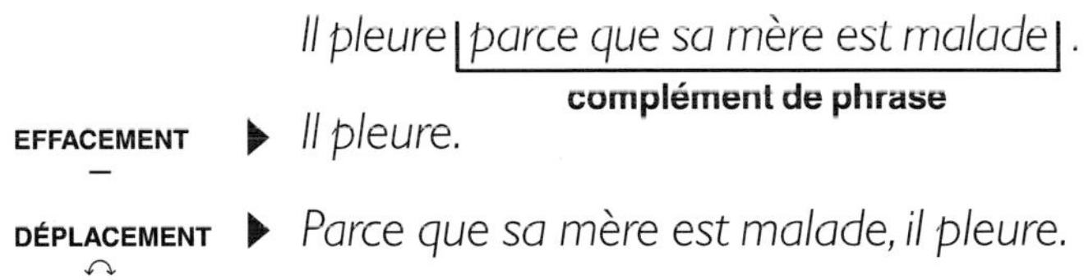

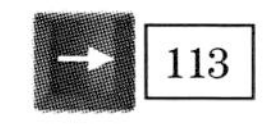

- Le mode du verbe de la subordonnée circonstancielle dépend souvent du subordonnant utilisé.

subordonnant : conjonction ou locution conjonctive de subordination

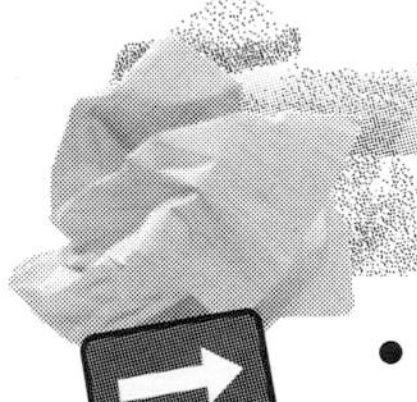

Attention !

- Une subordonnée circonstancielle peut être **non verbale**.

Il est arrivé comme convenu.

Bien que délavée, la clôture semblait encore en bon état.

- Le **lieu** n'est pas exprimé par une subordonnée circonstancielle, mais par une **subordonnée relative** ou la subordonnée de l'**interrogation indirecte**.

Te souviens-tu de la maison où tu es né ?

Je me demande d'où il vient.

9

Qu'est-ce qu'une subordonnée circonstancielle de temps ?

Une subordonnée circonstancielle de temps peut présenter cette «circonstance» sous trois aspects.

AVANT

- L'action exprimée par le verbe principal est **antérieure** à l'action exprimée par le verbe de la subordonnée.

avant que | d'ici à ce que | jusqu'à ce que | jusqu'à temps que

Je travaillerai jusqu'à ce que tu arrives.

subordonnée de temps : jusqu'à ce que tu arrives

Le fait de **travailler** est antérieur au fait d'**arriver**.

Le verbe de la subordonnée circonstancielle de temps est généralement au subjonctif.

PENDANT

- L'action exprimée par le verbe principal et l'action exprimée par le verbe de la subordonnée sont **simultanées**.

alors que | en même temps que | lorsque | pendant que | quand | tandis que

Il préparait le petit déjeuner pendant que tu t'habillais.

subordonnée de temps : pendant que tu t'habillais

Le fait de **préparer le petit déjeuner** s'est produit en même temps que le fait de **s'habiller**.

Le verbe de la subordonnée circonstancielle de temps est généralement à l'indicatif.

APRÈS

- L'action exprimée par le verbe principal est **postérieure** à l'action exprimée par le verbe de la subordonnée.

après que | aussitôt que | depuis que | dès que | lorsque | quand

Dès que tu arrives, nous partons.

subordonnée de temps : Dès que tu arrives

Le fait de **partir** est postérieur au fait d'**arriver**.

Le verbe de la subordonnée circonstancielle de temps est généralement à l'indicatif.

Attention!

- Certains subordonnants, tels **alors que** et **tandis que**, introduisent des subordonnées d'opposition.

Tout le monde croit que Sandra est heureuse, [***alors qu'****elle éprouve un grand chagrin*].
subordonnée d'opposition

Le fait d'**éprouver un grand chagrin** s'oppose en quelque sorte au fait d'**être heureuse**.

- Le verbe de la subordonnée d'opposition est généralement à l'**indicatif**.

39

Quels sont les autres moyens d'exprimer le temps?

À part la subordonnée circonstancielle de temps, il existe d'autres façons d'exprimer le temps dans une phrase.

Par un groupe prépositionnel

- On peut utiliser un groupe du nom introduit par une préposition : **avant**, **après**...

Je me suis couché immédiatement [***après*** *ton départ*]. — **groupe prépositionnel**

Je me suis couché [***à*** *dix heures*]. — **groupe prépositionnel**

Par des verbes

- On peut utiliser le **temps** des verbes : **présent**, **passé**, **futur**.

*J'****irai*** *bientôt au cinéma.* (futur simple)

Je ***suis allé*** *au cinéma.* (passé composé)

- On peut utiliser aussi des **semi-auxiliaires**, tels **aller** ou **être en train de**.

Je ***vais*** *nettoyer le garage.* (futur proche)

Par des adverbes

- Des **adverbes**, tels **demain**, **hier** ou **aujourd'hui**, peuvent indiquer le temps.

Demain*, ils iront patiner sur le lac.* (futur)

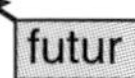

Qu'est-ce qu'une subordonnée circonstancielle de cause?

- Dans une subordonnée circonstancielle de cause, le fait exprimé par la subordonnée est la **cause** du fait exprimé par le verbe principal.

Elle n'a pas été malade cet hiver ***parce qu'****elle est résistante*.
subordonnée de cause

Le fait d'**être résistante** est la cause du fait de **ne pas être malade**.

- La subordonnée circonstancielle de cause est souvent introduite par l'un des subordonnants suivants:

attendu que | comme | étant donné que | parce que | puisque | sous prétexte que | vu que

→ 398

Comme *ils étaient loin de la scène, ils n'ont rien entendu.*
subordonnée de cause

Plusieurs personnes considèrent qu'une subordonnée introduite par **puisque** a plutôt une valeur de justification.

Puisque j'étais retenu à la maison par la maladie, je n'ai pu assister au spectacle.

Le verbe de la subordonnée de cause est généralement à l'indicatif.

Quels sont les autres moyens d'exprimer la cause?

À part la subordonnée circonstancielle de cause, il existe d'autres façons d'exprimer la cause dans une phrase.

Par un groupe prépositionnel

- On peut utiliser un groupe du nom introduit par une préposition complexe : **à cause de**, **en raison de** ou **par suite de**.

*Elle a perdu le match **à cause de** son inexpérience.*
(**à cause de** son inexpérience : **groupe prépositionnel**)

Par des coordonnants

- On peut utiliser des **coordonnants** pour exprimer la cause.

*Les spectateurs ont applaudi longuement, **car** le spectacle était excellent.*

Par des noms

- On peut aussi utiliser des **noms**.

*La **cause** de son échec est simple : il n'a pas étudié.*

Par des participes ou des adjectifs

- On peut également utiliser des **participes** ou des **adjectifs**.

***Satisfaits** du spectacle, ils l'ont applaudie.*
(Satisfaits ← parce que)

***L'apercevant de loin**, elles n'étaient pas sûres de la reconnaître.*
(L'apercevant de loin ← parce que)

Par des verbes

- On peut enfin utiliser des **verbes**.

*Le vent **a causé** beaucoup de dégâts.*

Qu'est-ce qu'une subordonnée circonstancielle de conséquence?

- Dans une subordonnée circonstancielle de conséquence, le fait exprimé par la subordonnée est la **conséquence** du fait exprimé par le verbe principal.

Il s'habillait chaudement [**de sorte qu'***il pouvait rester dehors pendant des heures*].
subordonnée de conséquence

Le fait de **pouvoir rester dehors** est la conséquence du fait de **s'habiller chaudement**.

- La subordonnée circonstancielle de conséquence est souvent introduite par l'un des subordonnants suivants:

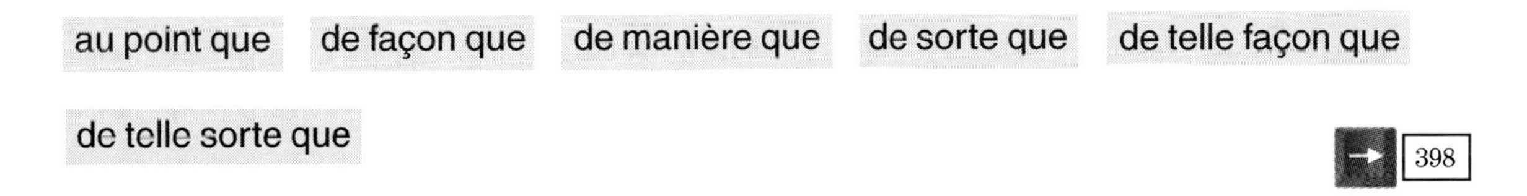

→ 398

J'ai rangé les vêtements d'hiver [**de telle façon que** *tu les trouveras facilement*].
subordonnée de conséquence

J'ai oublié de barrer la porte [**de sorte que** *les cambrioleurs ont pu entrer facilement dans la maison*].
subordonnée de conséquence

Le verbe de la subordonnée de conséquence est généralement à l'indicatif.

- Le verbe de la subordonnée circonstancielle de conséquence peut être au subjonctif, si la conséquence est présentée comme un but à atteindre.

Agis [**de manière que** *tes amis soient fiers de toi*].
subordonnée de conséquence

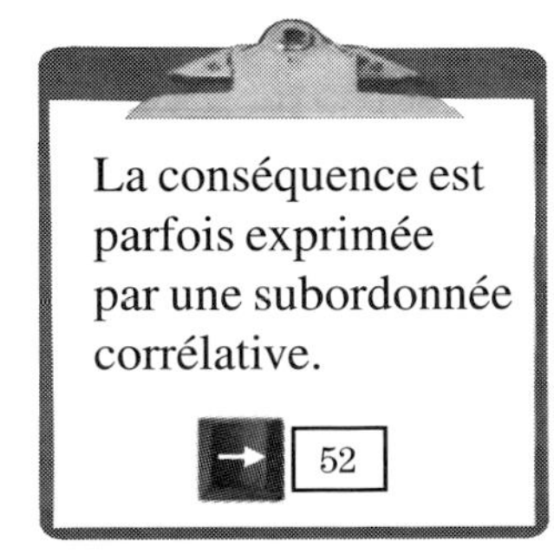

Quels sont les autres moyens d'exprimer la conséquence ?

À part la subordonnée circonstancielle de conséquence, il existe d'autres façons d'exprimer la conséquence dans une phrase.

Par un groupe prépositionnel

- On peut utiliser un groupe de l'infinitif introduit par une préposition complexe : **au point de**, **de façon à**, **en sorte de**, etc.

Elle fut blessée [***au point de** devoir être hospitalisée*] .
groupe prépositionnel

Par des coordonnants

- On peut utiliser des **coordonnants** pour exprimer la conséquence.

*La pluie est verglaçante, **donc** je ne sors pas.*

Par des noms

- On peut aussi utiliser des **noms**.

*Une fracture du tibia fut la **conséquence** de sa chute.*
*L'**effet** du médicament fut bénéfique : ma sœur a guéri rapidement.*

Par des adverbes

- On peut enfin utiliser des adverbes pour exprimer la conséquence.

***Consécutivement à** la hausse des loyers, plusieurs locataires de cet immeuble déménagèrent.*

Qu'est-ce qu'une subordonnée circonstancielle de concession ?
Qu'est-ce qu'une subordonnée circonstancielle d'opposition ?

- Dans une subordonnée circonstancielle de concession ou d'opposition, le fait exprimé par le verbe de la subordonnée indique une restriction ou une opposition par rapport au fait exprimé par le verbe principal.

Il marche, [***bien qu'****il ait mal à la jambe droite*] *.*
subordonnée de concession

Le fait d'**avoir mal à la jambe droite** apporte une restriction au fait de **marcher**.

Tout le monde croit que Jean-François est heureux [***alors qu'****il éprouve un grand chagrin*] *.*
subordonnée d'opposition

Le fait d'**éprouver un grand chagrin** s'oppose au fait d'**être heureux**.

- Les subordonnées circonstancielles de concession et d'opposition sont souvent introduites par l'un des subordonnants suivants :

CONCESSION

bien que — même si (indicatif) — quoique — malgré que — si... que

→ 398

[***Quoiqu'****il fasse très froid*]*, les enfants jouent dehors.*
subordonnée de concession

Le verbe de la subordonnée de concession est généralement au subjonctif.

OPPOSITION

alors que — tandis que — quand

→ 398

Tu roules à bicyclette, [***alors que*** *je me promène à pied*] *.*
subordonnée d'opposition

Le verbe de la subordonnée d'opposition est généralement à l'indicatif.

Attention !

- **Quoi que** (en deux mots), qu'il ne faut pas confondre avec **quoique**, introduit aussi une subordonnée de concession ou d'opposition.

peu importe

Quoi que tu dises, tes camarades ne te croiront pas.

bien que

Quoique tu dises des paroles sensées, ils ne te croiront pas.

- **Quel que** (en deux mots) introduit aussi une subordonnée de concession ou d'opposition.

Quels que soient les efforts de Sandra, elle ne réussira pas à faire partie de l'équipe nationale.

Quels sont les autres moyens d'exprimer la concession ?

À part la subordonnée circonstancielle de concession, il existe d'autres façons d'exprimer la concession dans une phrase.

Par un groupe prépositionnel

- On peut utiliser un groupe du nom introduit par une préposition telle que **malgré**.

__Malgré__ des avertissements répétés, Jean-François est allé pêcher dans un lac privé.

(*Malgré des avertissements répétés* : **groupe prépositionnel**)

Par des coordonnants

- On peut utiliser des **coordonnants** pour exprimer la concession.

Elle croyait avoir tort, __or__ ses propos se sont révélés justes.

Par des noms

- On peut aussi utiliser des **noms** pour exprimer la concession.

Ma mère fit une grande __concession__ en permettant à mon jeune frère d'aller coucher chez son ami.

Par des verbes

- Certains **verbes** peuvent également exprimer la concession.

Elle __concéda__ qu'il avait raison dans sa façon de dresser le chien.

Qu'est-ce qu'une subordonnée circonstancielle de but ?

- Une subordonnée circonstancielle de but exprime un but positif ou négatif par rapport au fait exprimé par le verbe principal.

Les ouvriers ont refait l'isolation de la maison [***afin que*** *celle-ci soit plus confortable*].
subordonnée de but

Le fait d'**être plus confortable** est le but qui était recherché par le fait de **refaire l'isolation**.

- La subordonnée de but est souvent introduite par l'un des subordonnants suivants :

afin que | afin que... ne... pas | de crainte que | de peur que

pour que | pour que... ne... pas

→ 398

[***Pour que*** *nous arrivions sains et saufs à destination*], *il faut que tu conduises prudemment.*
subordonnée de but

Ils les ont accompagnés [***afin qu'****ils ne soient pas seuls au récital*].
subordonnée de but

Le verbe de la subordonnée de but est généralement au subjonctif.

Quels sont les autres moyens d'exprimer le but?

À part la subordonnée circonstancielle de but, il y a d'autres façons d'exprimer le but dans une phrase.

Par un groupe prépositionnel

- On peut utiliser un groupe de l'infinitif qui est introduit par une préposition simple ou complexe : **afin de**, **pour**, etc.

Elle mange des pommes ***afin de*** *rester en santé.*

Il ouvrit le sac ***pour*** *satisfaire sa curiosité.*

Par des noms

- On peut utiliser des **noms** pour exprimer le but.

Le ***but*** *de Joëlle était de rendre la maison plus confortable.*

Par des verbes

- Certains **verbes** peuvent aussi exprimer le but.

Le règlement ***visait*** *tout le monde.*

Qu'est-ce qu'une subordonnée circonstancielle de manière ?
Qu'est-ce qu'une subordonnée circonstancielle de comparaison ?

- Une subordonnée circonstancielle de manière qui compare le fait qu'elle contient à celui qu'exprime le verbe principal est aussi appelée **circonstancielle de comparaison**.

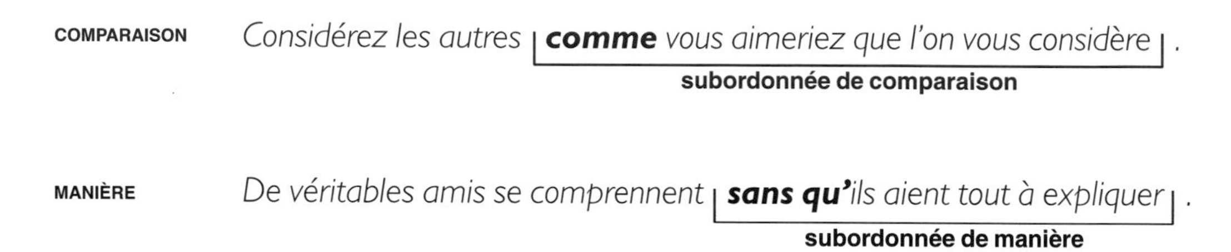

COMPARAISON *Considérez les autres* [***comme*** *vous aimeriez que l'on vous considère*] .
subordonnée de comparaison

MANIÈRE *De véritables amis se comprennent* [***sans qu'****ils aient tout à expliquer*] .
subordonnée de manière

- Les subordonnées de manière et les subordonnées de comparaison sont généralement introduites par l'un des subordonnants suivants :

COMPARAISON : ainsi que — comme — de même que

MANIÈRE : sans que (subjonctif)

Il est parti [***comme*** *il est arrivé*] .
subordonnée de comparaison

- La comparaison est aussi exprimée par la subordonnée corrélative.  52

Le verbe de la subordonnée de comparaison est généralement à l'indicatif.
Le verbe de la subordonnée de manière est généralement au subjonctif.

Quels sont les autres moyens d'exprimer la comparaison?

À part la subordonnée circonstancielle de comparaison, il y a d'autres façons d'exprimer la comparaison dans une phrase.

Par une subordonnée corrélative

- On peut utiliser des **subordonnées corrélatives** qui sont introduites par les termes : **aussi... que**, **autant que**, **moins... que**, **plus... que**, etc.

*Il n'est pas **aussi** habile [**qu'**il le prétend].*

*Elle est beaucoup **plus** généreuse [**que** son frère ne l'est].*

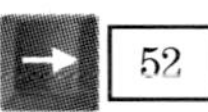
52

Par des adverbes

- On peut utiliser un **adverbe** pour introduire une comparaison.

*Cet homme est fort **comme** un bœuf.*

*Sandra est **plus** grande que son frère.*

Qu'est-ce qu'une subordonnée circonstancielle de condition ?

- Une subordonnée circonstancielle de condition exprime un fait qui apporte une condition au fait exprimé par le verbe principal.

Je te le dirais, si je le savais.
subordonnée de condition (si je le savais)

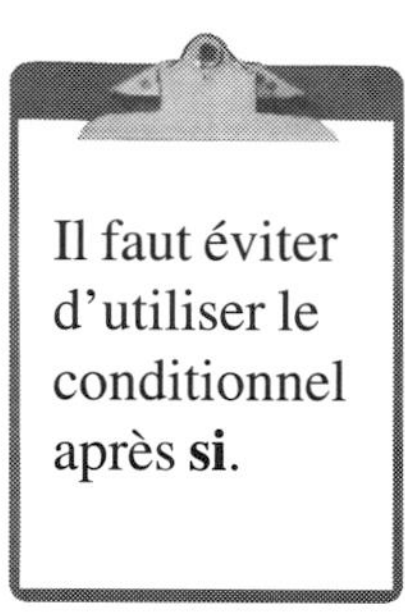

Si tu es prêt, tu peux partir.
subordonnée de condition (Si tu es prêt)

Le fait d'**être prêt** est une condition au fait de **partir**.

- La subordonnée circonstancielle de condition est souvent introduite par l'un des subordonnants suivants :

à condition que | à moins que | dans la mesure où | en admettant que | moyennant que | pour autant que | pourvu que | si

→ 398

*Mon père nous accompagnera **à condition que** nous revenions samedi.*
subordonnée de condition (à condition que nous revenions samedi)

- Le verbe de la subordonnée circonstancielle de condition qui commence par **si** est généralement à l'**indicatif**.

__Si__ tu le __désires__, tu peux m'accompagner. (désires : **indicatif présent**)

- Le verbe de la subordonnée circonstancielle de condition qui commence par un autre subordonnant que **si** est généralement au **subjonctif**.

Je t'aiderai __pourvu que__ tu __fasses__ des efforts toi aussi. (fasses : **subjonctif présent**)

Plusieurs personnes donnent le nom de **subordonnée d'hypothèse** à certaines subordonnées de condition (*en admettant que*, *à supposer que*, etc.). Elles estiment que la subordonnée exprime plutôt une **hypothèse**, et le verbe principal, une **conclusion**.

__En admettant que__ tu aies raison, je suis prêt à faire le voyage avec toi.

Quels sont les autres moyens d'exprimer la condition?

À part la subordonnée circonstancielle de condition, il existe d'autres façons d'exprimer la condition dans une phrase.

Par un groupe prépositionnel

- On peut utiliser un groupe de l'infinitif introduit par une préposition complexe, comme : **à condition de**, **à moins de**...

*Nous réussirons **à condition de** travailler ensemble.*

infinitif

Par des noms

- On peut utiliser des **noms** pour exprimer la condition.

*La ponctualité était une **condition** importante de son embauche.*

Par des adjectifs ou des adverbes

- Certains **adjectifs** et certains **adverbes** peuvent exprimer la condition.

*La libération du prisonnier était **conditionnelle à** sa bonne conduite.*

*Ma mère a signé **conditionnellement** le contrat.*

Comment reconnaître une subordonnée circonstancielle ?

- On trouve le **subordonnant** et on le souligne. Il est généralement différent de **que**.
  C'est le début de la subordonnée circonstancielle (**/**).

Nous arriverons **/** *quand le dîner sera prêt.*

→ 289

- On encadre le verbe conjugué qui suit le subordonnant.

Nous arriverons **/** *quand le dîner sera prêt.*

- On trouve le groupe sujet de ce verbe conjugué en posant la question **Qui est-ce qui ?** ou **Qu'est-ce qui ?** devant celui-ci ; on encercle le groupe sujet de la subordonnée.

Nous arriverons **/** *quand le dîner sera prêt.*

- On souligne aussi les mots qui accompagnent le verbe conjugué de la subordonnée ; la subordonnée circonstancielle se termine (**/**) généralement après ces mots.

Les mots qui accompagnent le verbe conjugué peuvent être un **complément**, un **attribut** ou un **adverbe**.

Nous arriverons **/** *quand le dîner sera prêt* **/**.

Voici d'autres applications de cette procédure.

Il préparait le petit déjeuner **/** *pendant que tu t'habillais rapidement* **/**.

/ *Dès que tu arrives à la maison* , **/** *nous partons.*

Attention !

Les subordonnées circonstancielles permettent d'enrichir ou de préciser les différentes informations (idées, arguments, sentiments, faits, etc.) d'un texte ; cependant, on peut utiliser des équivalents syntaxiques pour les **remplacer**[R].

Voici quelques subordonnées circonstancielles et leurs équivalents syntaxiques.

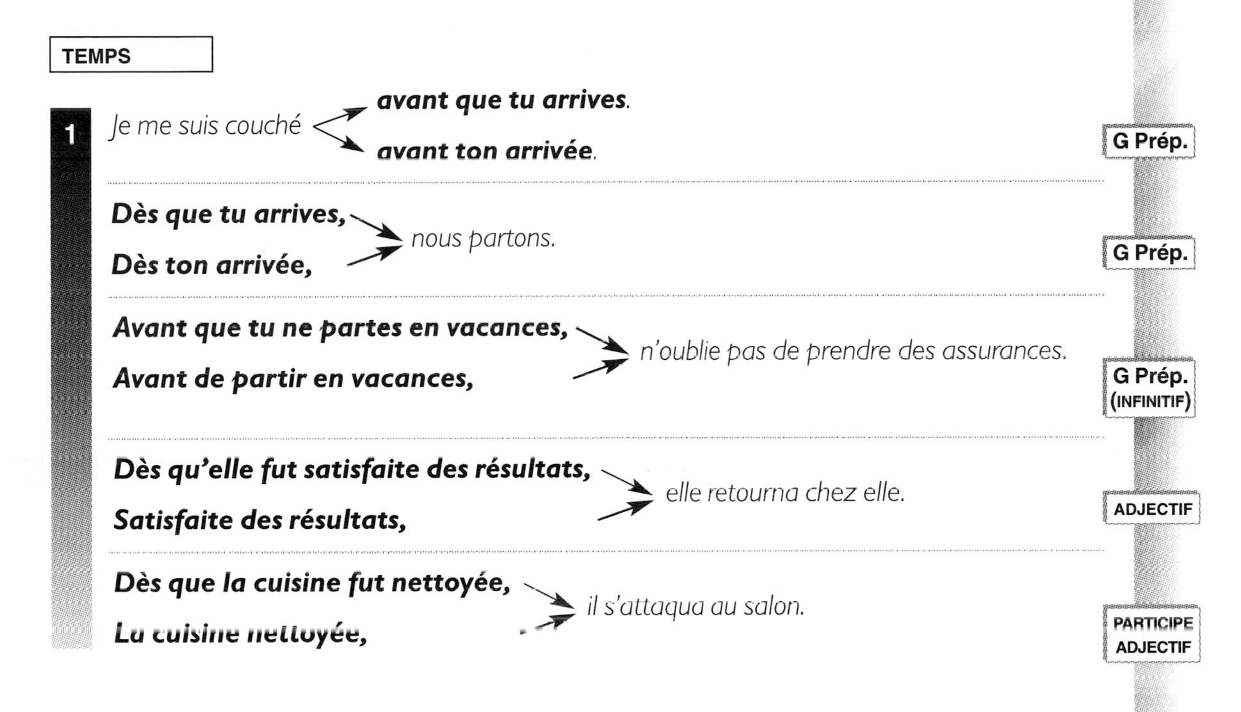

TEMPS

1

Je me suis couché ***avant que tu arrives.*** / ***avant ton arrivée.*** — G Prép.

Dès que tu arrives, / ***Dès ton arrivée,*** *nous partons.* — G Prép.

Avant que tu ne partes en vacances, / ***Avant de partir en vacances,*** *n'oublie pas de prendre des assurances.* — G Prép. (INFINITIF)

Dès qu'elle fut satisfaite des résultats, / ***Satisfaite des résultats,*** *elle retourna chez elle.* — ADJECTIF

Dès que la cuisine fut nettoyée, / ***La cuisine nettoyée,*** *il s'attaqua au salon.* — PARTICIPE ADJECTIF

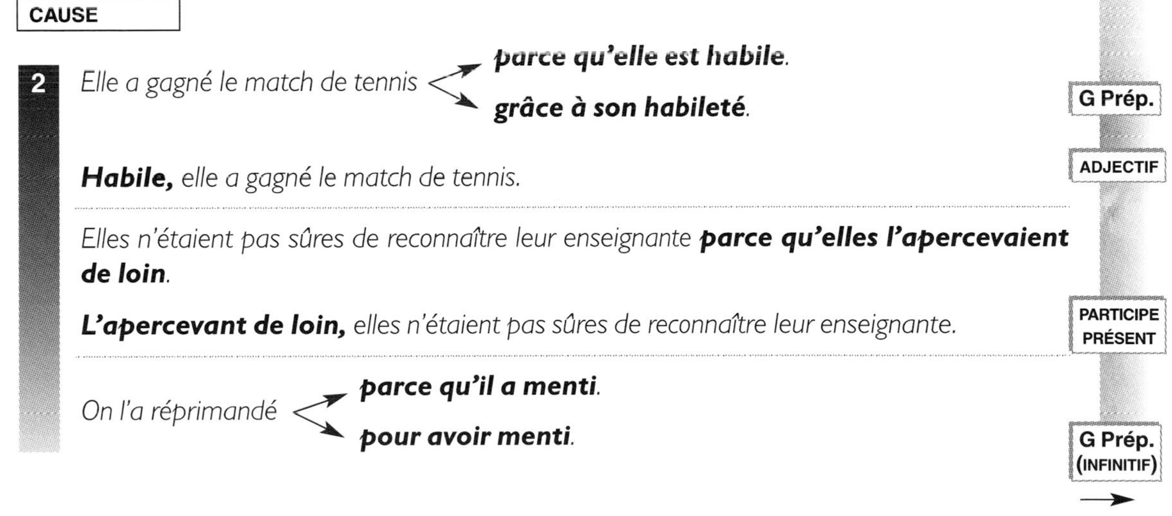

CAUSE

2

Elle a gagné le match de tennis ***parce qu'elle est habile.*** / ***grâce à son habileté.*** — G Prép.

Habile, *elle a gagné le match de tennis.* — ADJECTIF

Elles n'étaient pas sûres de reconnaître leur enseignante ***parce qu'elles l'apercevaient de loin.***

L'apercevant de loin, *elles n'étaient pas sûres de reconnaître leur enseignante.* — PARTICIPE PRÉSENT

On l'a réprimandé ***parce qu'il a menti.*** / ***pour avoir menti.*** — G Prép. (INFINITIF)

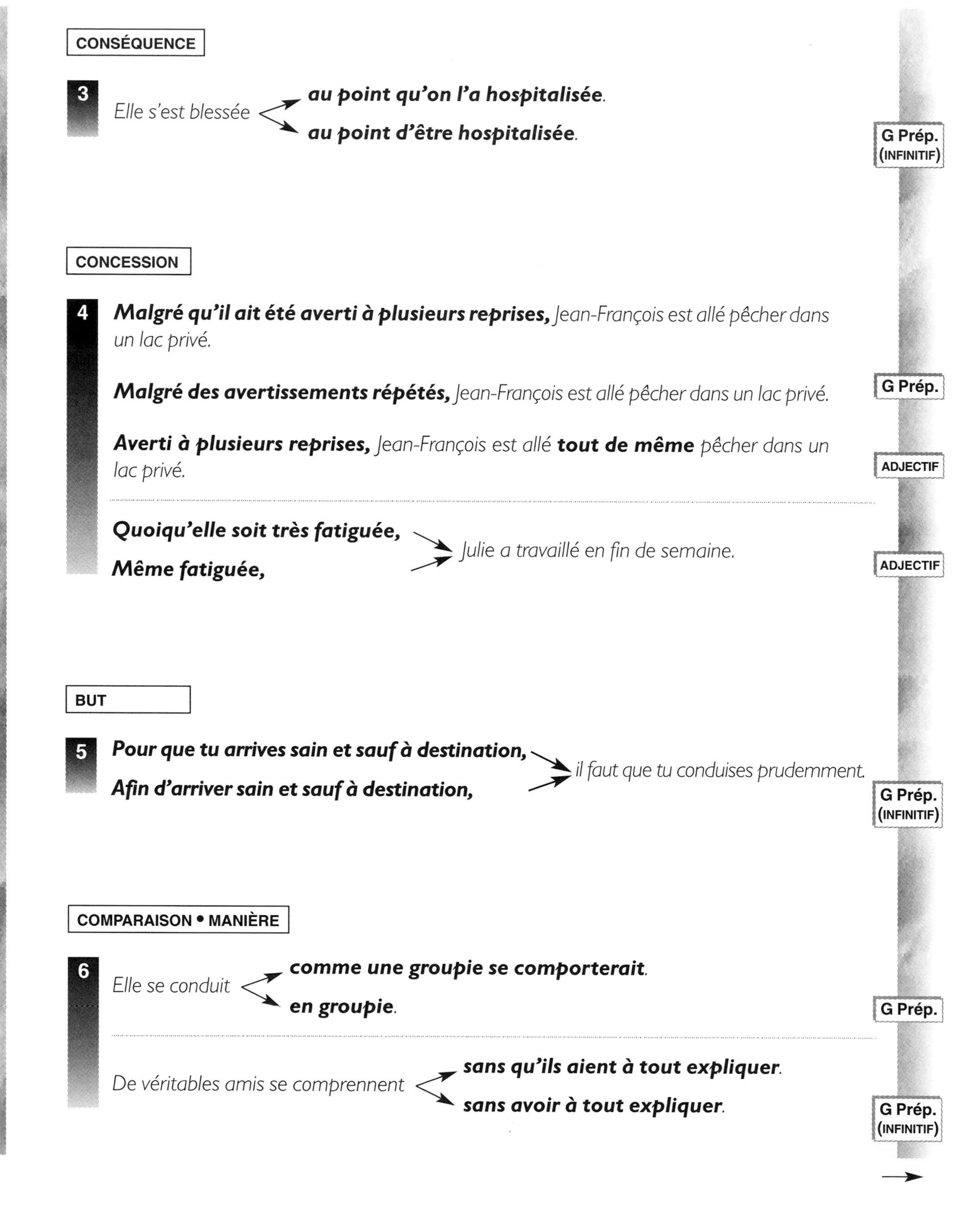

CONSÉQUENCE

3 *Elle s'est blessée* → ***au point qu'on l'a hospitalisée****.*
→ ***au point d'être hospitalisée****.* — G Prép. (INFINITIF)

CONCESSION

4 ***Malgré qu'il ait été averti à plusieurs reprises,*** *Jean-François est allé pêcher dans un lac privé.*

Malgré des avertissements répétés, *Jean-François est allé pêcher dans un lac privé.* — G Prép.

Averti à plusieurs reprises, *Jean-François est allé* **tout de même** *pêcher dans un lac privé.* — ADJECTIF

Quoiqu'elle soit très fatiguée, → *Julie a travaillé en fin de semaine.*
Même fatiguée, → *Julie a travaillé en fin de semaine.* — ADJECTIF

BUT

5 ***Pour que tu arrives sain et sauf à destination,*** → *il faut que tu conduises prudemment.*
Afin d'arriver sain et sauf à destination, → *il faut que tu conduises prudemment.* — G Prép. (INFINITIF)

COMPARAISON • MANIÈRE

6 *Elle se conduit* → ***comme une groupie se comporterait****.*
→ ***en groupie****.* — G Prép.

De véritables amis se comprennent → ***sans qu'ils aient à tout expliquer****.*
→ ***sans avoir à tout expliquer****.* — G Prép. (INFINITIF)

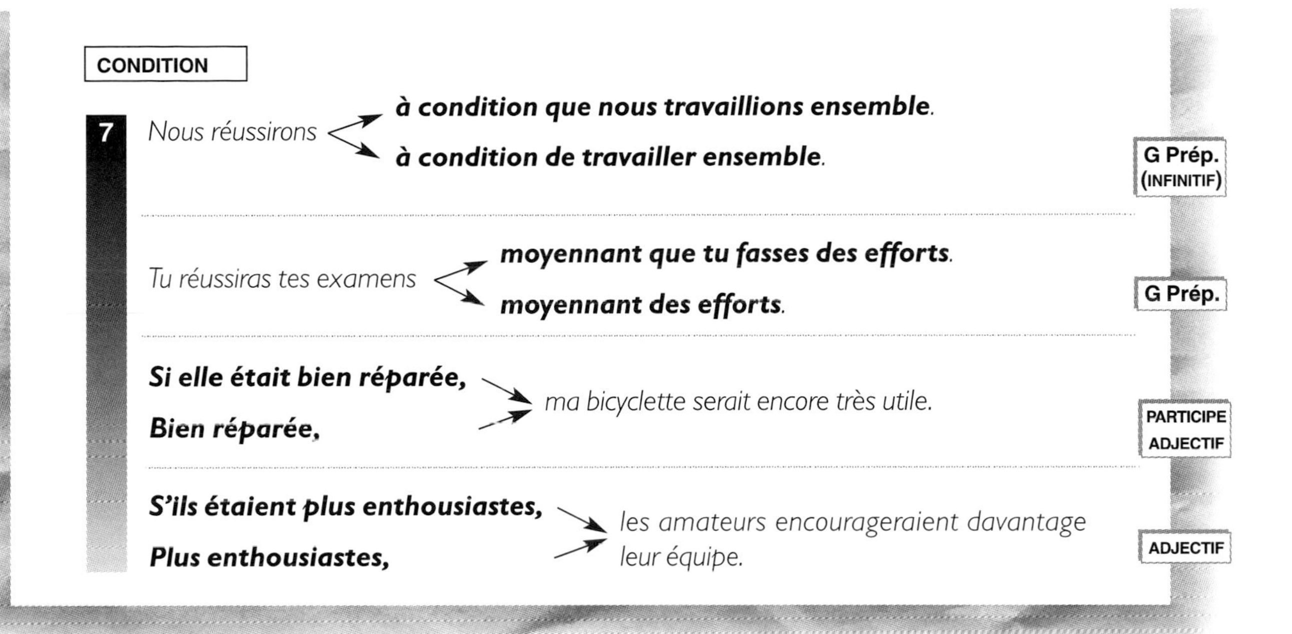

LA SUBORDONNÉE CORRÉLATIVE

Qu'est-ce qu'une subordonnée corrélative?

- Une subordonnée corrélative peut être complément d'un **adjectif** ou d'un **verbe**.

conjonction de subordination

- La subordonnée **corrélative** est généralement introduite par le subordonnant **que**, mais elle est annoncée par un **adjectif** ou un **adverbe**. C'est cet adjectif ou cet adverbe que l'on appelle **corrélatif**.

ADJECTIFS

autre	meilleur	même	moindre	pire	tel

Elle est ***meilleure que*** *je ne le croyais.*

ADVERBES

ailleurs	ainsi	aussi	autant	autrement	davantage
moins	plus	plutôt	si	tant	tellement

*Cette solution est **plus** satisfaisante **qu**'on ne le croyait.*

Le verbe de la subordonnée corrélative est généralement à l'indicatif.

- La subordonnée corrélative exprime généralement la **comparaison** ou la **conséquence**. Le verbe de ces phrases est généralement à l'indicatif.

COMPARAISON ▶ *La situation est **pire que** celle qui prévalait la semaine dernière.*

CONSÉQUENCE ▶ *Les spectateurs ont **tellement** applaudi le chanteur **qu'**il a dû faire cinq rappels.*

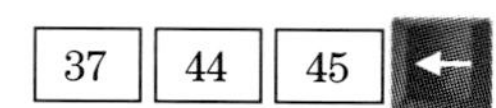

- La subordonnée corrélative ne se déplace pas.

Plusieurs personnes classent la subordonnée corrélative parmi les subordonnées circonstancielles.

37 44

Attention !

Assez, **trop** et **suffisamment** peuvent aussi annoncer une subordonnée corrélative, mais **que** est alors précédé de **pour**.

*Il est **suffisamment** calme **pour que** tu lui apprennes la mauvaise nouvelle.*

Qu'est-ce qu'une subordonnée sujet ?

- Une **subordonnée sujet** est généralement introduite par le subordonnant **que (qu')** ou **qui** ; ce subordonnant est souvent une **conjonction de subordination**, mais il peut être aussi un **pronom relatif**.

*[**Que** tu me demandes de t'accompagner] me surprend.*
subordonnée sujet

*[**Qu'**il ait pris le temps de t'écouter] ne m'a pas étonné.*
subordonnée sujet

*[**Qui** a bu] boira.*
subordonnée sujet

- La subordonnée sujet introduite par **que (qu')** est souvent reprise par le pronom **ce** ou **cela** devant le verbe.

*[**Qu'**ils doivent attendre l'arrivée du docteur], **cela** paraît évident.*
subordonnée sujet

- Dans une phrase qui contient une subordonnée sujet, le verbe de la phrase matrice est à la **3e personne du singulier**.

[Qu'il prenne le temps de t'écouter] me fait plaisir. (**fait** : 3e pers. sing.)
subordonnée sujet

- Un verbe impersonnel peut avoir une subordonnée sujet. Cette subordonnée sujet est le « sujet réel » de la phrase.

Il faut [que vous alliez voir ce spectacle].
subordonnée sujet

Des constructions particulières

LA PHRASE DE FORME IMPERSONNELLE

- Dans une phrase impersonnelle, le verbe est toujours à la **3e personne du singulier** ; on utilise le pronom **il**.

Il pleut.
Il a neigé.
Il s'agit de bien travailler.
Il faut que je te raconte mon aventure.
Il n'y a pas de fumée sans feu.
Il est défendu de fumer dans les établissements publics.

- La subordonnée qui suit un verbe impersonnel est considérée comme une subordonnée sujet ; ainsi, la subordonnée sujet devient le sujet réel du verbe impersonnel.

Il faut [*que je te raconte mon aventure*].
subordonnée sujet réel de *faut*

- Il y a des verbes qui sont **toujours impersonnels** et des verbes qui sont **impersonnels à l'occasion**.

VERBES IMPERSONNELS	VERBES IMPERSONNELS
TOUJOURS	**À L'OCCASION**
Il faut... *Il grêle...* *Il neige...* *Il pleut...* *Il vente...* *Il y a...* etc.	*Il arrive que...* *Il est temps que...* *Il est vrai que...* *Il était une fois...* *Il fait froid...* *Il fait soleil...* *Il s'est passé...* etc.

LA PHRASE NON VERBALE

- La phrase **non verbale** est une phrase qui ne contient pas de verbe.

Non.
Défense de passer.
À chacun son métier.
Bravo!
Allô!

4 ←

- En général, la phrase **non verbale** est une phrase simple.

LA PHRASE INFINITIVE

- La phrase infinitive peut être une phrase **simple** (1 infinitif) ou faire partie d'une phrase **complexe** (1 verbe conjugué + 1 infinitif).

- La phrase infinitive **simple** peut être construite de différentes façons :

INFINITIF INTERROGATIF ▶ *Pourquoi ne pas inviter ton ami à souper?*
INFINITIF DÉCLARATIF ▶ *Et la foule d'applaudir.*
INFINITIF IMPERATIF ▶ *Mélanger les ingrédients.*
INFINITIF EXCLAMATIF ▶ *Ah! rentrer chez soi!*

- Une phrase **complexe** peut contenir une subordonnée infinitive ; celle-ci contient généralement un sujet exprimé qui doit être **différent** de celui de la phrase matrice.

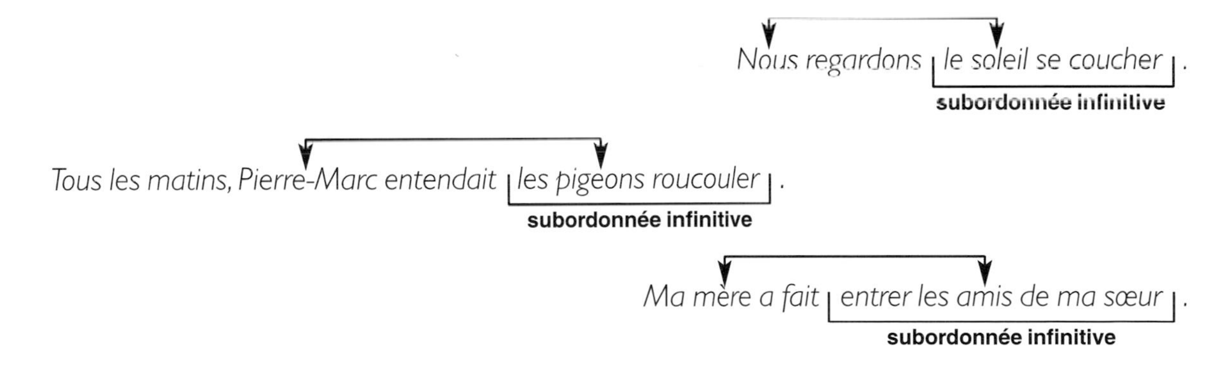

- On utilise la phrase infinitive sur des affiches et des pancartes ainsi que dans les recettes, les modes d'emploi, les règles de jeu, les proverbes, etc.

  La phrase infinitive est aussi utilisée dans les titres et les intertitres. Dans ces cas, elle joue le rôle d'**organisateur textuel**.

319

LA PHRASE À PRÉSENTATIF

- La phrase à présentatif peut contenir un des **introducteurs** suivants : **voici**, **voilà**, **c'est** et **il y a**.

Voici, voilà

– **Voici** ou **voilà** peut introduire un groupe du nom, un pronom, un infinitif ou une subordonnée.

*Voilà **Sandra** qui revient.*
*Voici **ta tuque**.*
*Voici **venir** le temps des adieux.*
*Voilà **quelqu'un** qui arrive.*
*Voici **comment tout cela est arrivé**.*

– Un pronom personnel ou relatif peut précéder **voici** ou **voilà**.

__La__ voilà enfin !
*La belle histoire **que** voilà.*

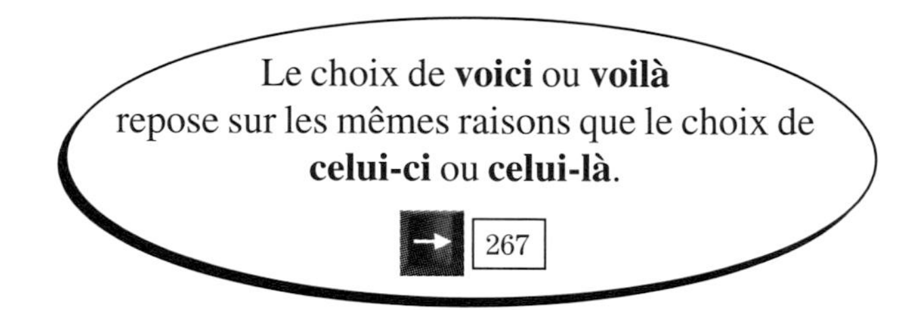

C'est

– **C'est** peut introduire un groupe du nom, un pronom, un adverbe ou une subordonnée.

*C'est **un pompier**.*
*C'est **elle**.*
*C'est **là** qu'il faut aller en premier.*
*C'est **comme tu veux**.*

– Le présentatif **c'est** devient **ce n'est pas** à la forme négative.

***Ce n'est pas** elle.*
***Ce n'est pas** le pompier qui l'a sauvée.*

Il y a

– **Il y a** introduit généralement un groupe du nom ou un pronom.

*Il y a **une mouche** sur le jambon.*
*Il y a **quelqu'un** à la porte.*

LA PHRASE INCIDENTE

- La phrase incidente introduit dans la phrase un commentaire de la personne qui parle ou qui écrit, généralement secondaire. Aucun subordonnant n'introduit une phrase incidente.

Nous marchions dans la forêt , t'en souviens-tu, lorsque le grizzly surgit derrière nous.

Sa tante a subi , je crois, une intervention chirurgicale majeure.

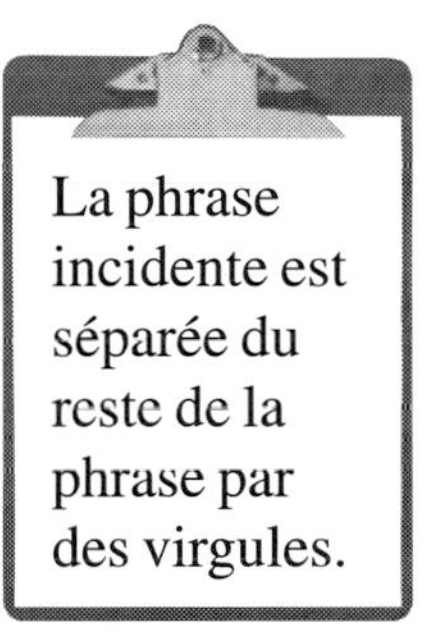

La phrase incidente est séparée du reste de la phrase par des virgules.

- On appelle **incise** la phrase incidente qui sert à indiquer que l'on rapporte les propos ou la pensée de quelqu'un.

« Il faudrait , se dit le renard, que j'attrape ce corbeau. »

« Nous pourrions , murmura-t-elle, ramer jusqu'à la rive. »

330

Le groupe du nom

Sa définition

Qu'est-ce qu'un groupe du nom?

- Un groupe du nom (GN) est un groupe de mots dont le **noyau** est un **nom** ; le pronom, qui remplace généralement un nom, peut aussi être le noyau d'un groupe du nom.

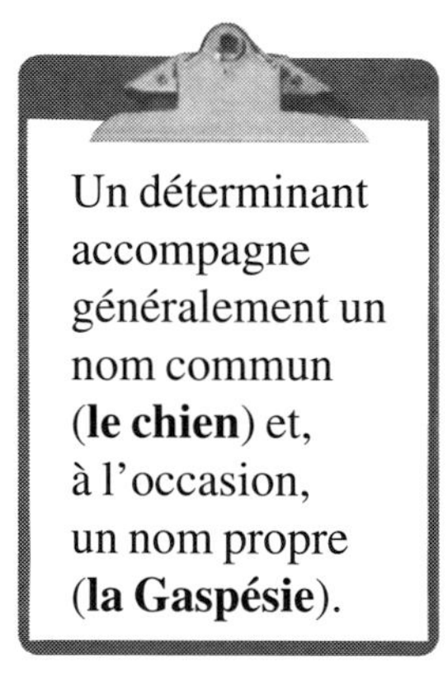

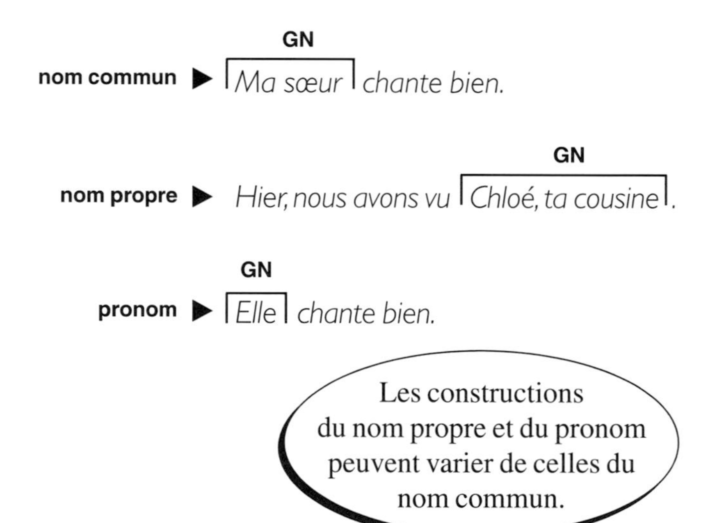

- Le **déterminant** est souvent un constituant **obligatoire** du groupe du nom.

Ma sœur chante bien.

\- *sœur chante bien.*

Si on supprime le déterminant, on rend la phrase agrammaticale.

Ses fonctions

- Le groupe du nom est un groupe très important dans la phrase, car il peut remplir plusieurs fonctions.

  Il peut constituer, en tout ou en partie, le **groupe sujet** (GS) ou le **groupe complément de phrase** (GCP); il peut faire partie du **groupe du verbe** (GV) en tant que **complément direct**, **complément indirect*** ou **attribut**.

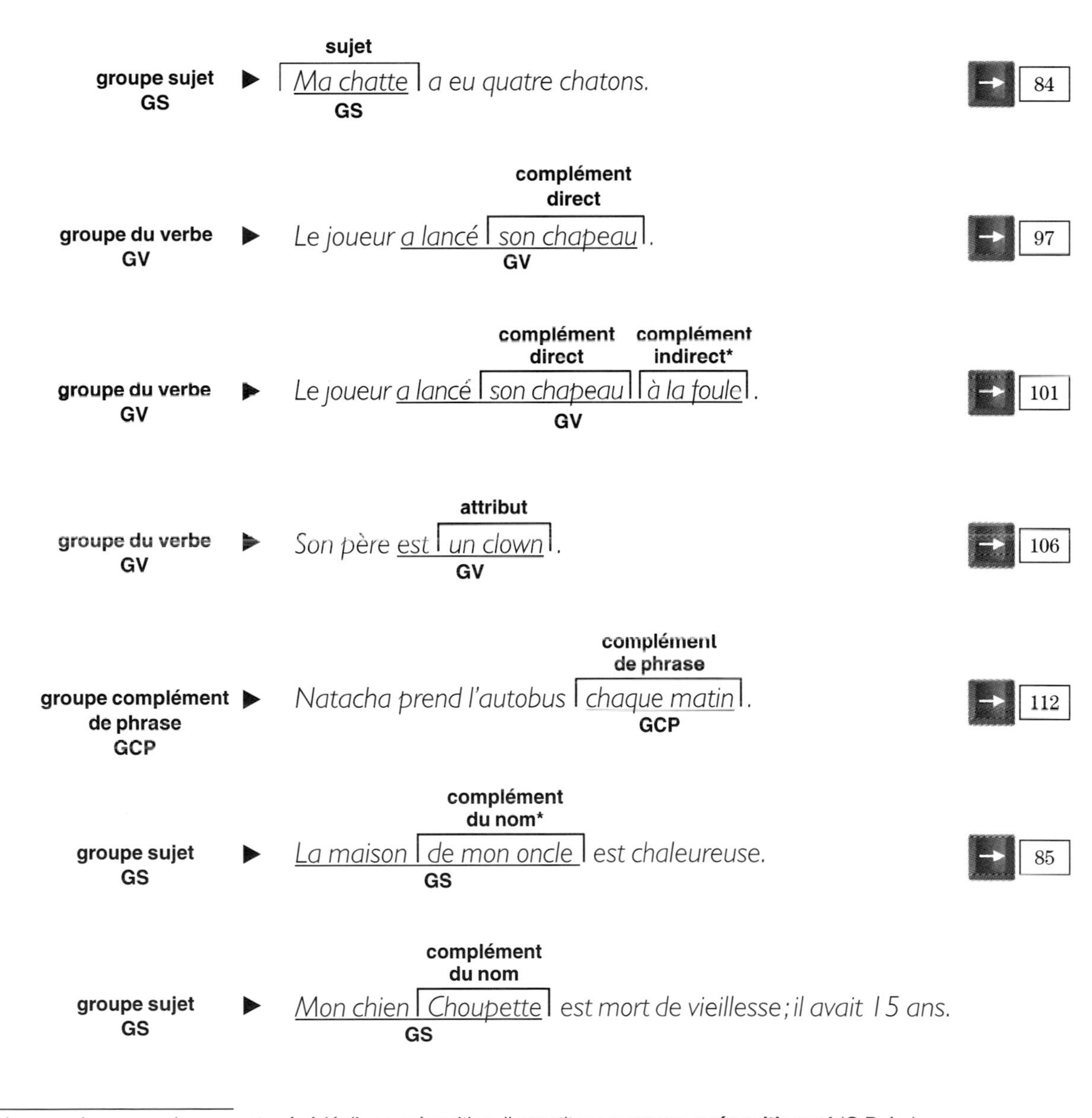

* Lorsque le groupe du nom est précédé d'une préposition, il constitue un **groupe prépositionnel** (G Prép.).

Quelle est la composition d'un groupe du nom ?

À PARTIR D'UN NOM COMMUN

Un groupe du nom est, en général, composé d'un **déterminant** et d'un **nom commun**.

A

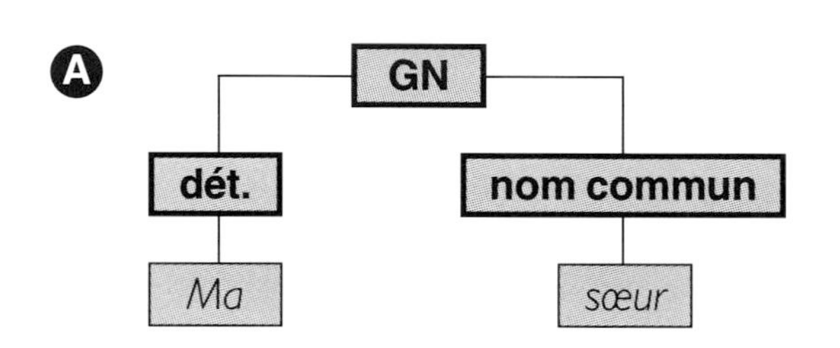

GN: *[Ma sœur] aime la crème glacée.*

GN: *As-tu vu [ma sœur]?*

C'est le groupe du nom de base.

LE NOM COMMUN S'EMPLOIE AUSSI PARFOIS **SANS DÉTERMINANT**.

▸ GN: *[Chien qui aboie] ne mord pas.*

▸ GN: *[Maman] travaille au centre-ville.*

On peut ajouter un **adjectif** ou un **participe adjectif** au groupe du nom de base.

→ 65

B

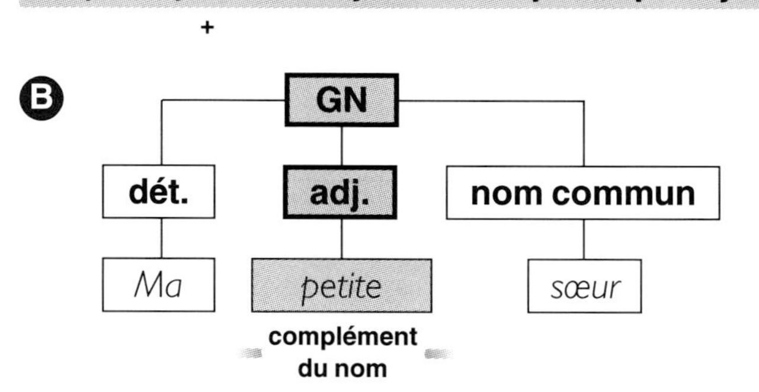

GN: *[Ma petite sœur] aime la crème glacée.* (petite : **adjectif**)

Ajout d'un complément du nom sous la forme d'un groupe de l'adjectif (G Adj.).

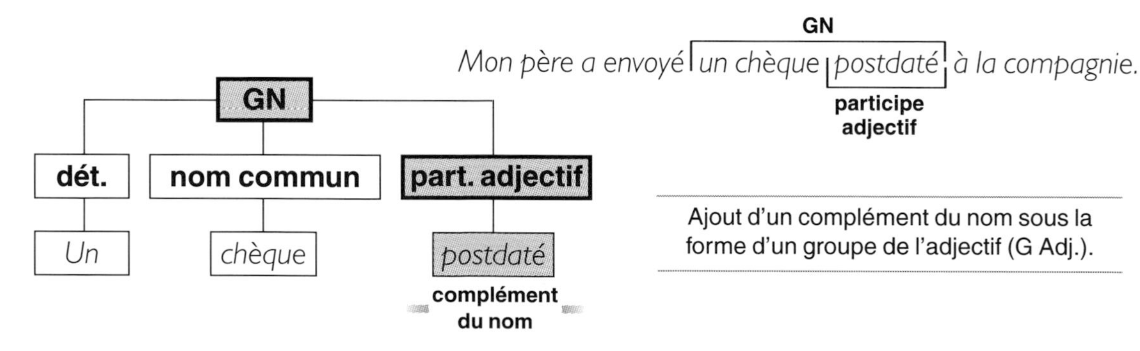

Ajout d'un complément du nom sous la forme d'un groupe de l'adjectif (G Adj.).

On peut aussi ajouter un **groupe prépositionnel** au groupe du nom de base.

+

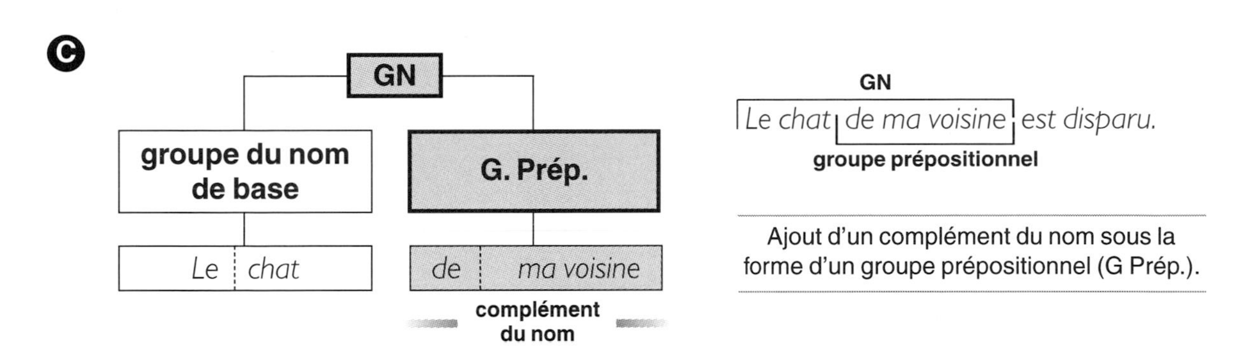

Ajout d'un complément du nom sous la forme d'un groupe prépositionnel (G Prép.).

On peut aussi ajouter une **subordonnée relative** au groupe du nom de base.

+

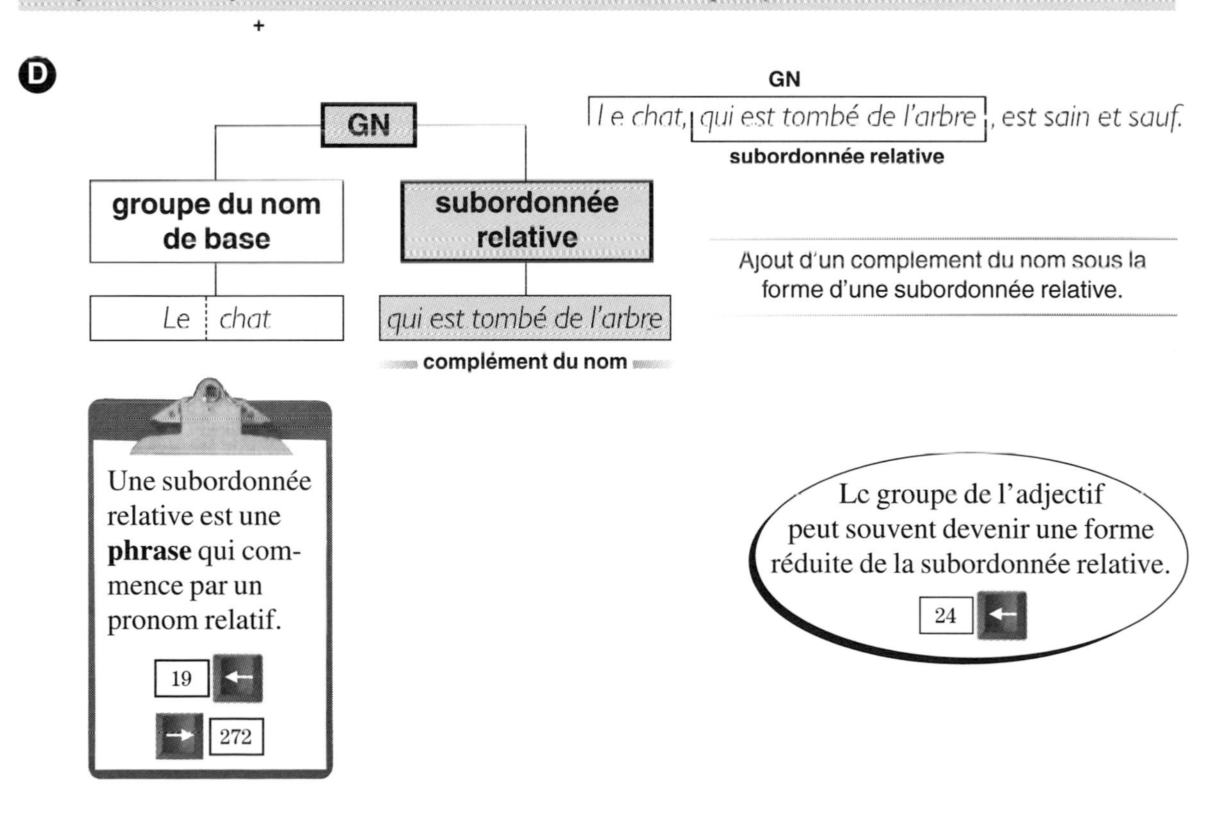

Ajout d'un complément du nom sous la forme d'une subordonnée relative.

Une subordonnée relative est une **phrase** qui commence par un pronom relatif.

19 ←
→ 272

Le groupe de l'adjectif peut souvent devenir une forme réduite de la subordonnée relative.

24 ←

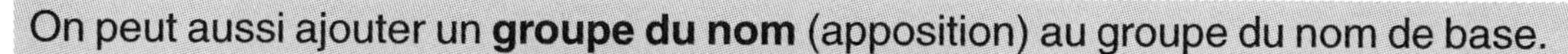

On peut aussi ajouter un **groupe du nom** (apposition) au groupe du nom de base.

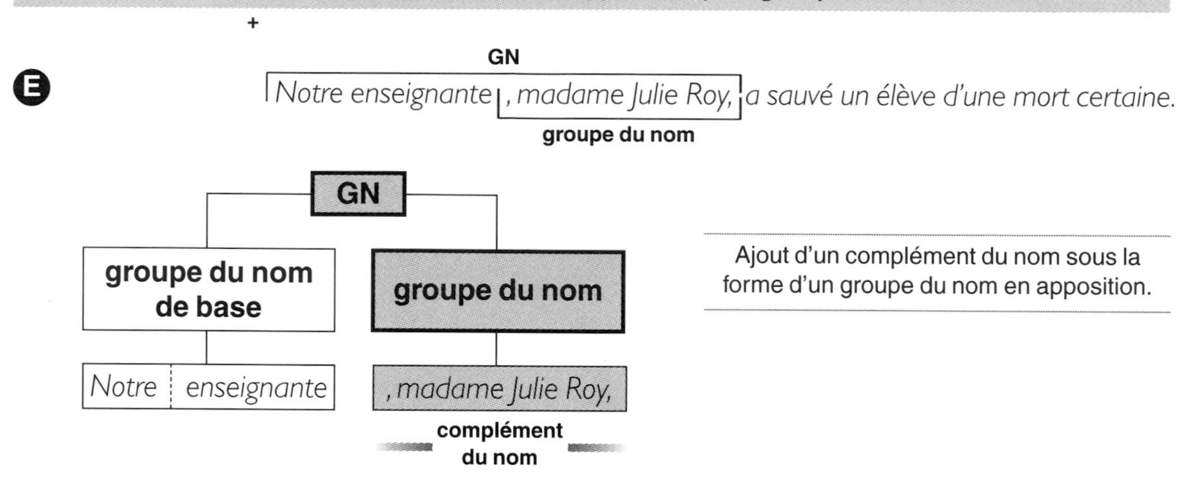

Ajout d'un complément du nom sous la forme d'un groupe du nom en apposition.

À PARTIR D'UN NOM PROPRE

En général, un **nom propre** n'est pas accompagné d'un déterminant. Il peut constituer, toutefois, le **noyau** d'un groupe du nom.

On peut ajouter un **déterminant** à **certains** noms propres.

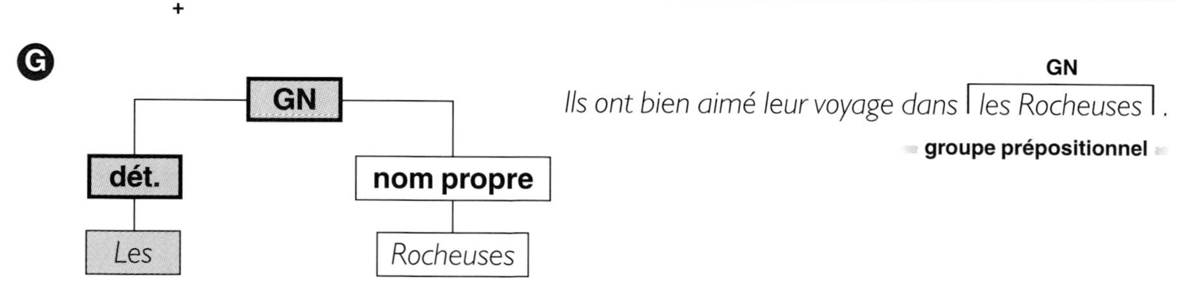

On peut aussi ajouter un **adjectif** à un nom propre.

\+

H

GN
- dét. — *La*
- adj. — *petite* (complément du nom)
- nom propre — *Jade*

GN: [*La* [*petite*] *Jade*] *aime les casse-tête.*

groupe de l'adjectif

Ajout d'un complément du nom sous la forme d'un groupe de l'adjectif (G Adj.).

On peut enfin ajouter une **subordonnée relative** à un nom propre.

\+

I

GN: [*La petite Jade* [*dont je t'ai parlé*]] *aime les casse-tête.*

subordonnée relative

GN
- dét. — *La*
- adj. — *petite*
- nom propre — *Jade*
- subordonnée relative — *dont je t'ai parlé* (complément du nom)

Ajout d'un complément du nom sous la forme d'une subordonnée relative.

À PARTIR D'UN PRONOM

Comme le pronom remplace généralement un nom, il peut former un groupe du nom et devenir le noyau de ce groupe.

J

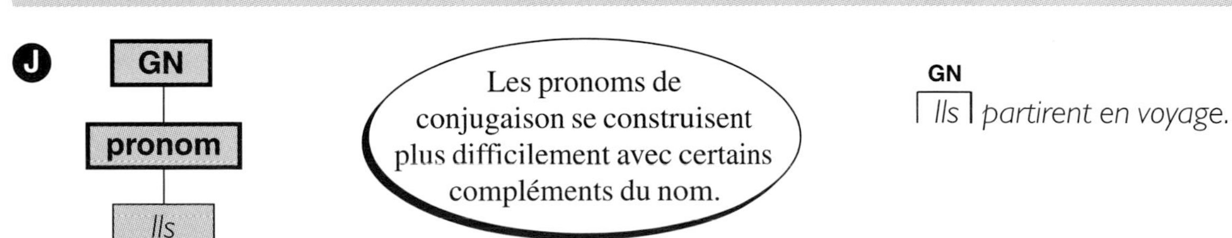

On peut ajouter un **groupe prépositionnel** à certains pronoms.

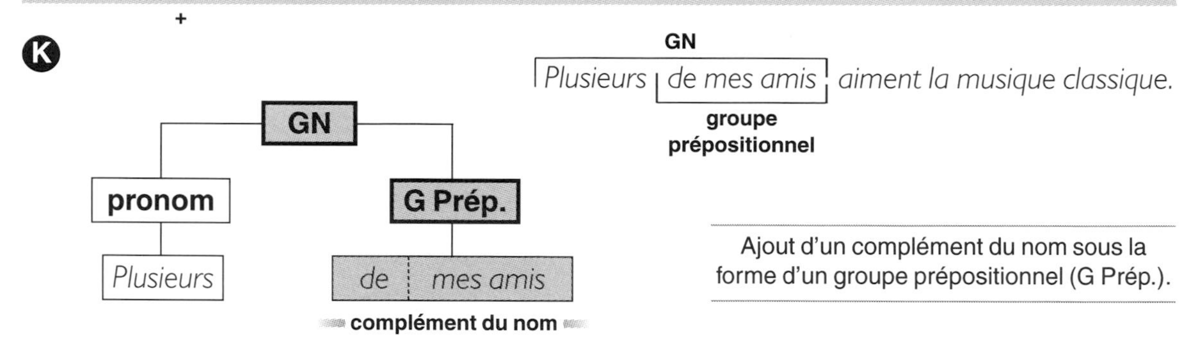

Ajout d'un complément du nom sous la forme d'un groupe prépositionnel (G Prép.).

On peut aussi ajouter une **subordonnée relative** à certains pronoms.

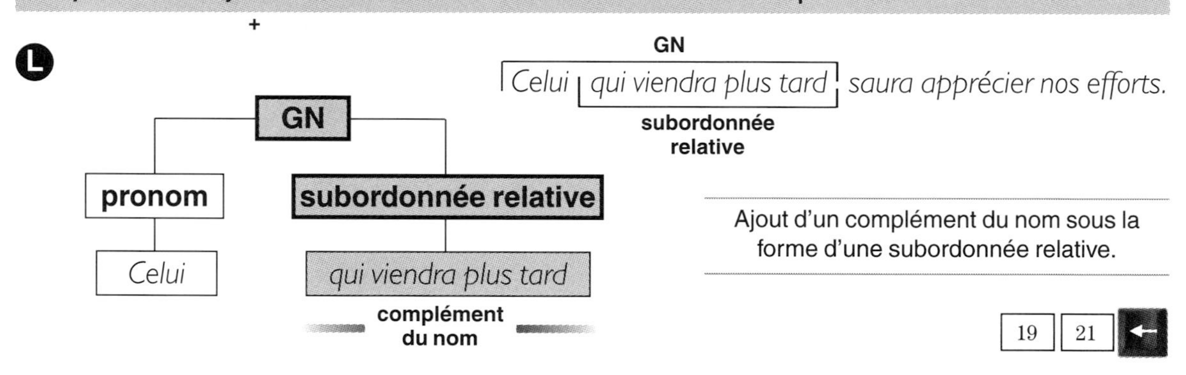

Ajout d'un complément du nom sous la forme d'une subordonnée relative.

19 21

On peut aussi ajouter un **groupe de l'adjectif** à certains pronoms.

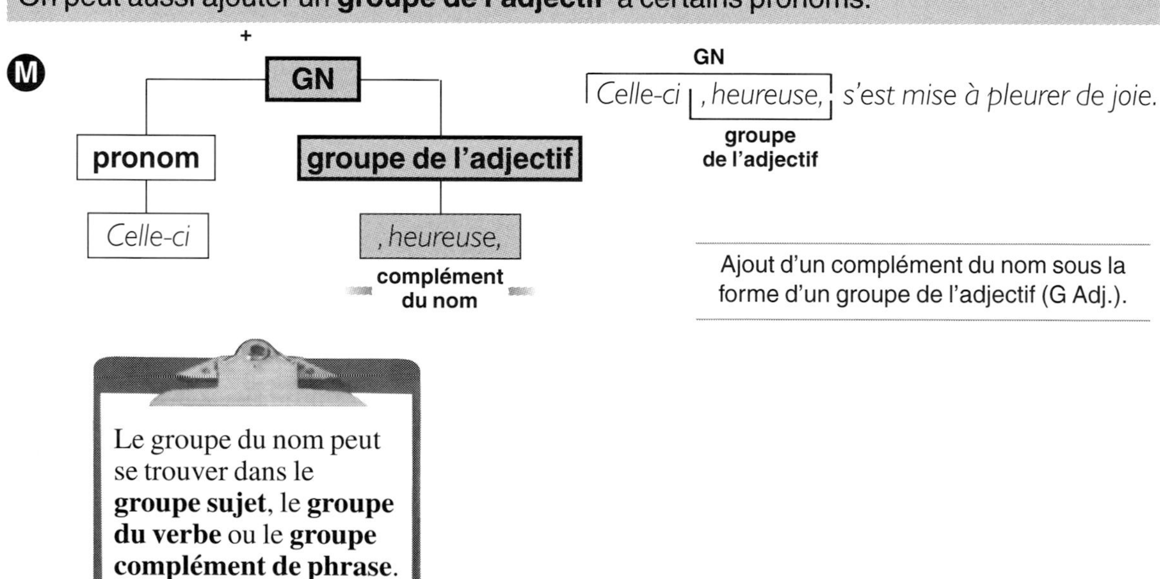

Ajout d'un complément du nom sous la forme d'un groupe de l'adjectif (G Adj.).

Qu'est-ce qu'un complément du nom?

- Le **noyau** du groupe du nom peut être complété par divers compléments du nom.
- Un groupe du nom, un groupe prépositionnel, un groupe de l'adjectif, une subordonnée relative peuvent constituer un complément du nom*.
- Certains compléments du nom peuvent être **supprimés**, d'autres sont **essentiels** pour maintenir le sens de la phrase.

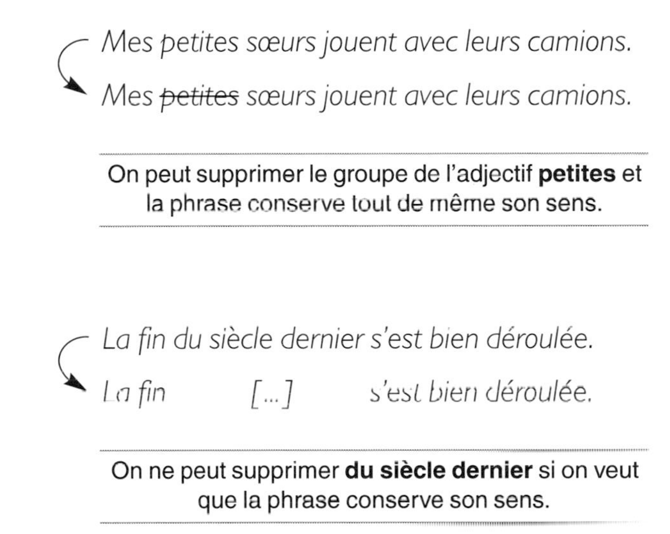

Quelles sont les valeurs que peut prendre un complément du nom?

- Le complément du nom peut apporter au noyau du groupe du nom différentes **valeurs**.

VALEURS			
la destination la matière la mesure la possession	l'origine le but le lieu le moyen	le prix le temps une caractéristique une désignation	une explication une qualité etc.

* Dans certains cas, une subordonnée complétive peut constituer un complément du nom. 27 

CARACTÉRISTIQUE ▶ *Mes* ⌊*petites*⌋ *sœurs jouent avec leurs camions.*
G Adj.

POSSESSION ▶ *La maison* ⌊*de mon oncle*⌋ *est chaleureuse.*
G Prép.

TEMPS ▶ *La fin* ⌊*du siècle dernier*⌋ *s'est bien déroulée.*
G Prép.

EXPLICATION ▶ *Le chat* ⌊*qui est tombé de l'arbre*⌋ *est sain et sauf.*
subordonnée relative

DÉSIGNATION D'UNE PERSONNE ▶ *Notre enseignante* ⌊*, madame Julie Roy,*⌋ *a sauvé un élève d'une mort certaine.*
groupe du nom

QUALITÉ ▶ ⌊*Léger*⌋*, le vent jouait dans les rideaux.*
G Adj.

Voici quelques exemples pour illustrer d'autres valeurs.

MATIÈRE ▶ *une montre* ***en or***

ORIGINE ▶ *le courrier* ***des États-Unis***

LIEU ▶ *une excursion* ***en montagne***

DESTINATION ▶ *le train* ***de Québec***

MOYEN ▶ *une lettre* ***par avion***

MESURE ▶ *un saut* ***de deux mètres***

Comment reconnaître un groupe du nom?

La reconnaissance d'un groupe du nom (GN) peut s'effectuer de la façon suivante.

- Pour reconnaître un groupe du nom, on trouve d'abord un nom commun, un nom propre ou un pronom et on (l'encercle).

  Ma (sœur) aime la crème glacée.

  Ce nom et ce pronom sont les noyaux du groupe du nom.

  (Plusieurs) de mes amis viendront à ma fête d'anniversaire.

- On souligne les mots qui accompagnent ce nom et ce pronom.

  Ma (sœur) aime la crème glacée.

  déterminant possessif

  Il peut s'agir d'un **déterminant**, d'un **complément du nom** ou d'un **complément du pronom**.

  (Plusieurs) de mes amis viendront à ma fête d'anniversaire.

  complément du pronom

260

- Pour obtenir une preuve supplémentaire, on peut **remplacer** le groupe de mots qu'on a identifié comme étant le groupe du nom par un pronom.

Voici une autre application de cette procédure.

Ma sœur déguste une crème glacée.

Ma sœur déguste une (crème) glacée.

déterminant — complément du nom

Ma sœur déguste une crème glacée. → la

Comment fait-on l'accord dans un groupe du nom?

- En premier, nous pouvons dire que les éléments variables du groupe du nom sont : le **nom**, le **déterminant**, l'**adjectif** (ou le participe adjectif).
- Le nom est le noyau du groupe du nom et c'est lui qui détermine le **genre** et le **nombre** des mots qui l'accompagnent.

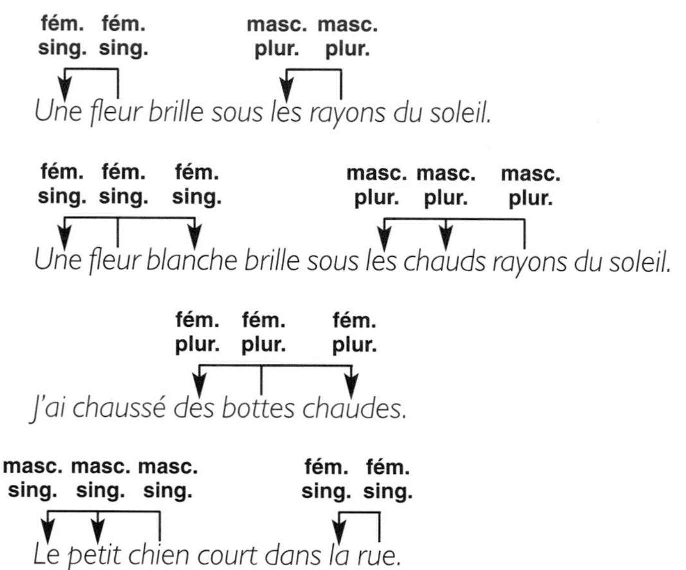

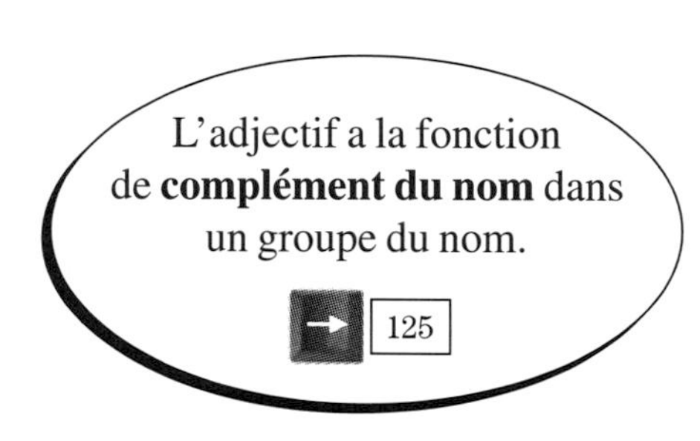

- Lorsque l'adjectif accompagne plusieurs noms du même genre, il prend le **genre** (masculin ou féminin) de ces noms et il se met au **pluriel**.

- Lorsque l'adjectif accompagne plusieurs noms de genre différent, il se met au **masculin pluriel**.

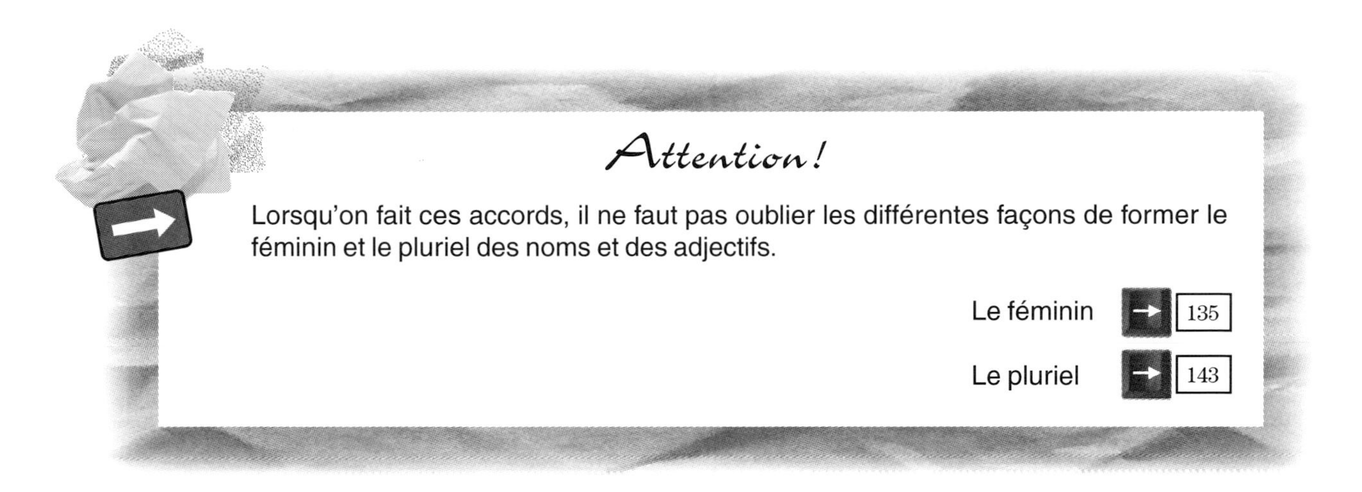

Attention !

Lorsqu'on fait ces accords, il ne faut pas oublier les différentes façons de former le féminin et le pluriel des noms et des adjectifs.

Le féminin → 135

Le pluriel → 143

Quelle est la procédure à suivre pour accorder les mots dans un groupe du nom ?

Voici une procédure pour accorder les noms, les adjectifs et les déterminants dans un groupe du nom.

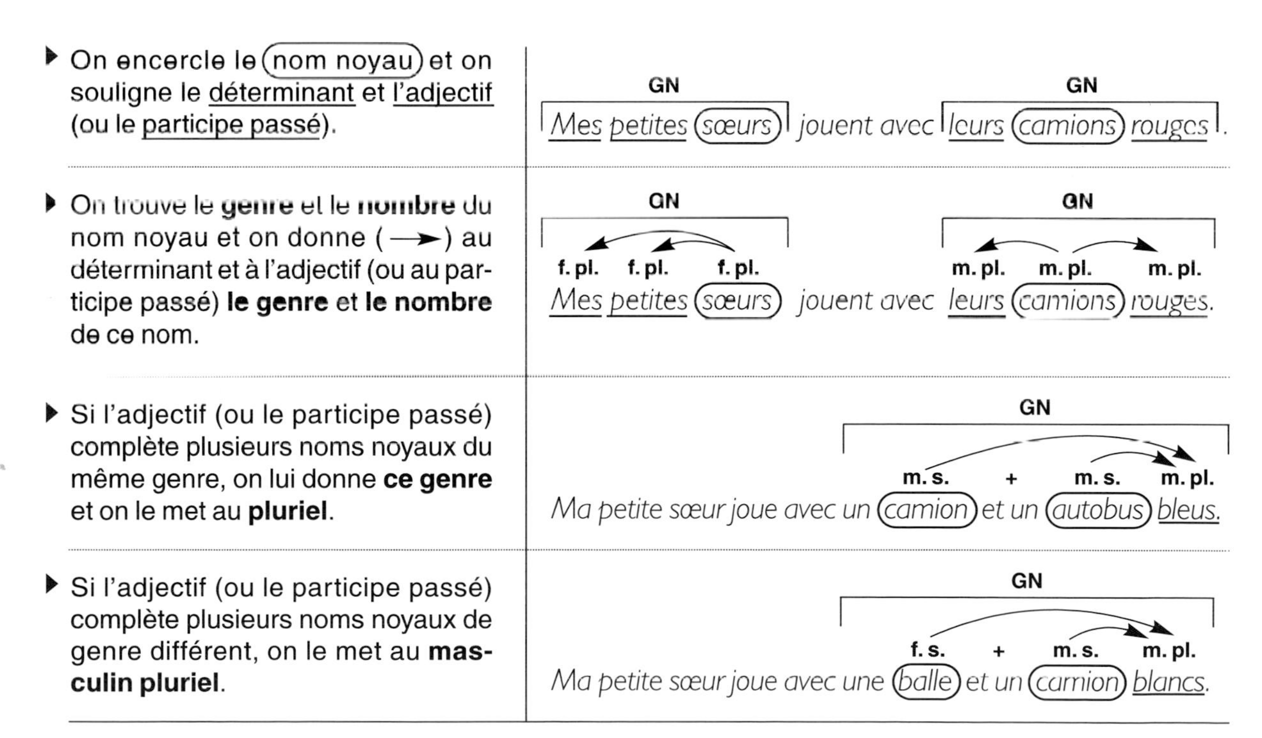

▸ On encercle le (nom noyau) et on souligne le déterminant et l'adjectif (ou le participe passé).	GN [*Mes petites (sœurs)*] *jouent avec* GN [*leurs (camions) rouges*].
▸ On trouve le **genre** et le **nombre** du nom noyau et on donne (→) au déterminant et à l'adjectif (ou au participe passé) **le genre** et **le nombre** de ce nom.	GN: f. pl. f. pl. f. pl. *Mes petites (sœurs)* *jouent avec* GN: m. pl. m. pl. m. pl. *leurs (camions) rouges.*
▸ Si l'adjectif (ou le participe passé) complète plusieurs noms noyaux du même genre, on lui donne **ce genre** et on le met au **pluriel**.	*Ma petite sœur joue avec un* GN: m. s. + m. s. → m. pl. *(camion) et un (autobus) bleus.*
▸ Si l'adjectif (ou le participe passé) complète plusieurs noms noyaux de genre différent, on le met au **masculin pluriel**.	*Ma petite sœur joue avec une* GN: f. s. + m. s. → m. pl. *(balle) et un (camion) blancs.*

La coordination et la juxtaposition

La coordination
La juxtaposition

La coordination

Qu'est-ce que la coordination ?

- La coordination est la relation qui existe entre au moins **deux mots** ou deux **groupes de mots** de **même classe** et de **même fonction** ; il peut y avoir aussi **coordination** entre deux subordonnées ou deux phrases autonomes.

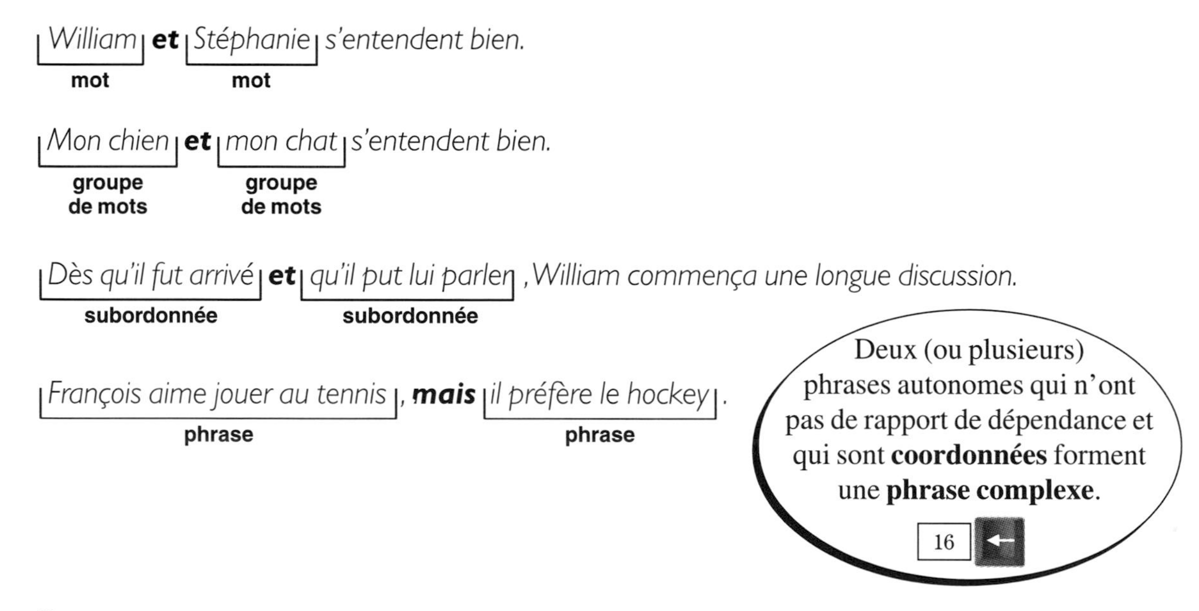

Quels sont les mots qui marquent les différentes relations de coordination ?

- La coordination est généralement réalisée à l'aide d'un **coordonnant**.

conjonction de coordination

locution conjonctive de coordination

- Ainsi, sur le plan du sens, les principaux coordonnants sont les suivants :

ADDITION	▶ *Trois* ***et*** *quatre font sept.*
	▶ ***Ni*** *elle* ***ni*** *toi ne pourrez assister à la réunion.*
ALTERNATIVE CHOIX	▶ *Stéphanie* ***ou*** *Antoine gagnera le championnat.*
CAUSE	▶ *Les spectateurs ont applaudi longuement,* ***car*** *le spectacle était excellent.*
CONSÉQUENCE	▶ *La pluie est verglaçante,* ***donc*** *je ne sors pas.*
OPPOSITION	▶ *Cet arbre est grand,* ***mais*** *il semble fragile.*
TRANSITION	▶ *Elle croyait avoir tort,* ***or*** *ses propos se sont révélés justes.*

286

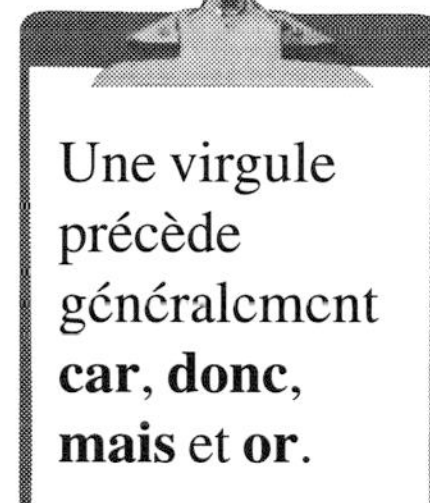

Quelle est l'utilité de la coordination en écriture ?

- En écriture, la coordination permet d'éviter la répétition de certains éléments.

▶ **Suppression du sujet**

Jean-François *courait afin d'être en forme pour le marathon.*

Jean-François *nageait afin d'être en forme pour le marathon.*

~~Jean-François~~

Jean-François courait ***et*** *nageait afin d'être en forme pour le marathon.*

Ici, nous avons supprimé *Jean-François* devant *nageait*.

▶ **Suppression du verbe**

Mélissa ***revient*** *du centre commercial.*

Jasmine ***revient*** *du cinéma.*

~~revient~~

Mélissa revient du centre commercial, ***et*** *Jasmine, du cinéma.*

Ici, nous avons supprimé *revient* après *Jasmine* ;
à la place, nous avons utilisé une virgule.

▶ Suppression du complément direct

Ma tante parle l'espagnol.

Ma tante écrit très bien l'espagnol.

~~l'espagnol~~

Ma tante parle **et** *écrit très bien l'espagnol.*

Ici, nous avons supprimé *l'espagnol* après *parle.*

Attention !

- En général, les éléments (mots, groupes de mots, phrases) coordonnés présentent deux caractéristiques importantes : ils peuvent être **intervertis** et chacun peut être **supprimé**.

INTERVERSION	*Le chien* **et** *le chat courent dans le champ.* *Le chat* **et** *le chien courent dans le champ.*
EFFACEMENT	~~chien **et** le~~ *Le (-) chat court dans le champ.* ~~**et** le chat~~ *Le chien (-) court dans le champ.*

Mais observons la phrase suivante.

Le chien et le chat s'entendent bien.

Ici, on ne peut supprimer ni l'un ni l'autre des éléments à cause du verbe, qui exprime une action réciproque. Ils pourraient cependant être intervertis.

- Le coordonnant est généralement situé **entre** les éléments coordonnés, mais il peut aussi être **à l'intérieur** du deuxième élément.

Myriam a obtenu la bicyclette qu'elle désirait tant, | *elle est* **donc** *heureuse* .

1er élément | 2e élément

Qu'est-ce que la juxtaposition?

- La juxtaposition est une **forme de coordination** qui n'est pas marquée par des coordonnants; les éléments juxtaposés sont généralement **séparés** par des **virgules** ou des **points-virgules**.

G Adj. G Adj.
*Mon grand-père était épuisé**,** fatigué et déprimé.*

- Généralement, les éléments juxtaposés sont de **même classe** et de **même fonction**; il peut y avoir aussi **juxtaposition** entre deux subordonnées ou deux phrases autonomes.

Deux (ou plusieurs) phrases autonomes qui n'ont pas de rapport de dépendance et qui sont **juxtaposées** forment une **phrase complexe**.

16 

Quels sont les mots qui peuvent être juxtaposés?

Voici quelques exemples de mots qui peuvent être juxtaposés.

LES GROUPES DU NOM DU GROUPE SUJET

GN GN GN
▸ *Les tomates**,** les concombres**,** les radis et les haricots s'entassaient sur les étagères.*

GN GN
▸ *Elles**,** toi et moi participerons à la collecte de sang de la clinique.*

DES PHRASES

▸ ***Les voitures de collection étincelaient, rutilaient** et brillaient sous le soleil ardent de midi.*

LES ADJECTIFS DU GROUPE DU VERBE

G Adj. G Adj.
▸ *Mon grand-père était épuisé**,** fatigué et déprimé.*

LES ADJECTIFS DU GROUPE DU NOM

G Adj. G Adj.
▸ *Le chat rusé**,** silencieux et souple s'avançait vers la souris.*

Le dernier élément d'une énumération est généralement introduit par le coordonnant **et** ou un équivalent; on dit alors de cet élément qu'il est **coordonné**.

Les manipulations syntaxiques

L'effacement
L'addition
Le déplacement
Le remplacement

Les transformations de phrases

Qu'est-ce qu'une manipulation syntaxique?

Une manipulation est une opération qui permet d'analyser des mots, des groupes de mots, des subordonnées ou des phrases.

Quelles manipulations peut-on effectuer?

Voici les différentes manipulations qui peuvent aider à analyser ou à transformer les phrases.

Pourquoi transformer des phrases?

Lorsqu'on révise son texte, on peut transformer les phrases afin de **préciser**, de **compléter** ou d'**enrichir** les idées qu'on veut exprimer.

Quelle est l'utilité de l'effacement ?

- L'effacement est une manipulation linguistique qui peut nous aider en certaines occasions.

  Premièrement, elle permet d'identifier les groupes **obligatoires** ou **facultatifs** de la phrase.

  Deuxièmement, elle nous permet d'**équilibrer** une phrase longue ou une phrase qui contient trop d'informations en précisant ou en clarifiant le message que l'on veut transmettre.

  Enfin, cette manipulation peut faciliter l'**accord du verbe**.

- L'effacement permet d'identifier les **groupes obligatoires** et **facultatifs** de la phrase.

Les plus jeunes garçons marchent lentement ce matin.

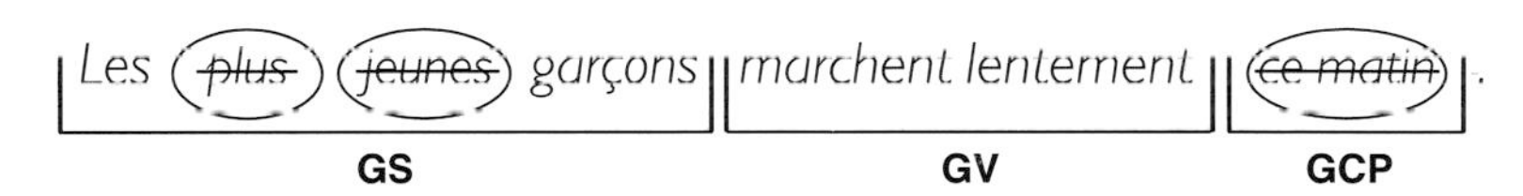

On ne peut dire :

– *[...] marchent lentement ce matin.*
Cette phrase n'est pas grammaticale, car il manque le GS.

– *Les garçons [...] dans la rue.*
Cette phrase n'est pas grammaticale, car il manque le GV.

On peut dire :

– *Les garçons marchent lentement [...].*
Cette phrase est grammaticale même s'il manque le GCP, car celui-ci est un groupe facultatif.

La manipulation par effacement a permis d'identifier le **GS** et le **GV** comme des **groupes obligatoires** et le **GCP** comme un **groupe facultatif**.

→ 82

Plusieurs personnes utilisent un astérisque* pour indiquer qu'une phrase n'est pas grammaticale.

**marchent lentement ce matin.*

Attention !

- Le **sujet**, l'**attribut** du sujet et les **compléments du verbe** ne s'effacent généralement pas sans rendre la phrase agrammaticale ou sans en changer complètement le sens.
- Le **complément de phrase**, le **complément du nom**, le **complément de l'adjectif** et le **complément de l'adverbe** peuvent généralement être effacés.

- Voici une façon de procéder pour alléger une phrase trop longue.

—Trouver le groupe sujet.

Enlever, s'il y a lieu, les mots inutiles ou qui occasionnent des répétitions.

> ***Les plus jeunes garçons*** *marchent lentement à petits pas.*
>
> ***Quelques-uns, qui sont très calmes****, chuchotent tout bas, tandis que* ***les autres*** *crient et poussent des hurlements.*

L'opération d'effacement donne les phrases suivantes :

> ***Les*** (~~*plus*~~) ***jeunes garçons*** *marchent lentement à petits pas.*
>
> ***Quelques-uns,*** (~~*qui sont*~~) ***très calmes****, chuchotent tout bas, tandis que* ***les autres*** *crient et poussent des hurlements.*

—Trouver ensuite le groupe du verbe.

Enlever, s'il y a lieu, les mots inutiles ou qui occasionnent des répétitions.

> *Les jeunes garçons* ***marchent lentement*** (~~*à petits pas*~~) .
>
> *Quelques-uns, très calmes,* ***chuchotent*** (~~*tout bas*~~) , *tandis que les autres* (~~*crient et*~~) ***poussent des hurlements****.*

Les deux opérations d'effacement donnent finalement les phrases suivantes :

> *Les jeunes garçons marchent lentement.*
>
> *Quelques-uns, très calmes, chuchotent, tandis que les autres poussent des hurlements.*

- L'effacement facilite aussi l'**identification** du **noyau** du groupe sujet (GS) qui commande l'accord du verbe.

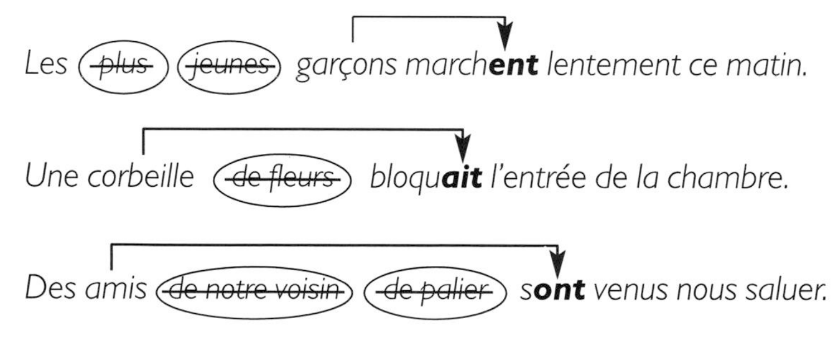

Quelle est l'utilité de l'addition?

- L'addition d'un **mot exclamatif** à une phrase déclarative permet de transformer celle-ci en une phrase exclamative.

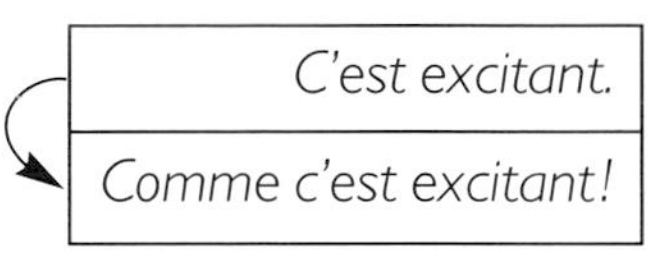

- L'addition d'un **pronom de rappel** à une phrase déclarative permet de la transformer en une phrase interrogative.

Nathalie préfère le ski.

Nathalie préfère-t-elle le ski?

- L'addition d'**un mot** ou d'un **groupe de mots** permet aussi d'ajouter de l'information dans une phrase. En plus de gagner en précision, le texte devient plus vivant.

- Voici une façon de procéder pour enrichir le contenu des phrases.

  – **Trouver d'abord le groupe sujet.**

  Ajouter à ce groupe sujet, s'il y a lieu, un adjectif, un adverbe, un groupe prépositionnel, un complément du nom (mots mis en apposition) ou une subordonnée relative.

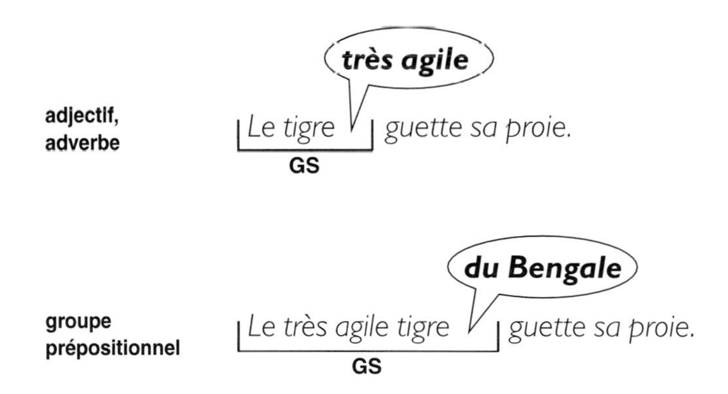

L'addition

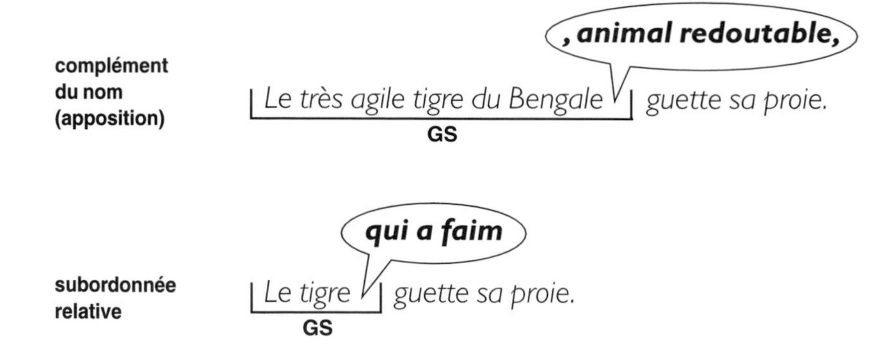

– **Trouver ensuite le groupe du verbe.**

Ajouter à ce groupe du verbe, s'il y a lieu, un adverbe, un groupe du nom ou une subordonnée relative.

– **Relire la phrase transformée.**

Ajouter, s'il y a lieu, un complément de phrase qui précise les idées que l'on veut exprimer.

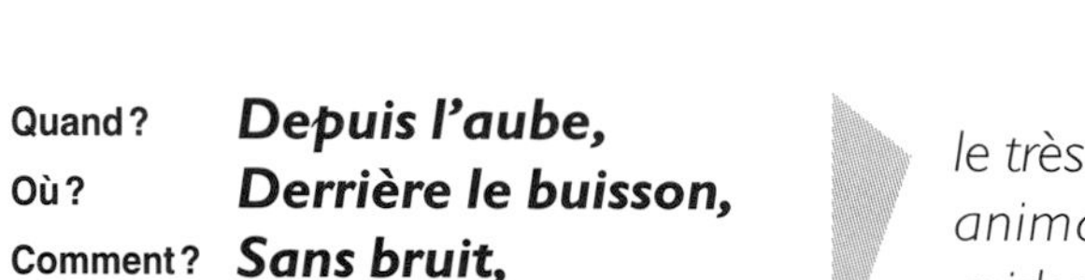

le très agile tigre du Bengale, animal redoutable, guette avidement sa proie, qui tremble de peur.

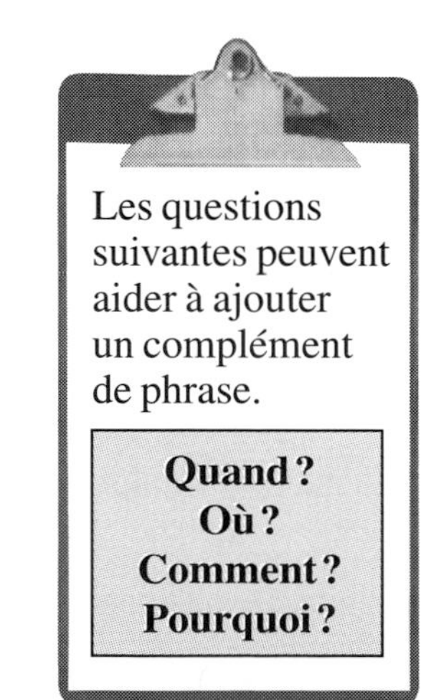

Le déplacement

- Le déplacement permet de mettre en évidence certaines informations. Parfois, il fait en sorte que les idées s'enchaînent mieux d'une phrase à l'autre.

- Le déplacement permet aussi de déterminer la **fonction** ou les **limites** d'un groupe (complément de phrase).

- Généralement, les mots qui se déplacent facilement sont les compléments de phrase (GCP), c'est-à-dire ceux qui répondent aux questions suivantes : **où ? quand ? comment ? pourquoi ?** Le groupe complément de phrase est un groupe facultatif.

- Voici une façon de procéder pour effectuer un déplacement de mots (complément de phrase).

Trouver le groupe complément de phrase.

Déplacer, s'il y a lieu, les mots que l'on veut mettre en évidence.

– *Ce tigre du Bengale guette, (depuis l'aube), sa proie qui tremble de peur.*

Quand ? ▶ *(**Depuis l'aube**), ce tigre du Bengale guette sa proie qui tremble de peur.*

– *Ce tigre du Bengale, (derrière le buisson), guette sa proie qui tremble de peur.*

Où ? ▶ *(**Derrière le buisson**), ce tigre du Bengale guette sa proie qui tremble de peur.*

Ce tigre du Bengale guette (sans bruit) sa proie qui tremble de peur.

Comment? ▶ *(**Sans bruit**), ce tigre du Bengale guette sa proie qui tremble de peur.*

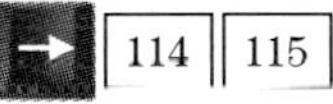
114 115

- Dans la phrase *«Ce tigre du Bengale guette sa proie»*, on ne peut déplacer **sa proie** devant le verbe ; **sa proie** est donc un complément du verbe qui se place après le verbe.

Attention !

- Ne pas oublier d'isoler par une virgule les groupes compléments de phrase placés au début d'une phrase.

- Le déplacement de mots peut permettre de **varier** les constructions de phrases.

*Ils présenteront leur travail de recherche à leur enseignante **demain**.*

*Ils présenteront, **demain**, leur travail de recherche à leur enseignante.*

***Demain**, ils présenteront leur travail de recherche à leur enseignante.*

Le remplacement R

- Lorsqu'on écrit ou qu'on révise son texte, il est important de vérifier s'il y a des répétitions ou des mots qui manquent de précision.
- On peut effectuer un remplacement de mots en utilisant des synonymes, des mots de la même famille, des mots plus précis, des termes génériques au lieu de termes spécifiques (ou vice versa), des mots plus évocateurs ou des pronoms.
  Ces mots ou ces expressions sont appelés **mots de substitution**.

→ 331

- Le remplacement permet aussi d'identifier des groupes de mots qui ont la **même fonction**.

A *L'océanographe Luce Deschamps, aventurière des* ***océans****, aime explorer les* ***océans*** *pour étudier les* ***problèmes*** *marins.*

mers — synonyme

les catastrophes — mot plus précis

Si l'on ne tenait pas compte du sens de la phrase, on pourrait remplacer **aventurière des océans** par des équivalents : **courageuse**, **qui est sensible**, **de Valleyfield**, etc. Ce sont tous des compléments du nom. Le remplacement permet d'identifier des mots ou des groupes de mots qui ont la **même fonction**.

mot de la même famille — Protéger les océans

B ***Être une protectrice des océans*** *est un de ses objectifs.*

terme générique — femme de science

mot plus évocateur — se passionne pour les

C *Cette* **océanographe** **s'intéresse aux** *fluctuations du niveau des mers.*

pronom — Celles-ci

D ***Ces fluctuations, qui peuvent s'avérer importantes dans certains cas****, proviendraient de la fonte des glaciers polaires.*

Le remplacement d'un groupe de mots par un **pronom** permet de constater les limites de ce groupe de mots.

Le pronom peut aussi donner des indications pour l'**accord du verbe** (genre, personne, nombre) ou de l'**attribut**.

Quelles sont les autres manipulations linguistiques ?

Il existe d'autres manipulations linguistiques, qui sont généralement moins utilisées pour analyser les phrases. Voici les principales :

– **l'encadrement**

Il permet d'identifier la fonction de certains groupes de mots.

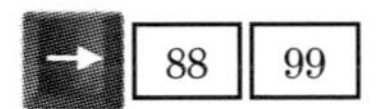
→ 88 99

– **la pronominalisation**

Elle permet, par exemple, de constater les limites d'un groupe de mots.

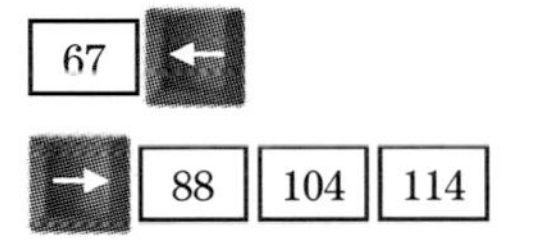
67 ←
→ 88 104 114

– **la permutation**

Elle aide, par exemple, à transformer une phrase active en une phrase passive.

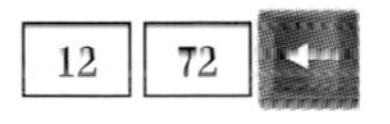
12 72 ←

Les groupes de la phrase

Les sortes de groupes

Quels sont les groupes de mots d'une phrase?

- Quels que soient son type et sa forme, une phrase est formée de **groupes de mots** qui ont une fonction précise.
- Ainsi, une phrase habituelle se compose d'un **groupe sujet** (GS) et d'un **groupe du verbe** (GV). Le groupe sujet et le groupe du verbe sont des groupes obligatoires de la phrase.

Plusieurs personnes donnent un autre nom au groupe sujet (GS); elles l'appellent le **groupe du nom sujet** (GNs).

GS GV
Le chat ***dort profondément***.

GS GV
Le chat ***observe la souris***.

- Une phrase peut aussi contenir un troisième groupe: le **groupe complément de phrase** (GCP). Le groupe complément de phrase est un groupe facultatif de la phrase.

GCP
Derrière la fenêtre, le chat de Jade ***observe la souris***.

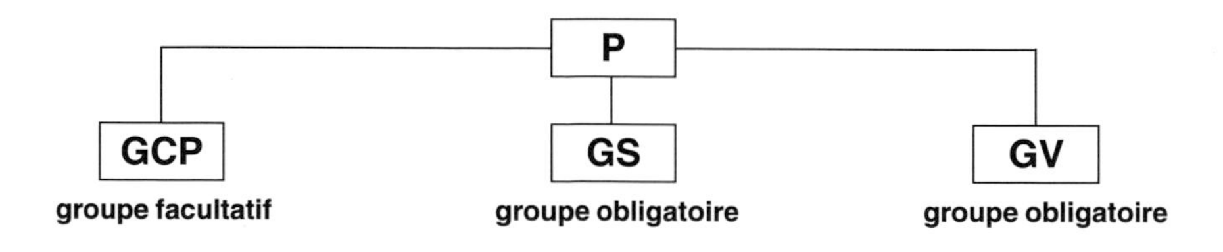

• On ne peut supprimer ni déplacer les groupes obligatoires, mais on peut supprimer ou déplacer un groupe facultatif.

	GCP groupe facultatif	GS groupe obligatoire	GV groupe obligatoire
Phrase de départ	Derrière la fenêtre,	le chat de Jade	***observe la souris***.
suppression du groupe du verbe (GV) *impossible*	Derrière la fenêtre,	le chat de Jade	(–).
suppression du groupe sujet (GS) *impossible*	Derrière la fenêtre,	(–)	**observe la souris**.
suppression du groupe complément de phrase (GCP) *possible*	(–)	le chat de Jade	**observe la souris**.
déplacement du groupe sujet (GS) *impossible*	Derrière la fenêtre,	**observe la souris**	le chat de Jade.
déplacement du groupe du verbe (GV) *impossible*	**Observe la souris**,	derrière la fenêtre,	le chat de Jade.
déplacement du groupe complément de phrase (GCP) *possible*	Le chat de Jade	**observe la souris**	derrière la fenêtre.

Qu'est-ce qu'un groupe sujet ?

- Dans une phrase, le groupe sujet indique **de qui** ou **de quoi** l'on parle.
- Dans la plupart des phrases, le groupe sujet **précède** le verbe.
- C'est le groupe sujet qui détermine la **personne** (1re, 2e ou 3e) et le **nombre** (singulier ou pluriel) du verbe.

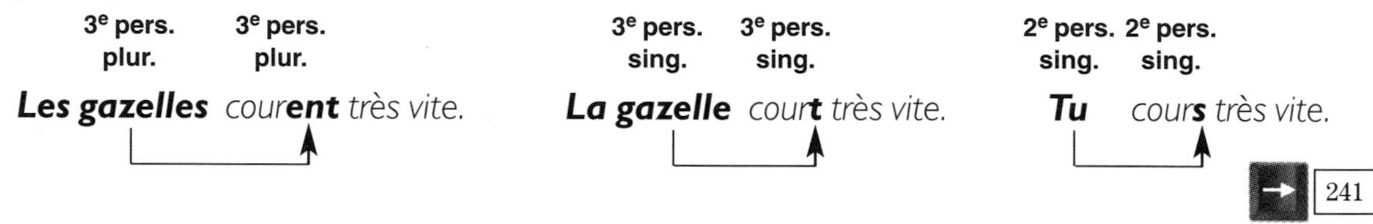

→ 241

- Le groupe sujet et le groupe du verbe sont interdépendants ; leur relation est marquée par un accord.

3e pers. plur. — 3e pers. plur.

Les élèves *organiser**ont** une soirée au mois de juin.*

Quelle est la composition d'un groupe sujet ?

Nous avons vu, dans une section précédente, la composition du groupe du nom. Nous avons vu aussi que le groupe du nom peut, entre autres, constituer le **groupe sujet**.

- Le groupe sujet peut être formé d'un mot ou d'un groupe de mots :

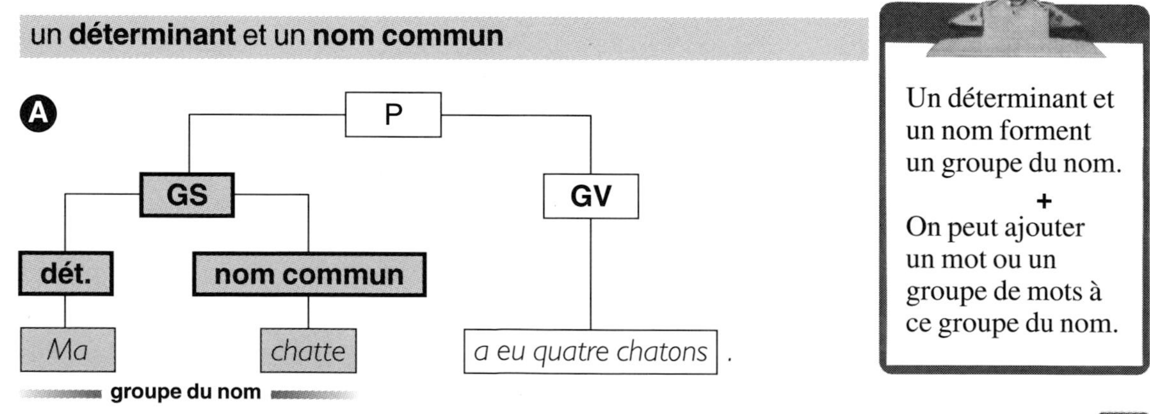

60 ←

un déterminant, un **adjectif** et un nom commun

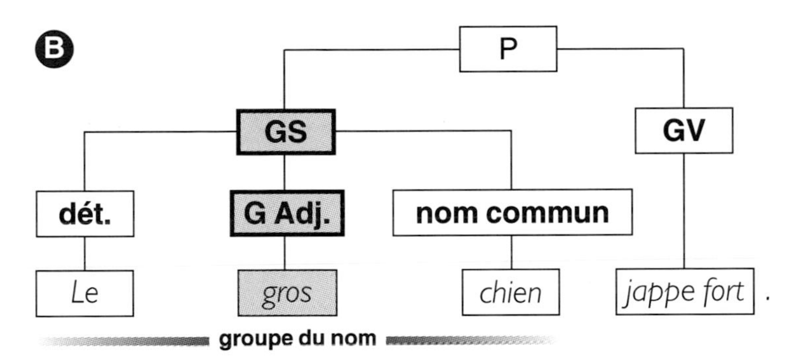

un déterminant et un nom accompagné d'un **groupe prépositionnel** (complément du nom)

+

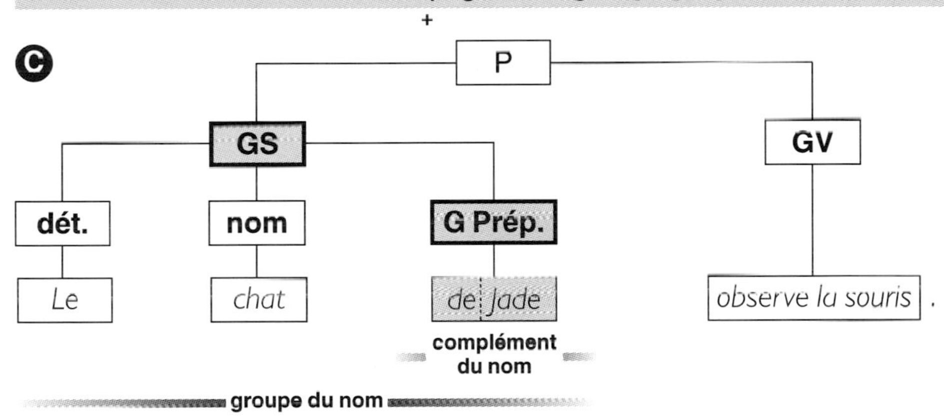

un déterminant et un nom accompagné d'une **subordonnée relative** (complément du nom)

+

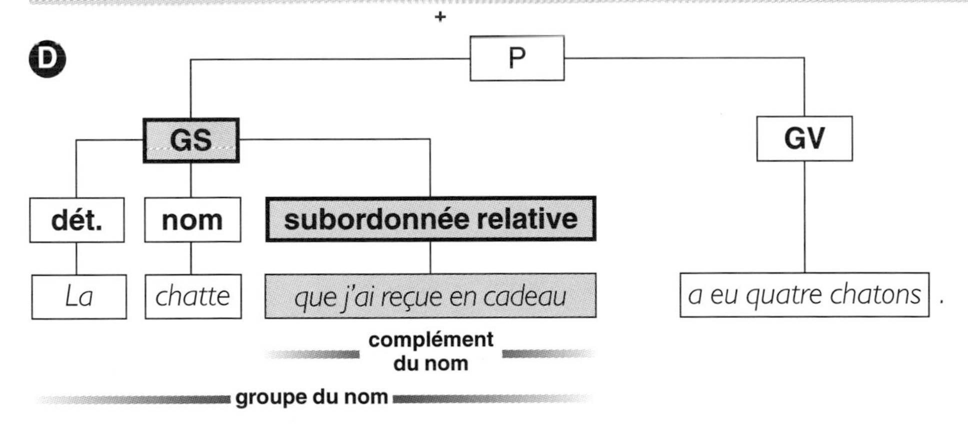

plusieurs noms accompagnés de déterminants

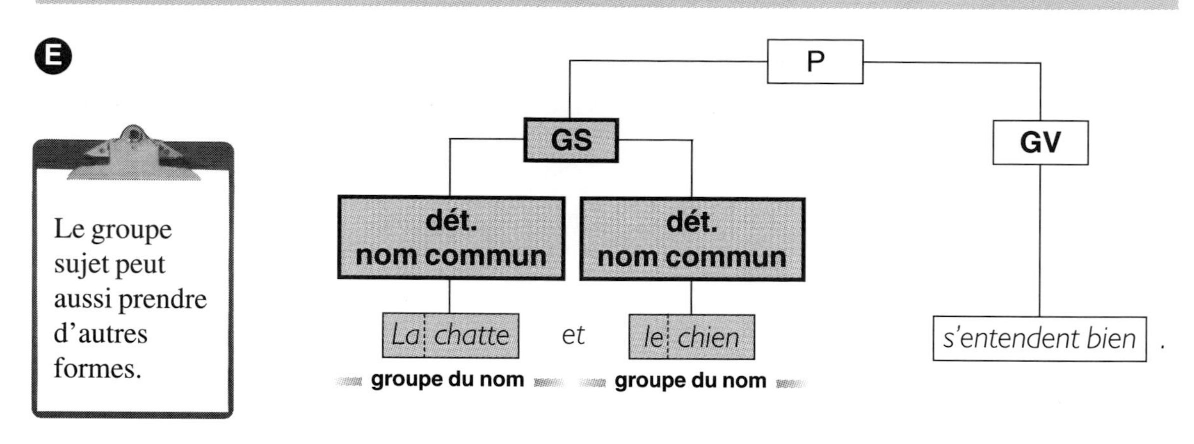

un **pronom**

F

P

GS

GV

pronom

Elle

groupe du nom

caresse les chatons .

plusieurs pronoms

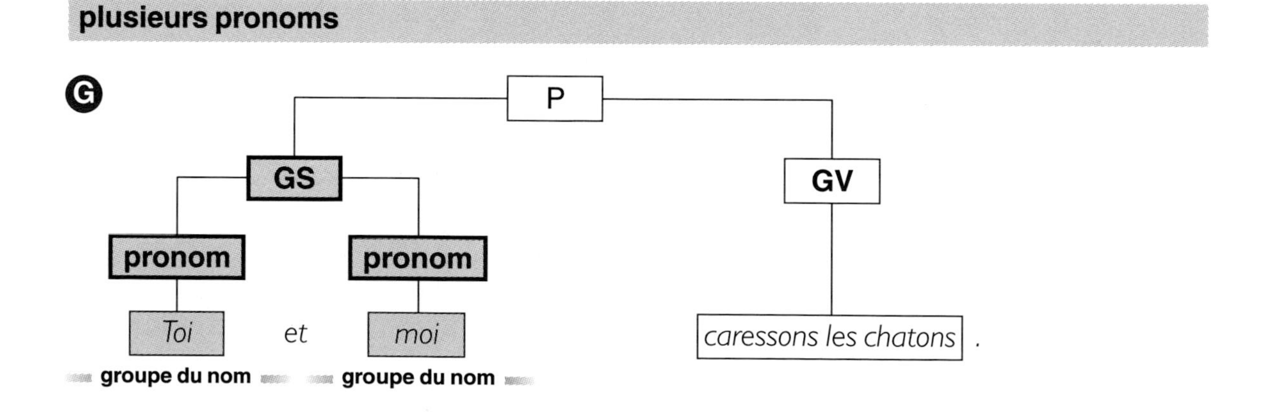

un **nom propre**

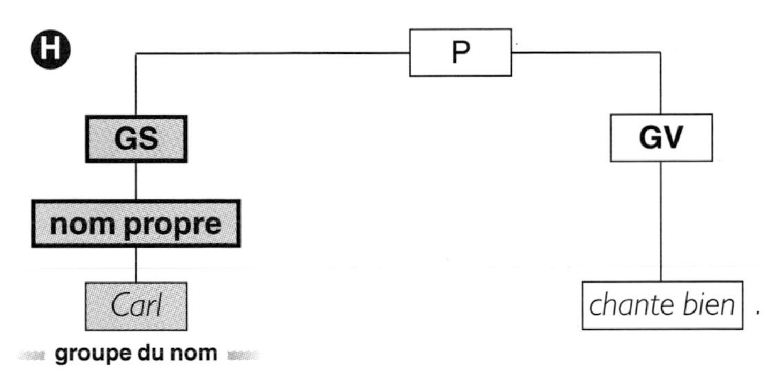

un nom propre et un **pronom**

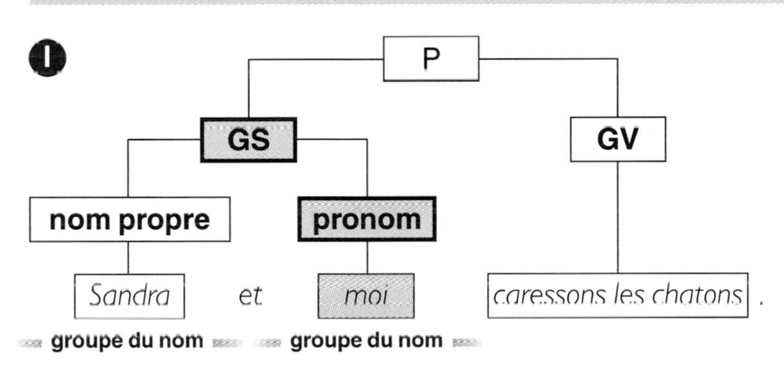

une **subordonnée**

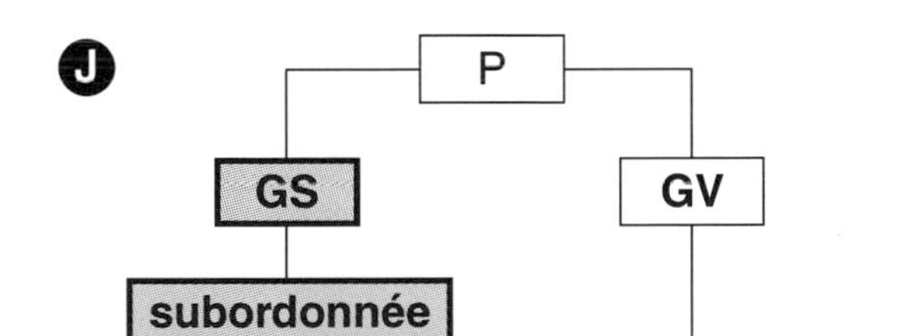

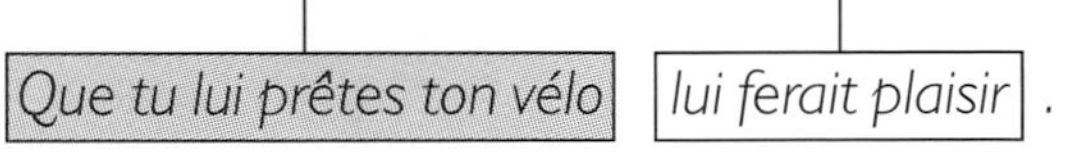

un verbe à l'**infinitif**

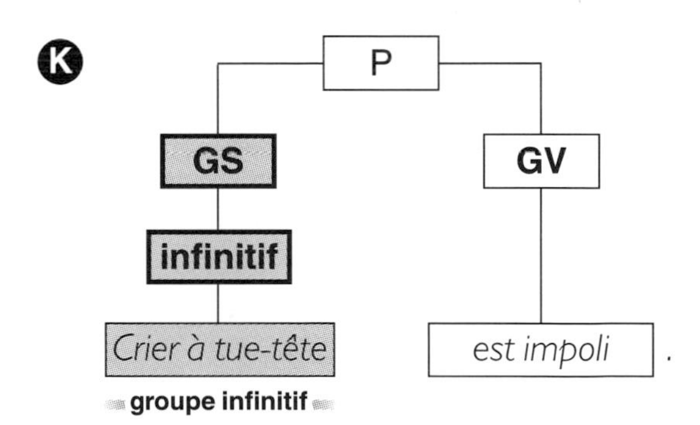

Comment reconnaître un groupe sujet ?

- La reconnaissance du groupe sujet (GS) peut s'effectuer de la façon suivante.

▶ Pour reconnaître le sujet du verbe, on pose la question **Qui est-ce qui ?** ou **Qu'est-ce qui ?** devant le verbe conjugué.	*Ma chatte a eu quatre chatons.* **Qui est-ce qui** a eu quatre chatons? Ma chatte.
▶ On encercle les mots qui répondent à la question.	(*Ma chatte*) *a eu quatre chatons.*
▶ Pour s'assurer que l'on a bien repéré le groupe sujet, on **remplace** ces mots par un pronom.	***Elle*** (*Ma chatte*) *a eu quatre chatons.* **R**
▶ Pour vérifier si les mots encerclés forment bien le groupe sujet, on peut aussi essayer de les **supprimer** ; si l'on n'y parvient pas, c'est que l'on a probablement bien repéré le groupe sujet.	(*Ma chatte*) *a eu quatre chatons.* Dans cette phrase, on ne peut supprimer *«Ma chatte»*, car la phrase n'aurait plus de sens.

Attention !

- On peut aussi reconnaître le groupe sujet en l'encadrant par l'expression **c'est... qui** ou **ce sont... qui**.

Le gros chien jappe fort.

(***C'est*** *le gros chien* ***qui*** *jappe fort.*)

Les gros chiens jappent fort.

(***Ce sont*** *les gros chiens* ***qui*** *jappent fort.*)

Qu'est-ce qu'un groupe du verbe?

- Dans une phrase, le groupe du verbe indique **ce que l'on dit** à propos du groupe sujet.
- Le noyau du groupe du verbe est un verbe; il prend la **personne** (1re, 2e ou 3e) et le **nombre** (singulier ou pluriel) du groupe sujet.

- On trouve souvent des **compléments** (complément direct et complément indirect) dans le groupe du verbe; on peut aussi y trouver des **attributs**.

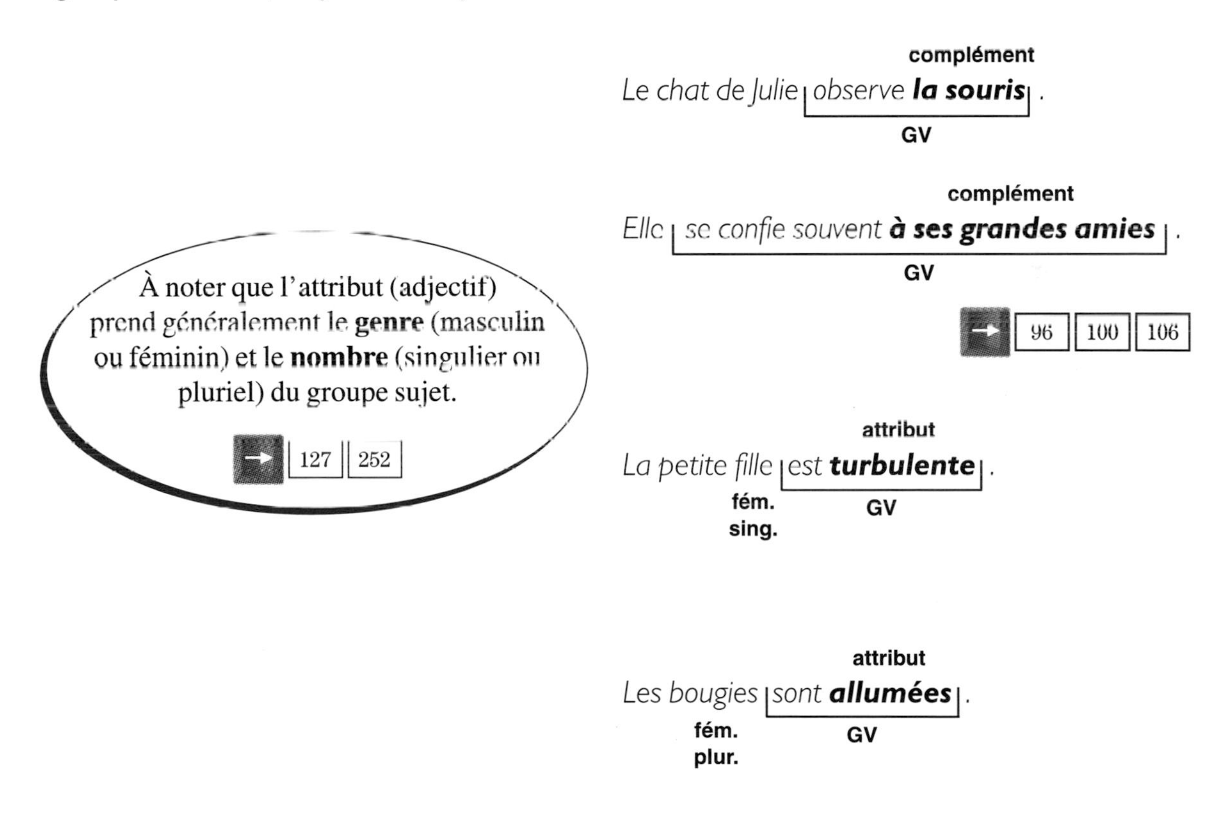

Quelle est la composition d'un groupe du verbe ?

• Un groupe du verbe peut être formé d'un mot ou de plusieurs mots :

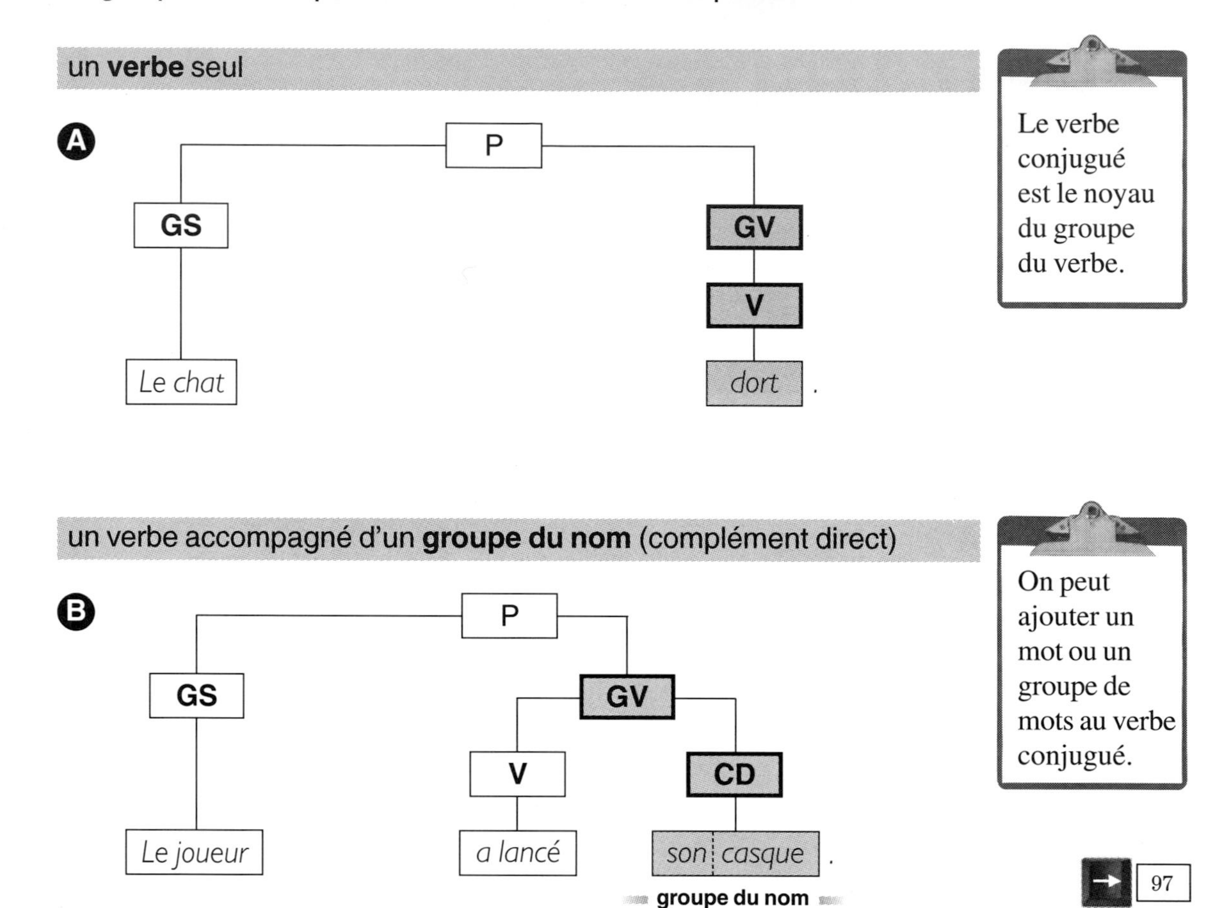

un verbe accompagné d'un **pronom** (complément direct)

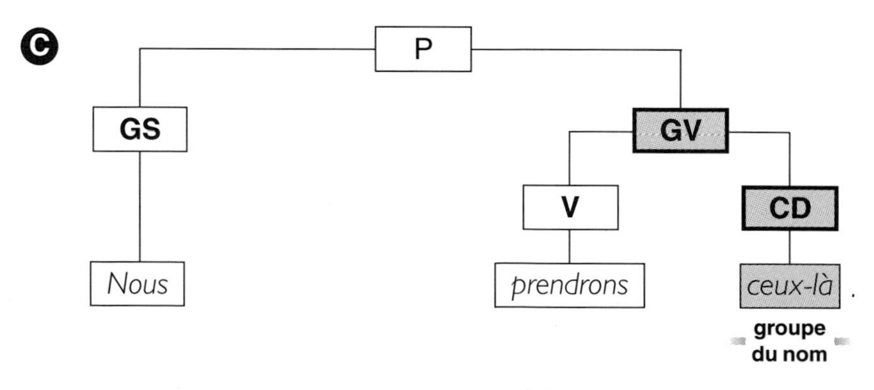

un verbe accompagné d'une **subordonnée complétive** (complément direct)

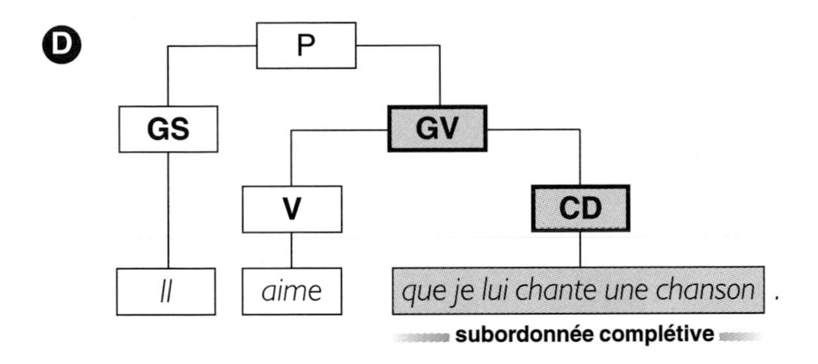

un verbe accompagné d'un **groupe prépositionnel** (complément indirect)

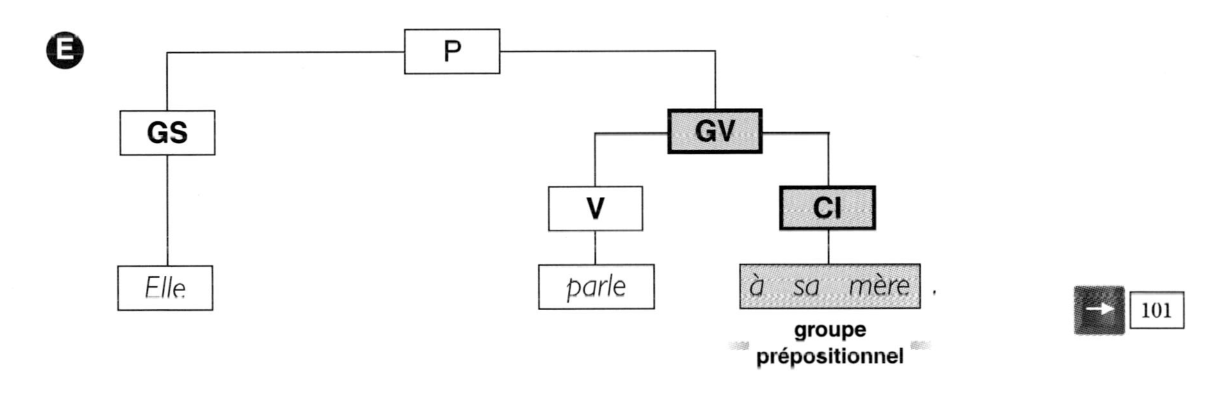

un verbe accompagné d'un **pronom** (complément indirect)

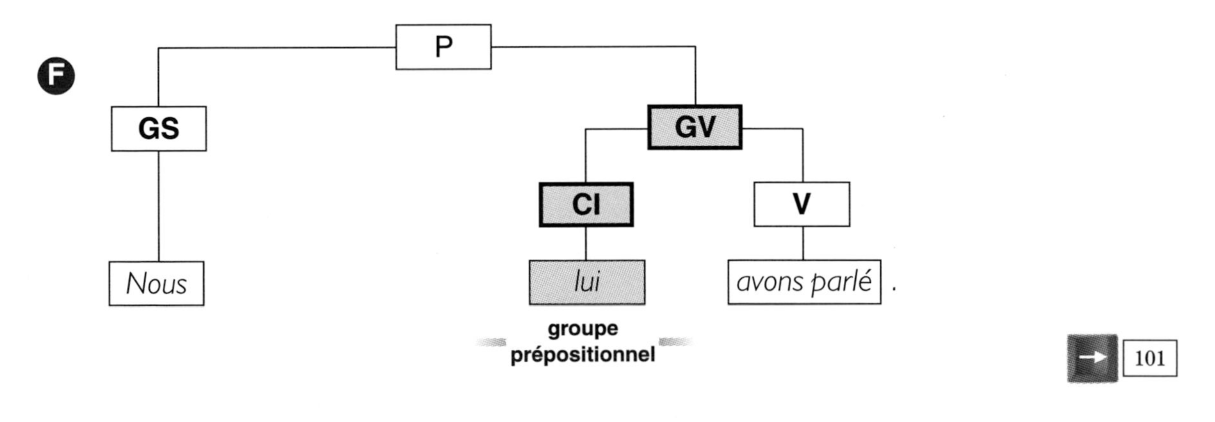

un verbe accompagné d'une **subordonnée complétive** (complément indirect)

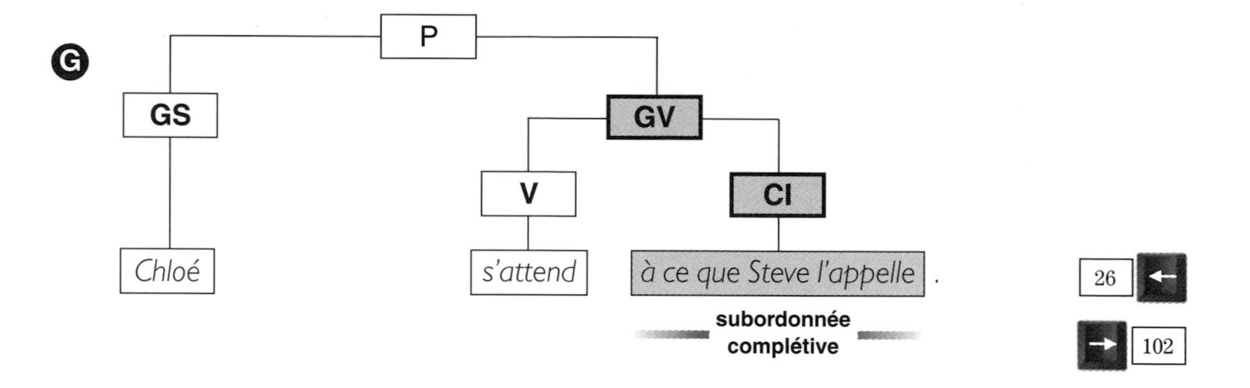

un verbe accompagné d'un **groupe du nom** (complément direct) et d'un **groupe prépositionnel** (complément indirect)

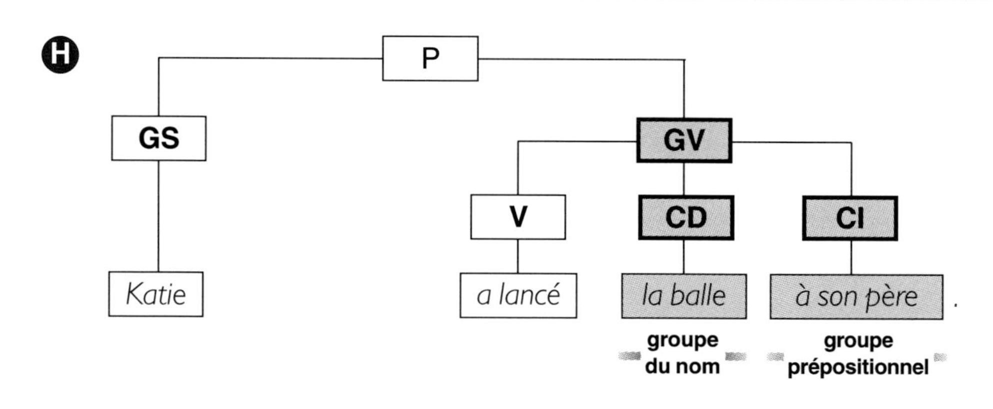

un verbe accompagné d'un **adverbe**

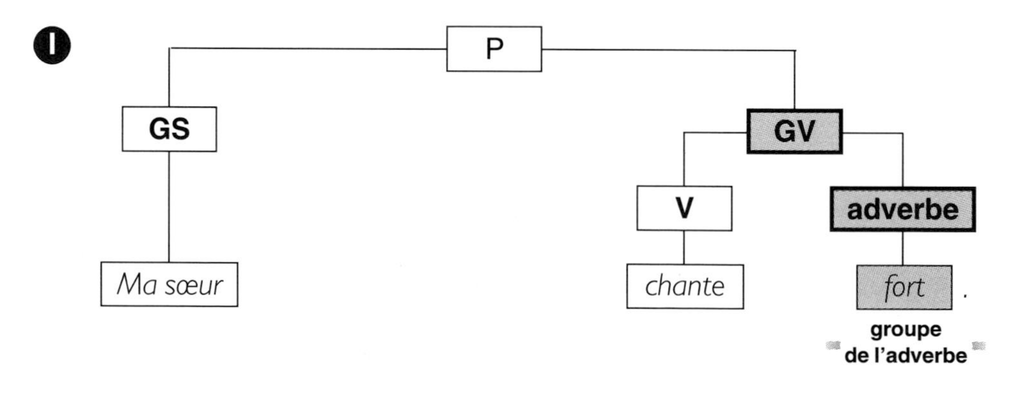

le verbe **être** suivi d'un **adjectif** (attribut)

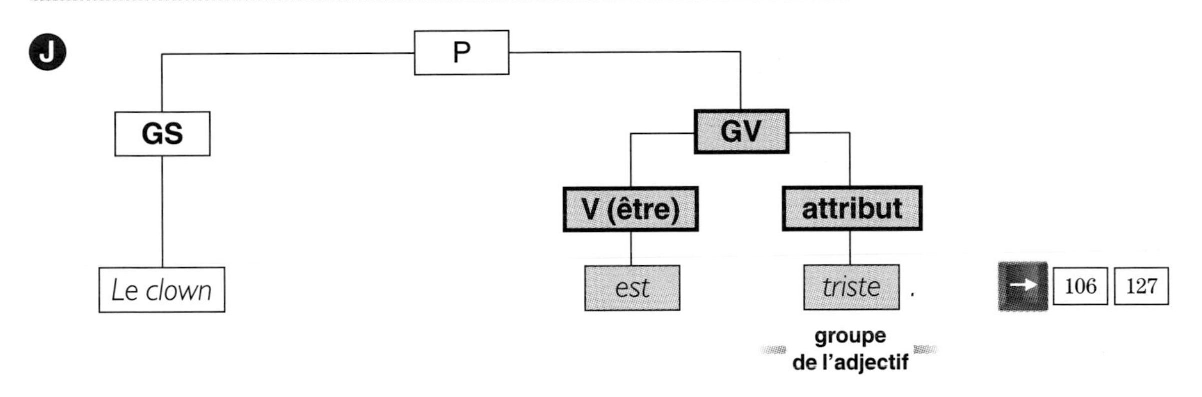

le verbe **être** suivi d'un **groupe du nom** (attribut)

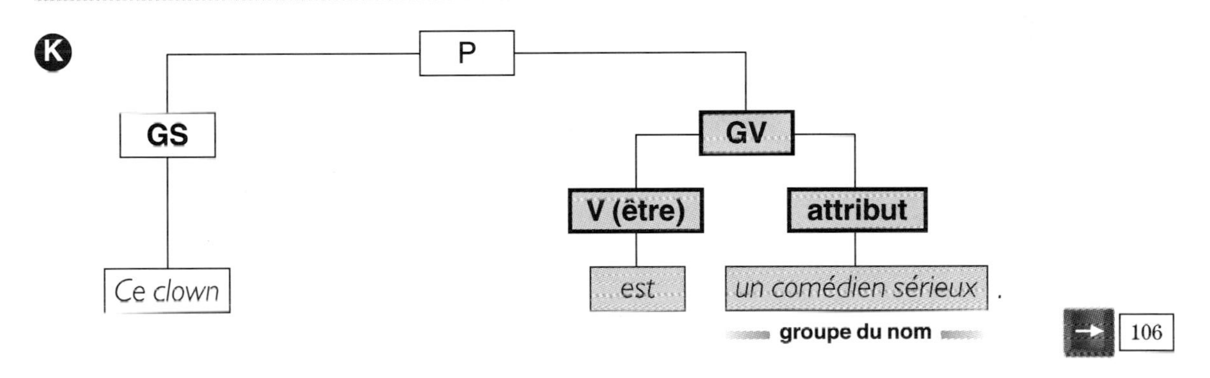

le verbe **être** suivi d'un **pronom** (attribut)

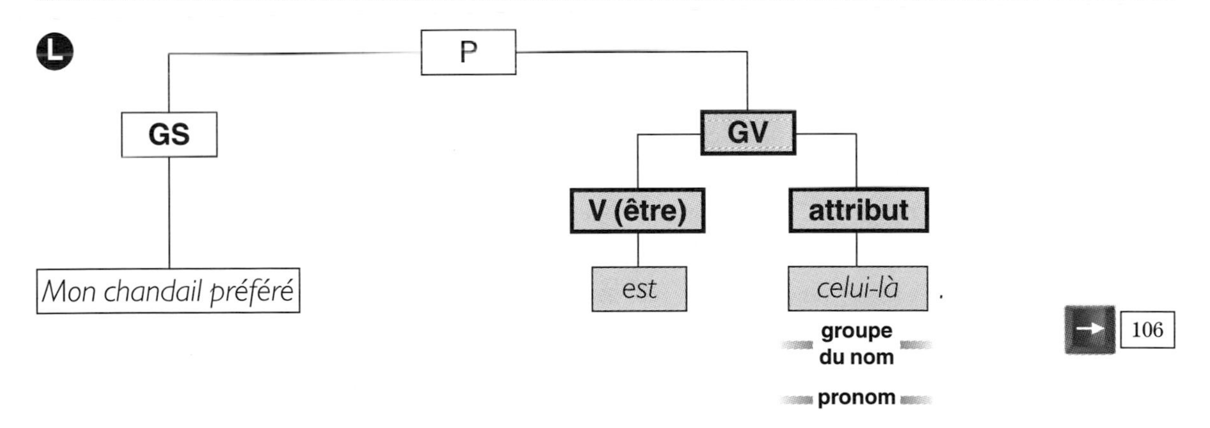

le verbe **être** suivi d'un **adverbe** (attribut)

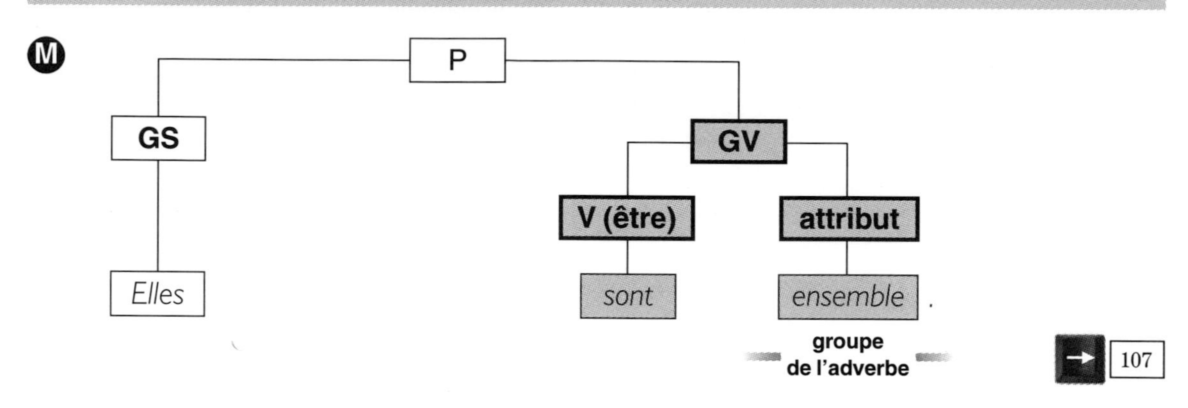

le verbe **être** suivi d'un **groupe prépositionnel** (attribut)

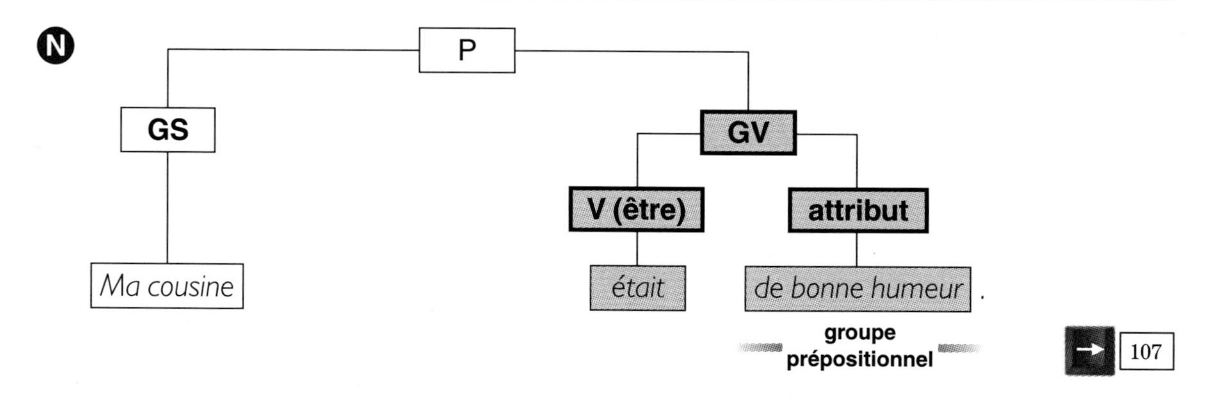

Attention !

- Nous venons de voir des exemples avec le verbe **être** ; plusieurs autres verbes peuvent jouer le même rôle que le verbe **être** et recevoir des constructions syntaxiques semblables. On les appelle aussi verbes **attributifs**.

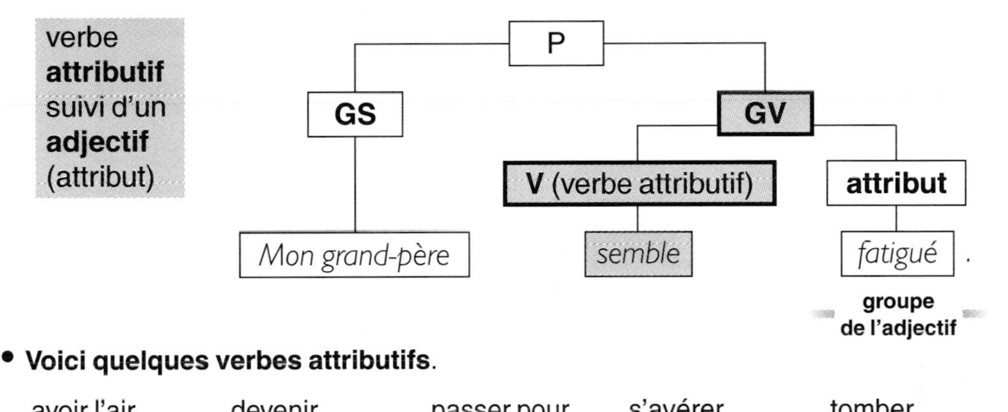

- **Voici quelques verbes attributifs**.

avoir l'air	devenir	passer pour	s'avérer	tomber
demeurer	paraître	rester	sembler	

Comment reconnaître un groupe du verbe ?

Après avoir repéré le groupe sujet d'une phrase, on peut procéder à l'identification du groupe du verbe. Cette identification peut s'effectuer de la façon suivante.

88

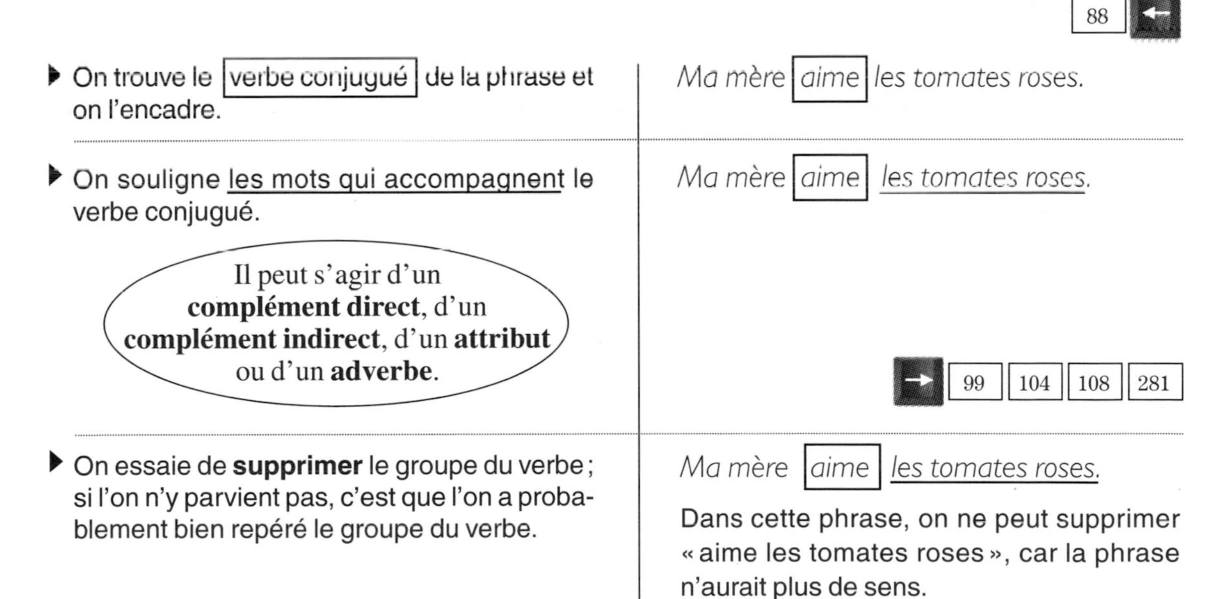

▸ On trouve le verbe conjugué de la phrase et on l'encadre.	*Ma mère* [*aime*] *les tomates roses.*
▸ On souligne les mots qui accompagnent le verbe conjugué. Il peut s'agir d'un **complément direct**, d'un **complément indirect**, d'un **attribut** ou d'un **adverbe**.	*Ma mère* [*aime*] *les tomates roses.* 99 104 108 281
▸ On essaie de **supprimer** le groupe du verbe ; si l'on n'y parvient pas, c'est que l'on a probablement bien repéré le groupe du verbe.	*Ma mère* [*aime*] *les tomates roses.* Dans cette phrase, on ne peut supprimer « aime les tomates roses », car la phrase n'aurait plus de sens.

LES COMPLÉMENTS DU VERBE :
– le complément direct CD

Qu'est-ce qu'un complément direct ?

- Un **complément direct** est un mot (ou un groupe de mots) rattaché **directement** au verbe. Autrement dit, ce mot (ou ce groupe de mots) est, en général, **directement placé après le verbe** ; il n'est introduit par aucune préposition comme **à**, **au**, **de**, **pour**, etc.

Ma sœur mange ***des arachides****.*

- Le complément direct est un complément du verbe. Dans la majorité des cas, il ne se déplace pas au début de la phrase et on ne peut le supprimer.

On peut, à l'occasion, déplacer le complément direct **à l'intérieur** du groupe du verbe.

Pierre-Marc | *a donné* ***un cadeau*** *à Sheila* |.

Pierre-Marc | *a donné à Sheila* ***un cadeau*** |.

• Lorsque le complément direct est placé devant le verbe, c'est souvent sous la forme d'un pronom personnel (**le**, **la**, **les**, **l'**) ou d'un pronom relatif (**que**, **qu'**).

CD
Ma sœur a préparé des pâtes. Elle ***les*** *adore.*

CD
Ma sœur a servi des pâtes ***qu'****elle a cuisinées.*

• Le complément direct est généralement constitué d'un groupe du nom, d'un pronom, d'un infinitif ou d'une subordonnée complétive.

Quelle est la composition d'un complément direct ?

• Le complément direct fait partie du groupe du verbe.

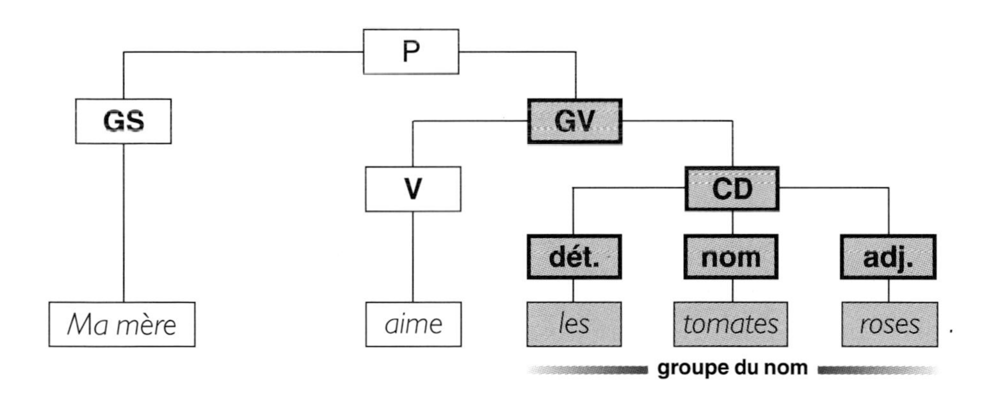

- Le complément direct peut se présenter sous plusieurs formes.

Voici les principales.

un déterminant + un nom	groupe du nom *Il aime* [*les oranges*]. CD
un déterminant + un nom + un adjectif	groupe du nom *Chantal aime* [*les films drôles*]. CD
un déterminant + un nom + un complément du nom	groupe du nom *Nous aimons* [*les films d'action*]. CD
un déterminant + un nom + une subordonnée relative	groupe du nom *J'aime* [*ces films qui montrent des avions*]. CD
un nom propre	groupe du nom *Hier, ils ont vu* [*Patrick*]. CD
un pronom	groupe du nom *Pourquoi as-tu pris* [*celle-là*]? CD
une subordonnée infinitive	infinitive *Nous regardons* [*le soleil se coucher*]. CD
une subordonnée complétive	subordonnée complétive *Il aime* [*que je lui chante une chanson*]. CD

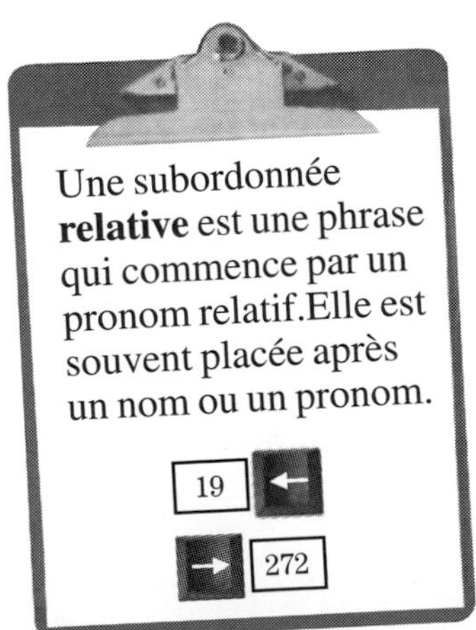

On donne le nom de **subordonnant** au pronom relatif et à la conjonction ou locution conjonctive de subordination.

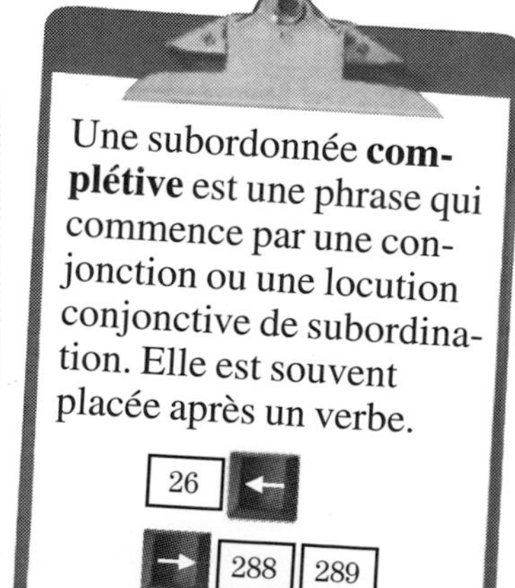

Comment reconnaître un complément direct ?

▶ D'abord, on trouve le verbe conjugué du groupe du verbe et on l'encadre.	*L'hiver, les hirondelles quittent nos régions.*
▶ Puis, on pose la question **qui ?** ou **quoi ?** après le verbe. Attention ! Il ne faut pas que ce soit le verbe **être** ni un autre verbe **attributif**.	▶ *L'hiver,* les hirondelles quittent **quoi ?**
▶ Le groupe de mots qui répond à la question est généralement le complément direct.	CD ... les hirondelles quittent **nos régions**.
▶ On essaie de **supprimer** ou de **déplacer** le groupe de mots que l'on a reconnu comme étant le complément direct ; si l'on n'y parvient pas, on a une preuve supplémentaire que c'est un complément direct.	*L'hiver, les hirondelles quittent* – . phrase incomplète *L'hiver, nos régions, les hirondelles quittent.* phrase mal construite
▶ On peut aussi **encadrer** le groupe de mots que l'on a reconnu comme étant le complément direct par l'expression **c'est... que** ou **ce sont... que**.	CD **Ce sont** nos régions **que** les hirondelles quittent.

Attention !

Comme preuve supplémentaire, on s'assure qu'il n'y a pas de mot comme **à**, **au**, **de**, **pour**, etc., devant le groupe de mots qu'on a reconnu comme étant le complément direct.

Quand faut-il reconnaître un complément direct ?

Il est important de reconnaître le complément direct lorsque le verbe est employé à un **temps composé** (avec l'auxiliaire **avoir**), car il nous permet de savoir si le participe passé s'accorde ou non.

CD
Le mois dernier, les hirondelles ***nous*** *ont quittés.*
temps composé

CD
Le mois dernier, les hirondelles ont quitté ***nos régions****.*
temps composé

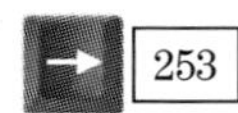
253

LES COMPLÉMENTS DU VERBE :
– le complément indirect CI

Qu'est-ce qu'un complément indirect ?

- Le complément indirect est un mot (ou un groupe de mots) rattaché **indirectement** au verbe. Autrement dit, ce mot (ou ce groupe de mots) est uni au verbe par une préposition simple ou complexe comme **à**, **au**, **de**, **pour**, **à cause de**, etc.

290 291

- Le complément indirect est généralement placé **après** le verbe.

Alain participe ***à une compétition de ski****.*

- Lorsque le complément indirect est placé devant le verbe, c'est souvent sous la forme d'un pronom personnel (**lui**, **leur**, **en**, **me**, **te**, etc.).

CI
*– Est-ce que tu veux t'occuper de cette affaire ? – Oui, je m'****en*** *charge.*

- Le complément indirect est un complément du verbe. En règle générale, il ne se déplace pas au début de la phrase et ne peut être supprimé.

- Le complément indirect est généralement un **groupe prépositionnel**.

CI
Alain participe ***à une compétition de ski****.*
groupe prépositionnel

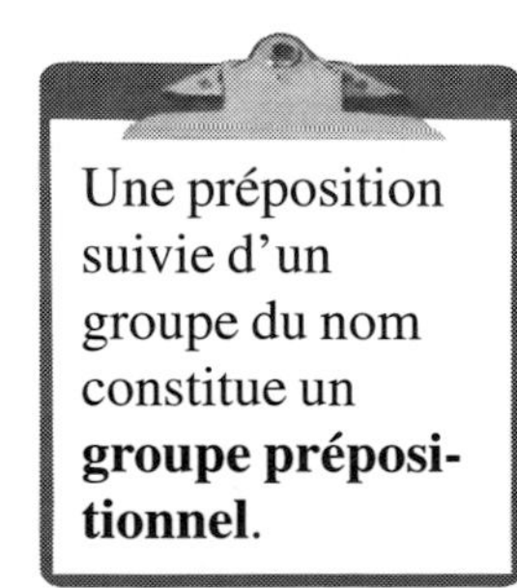

Une préposition suivie d'un groupe du nom constitue un **groupe prépositionnel**.

Quelle est la composition d'un complément indirect ?

- Le complément indirect fait partie du groupe du verbe.

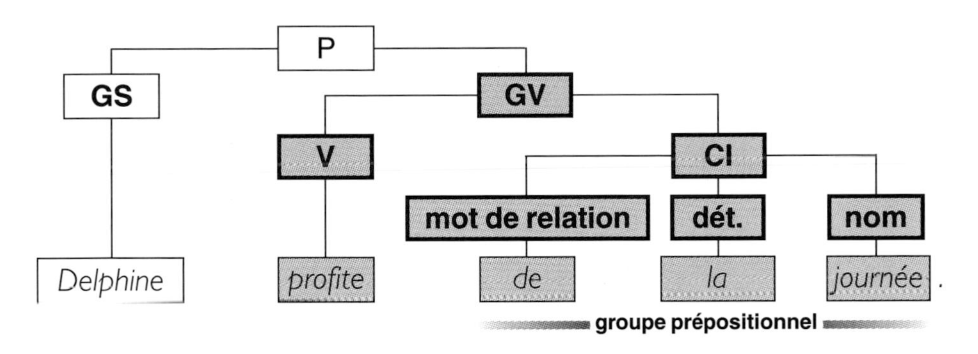

- Le complément indirect peut se présenter sous plusieurs formes.

  Voici les principales.

un mot de relation + un déterminant + un adjectif + un nom commun	*Elle se confie souvent* [*à ses grandes amies*] (CI, groupe prépositionnel).
un mot de relation + un déterminant + un nom + un adjectif	*Le clown a lancé son chapeau* [*à la foule bruyante*] (CI, groupe prépositionnel).
un pronom personnel	*Pensez* [*à nous*] (CI, groupe prépositionnel) *!*
un mot de relation + un nom propre	*Nous avons parlé* [*à Chloé*] (CI, groupe prépositionnel) *hier.*
une subordonnée relative	*Nous remettrons ce prix* [*à qui l'aura mérité*] (CI, subordonnée relative).

un déterminant (forme contractée) + un nom + un mot de relation + un déterminant + un nom	groupe prépositionnel *J'ai expliqué les règles du jeu* ⌊*aux amis de ma sœur*⌋. CI
une subordonnée complétive	subordonnée complétive *Chloé s'attend* ⌊*à ce que Steve l'appelle*⌋. CI

Attention!

- Un groupe du verbe peut être constitué d'un verbe et d'un complément indirect formé d'un seul pronom. Ce **pronom** forme un **groupe prépositionnel** parce qu'il remplace non seulement un groupe du nom, mais aussi une préposition.

*Nous parlons **à Pierre** (à lui).*

*Nous ~~à~~ **lui** parlons.*

*Il **m'**a parlé (~~à moi~~).*

- Cependant, lorsqu'un verbe a pour complément un pronom qui remplace un groupe du nom sans préposition, ce **pronom** constitue un **groupe du nom** et forme un complément direct.

*Nous regardons **Pierre** (le).*

*Nous **le** regardons.*

*Il **m'**a regardé (moi).*

263

- Un complément indirect est généralement introduit par une préposition simple dont les plus fréquentes sont **à** et **de**.

Verbes qui s'emploient avec

À		DE	
abaisser (s')	enseigner	accuser	glorifier (se)
aboutir	exposer (s')	achever	hâter (se)
aider	habituer (s')	ambitionner	mêler (se)
appliquer (s')	hésiter	avertir	menacer
apprendre	inviter	cesser	proposer (se)
apprêter (s')	parvenir	charger (se)	rappeler (se)
aspirer	plaire (se)	contenter (se)	regretter
attacher (s')	plier (se)	convenir	réjouir (se)
autoriser	préparer (se)	craindre	rire
borner (se)	réduire	dispenser	souvenir (se)
condamner	refuser (se)	disculper (se)	supplier
consentir	renoncer	empêcher	tenter
contribuer	résigner (se)	étonner (s')	trembler
dévouer (se)	réussir	éviter	vanter (se)
donner	servir	excuser (s')	
employer	songer		
encourager	travailler		

- Parfois, un verbe **change de sens** selon la **préposition** avec laquelle il est employé.

Venir à	Indique une action qui peut se produire	*Si un cyclone* ***vient à*** *se produire, nous devons être prêts.*
Venir de	Indique un passé récent	*Un orage* ***vient de*** *se produire.*
Demander à	Un souhait	*Il a* ***demandé à*** *te voir.*
Demander de	Une exigence, un ordre	*Je te* ***demande de*** *me rendre ma raquette de tennis.*

Comment reconnaître un complément indirect ?

▶ D'abord, on trouve le verbe conjugué du groupe du verbe et on l'encadre.	*Mes amis parlent de la pluie et du beau temps.*
▶ Puis, on pose après le verbe une des questions suivantes : **à qui ? à quoi ? de qui ? de quoi ?**	▶ Mes amis parlent **de quoi ?**
Attention ! Il ne faut pas que ce soit le verbe **être** ou un autre verbe **attributif**.	
▶ Le groupe de mots qui répond à la question est généralement le complément indirect.	CI Mes amis parlent ***de la pluie et du beau temps***.
▶ On peut essayer de **supprimer** ou de **déplacer**, au début de la phrase, le groupe de mots que l'on a reconnu comme étant le complément indirect ; si l'on n'y parvient pas, on a une preuve de plus que c'est un complément indirect.	*Mes amis parlent* – . phrase incomplète *De la pluie et du beau temps, mes amis parlent.* phrase mal construite
▶ On peut aussi essayer de **remplacer** tout le complément indirect par un pronom. Si cela est possible, c'est une preuve additionnelle que le groupe identifié est un complément indirect.	en *Mes amis parlent ~~de la pluie et du beau temps~~.*

Attention !

- Comme preuve supplémentaire, on vérifie s'il y a une préposition comme **à**, **au**, **de**, etc., devant le groupe de mots que l'on a identifié comme étant le complément indirect.

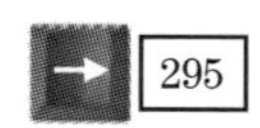
295

- Certains pronoms personnels sont des compléments indirects, même s'ils ne sont pas introduits par **à**, **au**, **de**, etc.

*Parle-**moi** de lui.*
*Je n'**en** doute pas.*

Quand faut-il reconnaître un complément indirect ?

- Il est important de reconnaître le complément indirect lorsque le verbe est employé à un **temps composé** (avec l'auxiliaire **avoir**), et ce, pour ne pas le confondre avec le complément direct. C'est le complément direct qui commande l'accord du participe passé.

Alain <u>a participé</u> [**à une compétition de ski**] (CI). — *a participé* : temps composé

Prête-moi [*les livres que tu <u>as lus</u>*] (CD). — *as lus* : temps composé

- Lorsque le verbe n'est accompagné que d'un complément indirect, le participe passé ne s'accorde pas.

Elle a téléphoné **à sa mère** (CI). *Elle* **lui** (CI) *a parlé.*

Attention !

- **Du, des** et **de (la)** introduisent parfois un complément direct. Dans ces cas, ils sont des déterminants.

  Pour vérifier si **du, des** ou **de (la)** est un déterminant, essaie de le remplacer par un autre déterminant.

CD — une, sa *Delphine vend* **de la** *crème glacée.*	CI — ~~une, sa~~ *Delphine a profité* **de la** *journée.*
CD — le, son *Delphine a acheté* **du** *lait.*	CI — ~~le, son~~ *Delphine parle* **du** *beau temps.*
CD — deux, ses *Delphine cueillera* **des** *fruits.*	CI — ~~les, ses~~ *Delphine s'ennuiera* **des** *champs de fraises.*

- Certains compléments directs, particulièrement les verbes à l'infinitif, semblent être introduits par une préposition, alors que ce n'est pas le cas.

Soraya craint de parler de sa mésaventure.

Soraya craint **quoi ? de parler de sa mésaventure** (CD).

et non

Soraya craint **de quoi ? parler** de sa mésaventure.

Qu'est-ce qu'un attribut du sujet ?

- L'**attribut** du sujet sert à donner une qualité, une caractéristique, une manière, un état au sujet du verbe.

  à attribuer

- Le verbe qui permet de relier un attribut à un sujet est appelé **verbe attributif**.

  Les principaux **verbes attributifs** sont : *avoir l'air*, *être*, *être appelé*, *être nommé*, *demeurer*, *devenir*, *paraître*, *passer pour*, *rester*, *sembler*, etc.

Plusieurs personnes donnent le nom de **verbes d'état** ou de **verbes copules** aux verbes attributifs.

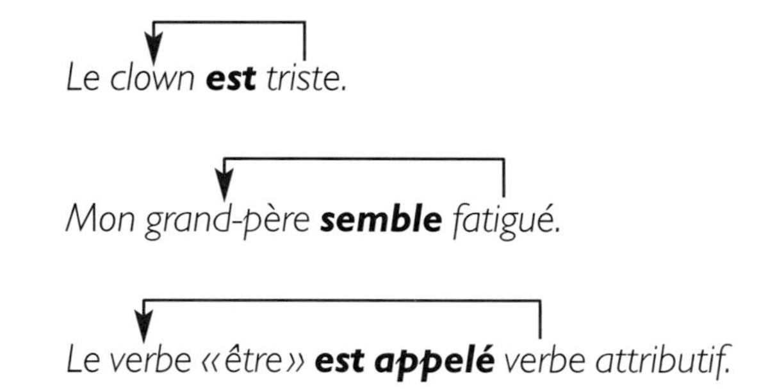

Quelle est la composition d'un attribut du sujet ?

- Un groupe de l'attribut du sujet peut être formé d'un mot ou de plusieurs mots :

un groupe de l'adjectif

La conférencière était ***très intéressante*** *.* (G Adj.)

un groupe du nom

Bonaparte devint ***empereur*** *en 1804.* (GN)

un pronom (groupe du nom)

Êtes-vous d'accord ? Oui, je ***le*** *suis.* (groupe du nom / pronom)

un groupe de l'adverbe

Elle est restée ***debout*** *durant toute la conférence.*

G Adv.

un groupe prépositionnel

Les rosiers sont ***en fleurs*** *.*

G Prép.

une subordonnée complétive

Ma seule consolation, quand je montais me coucher,
était ***que maman viendrait m'embrasser*** *.*

Proust

subordonnée complétive

un groupe de l'infinitif

Partir, c'est ***mourir un peu*** *.*

groupe de l'infinitif

un participe adjectif

Lors de la sortie éducative, les jeunes enfants étaient bien ***encadrés*** *.*

participe adjectif

Attention !

Il faut éviter de confondre le participe adjectif qui peut être attribut avec le participe passé d'un temps composé.

Les enfants ***étaient partis*** *très tôt le matin.*

temps composé

Le mot **partis** est le participe passé du verbe **partir** au plus-que-parfait de l'indicatif. Il n'est pas attribut du mot **enfants**.

Attention !

- L'attribut se place généralement **après** le verbe attributif.

Ce clown est *un comédien sérieux* .

- L'attribut peut aussi, à l'occasion, **précéder** le verbe attributif.

Qui est-il ?

Comment est-elle ?

Grand fut son intérêt lorsque je lui montrai mon nouveau cédérom.

Il n'est pas encore en forme, mais il le deviendra bientôt.

- L'adjectif qui est attribut du sujet prend le **genre** et le **nombre** du sujet du verbe attributif.

127

Comment reconnaître un attribut du sujet ?

Voici une bonne façon de reconnaître un attribut du sujet.

▶ On repère, dans le groupe du verbe, le verbe conjugué et on l'encadre .	*Le clown* *est* *triste.*
▶ On vérifie s'il s'agit du verbe **être** ou si on peut le remplacer par le verbe **être**.	Il s'agit du verbe **être**.

→

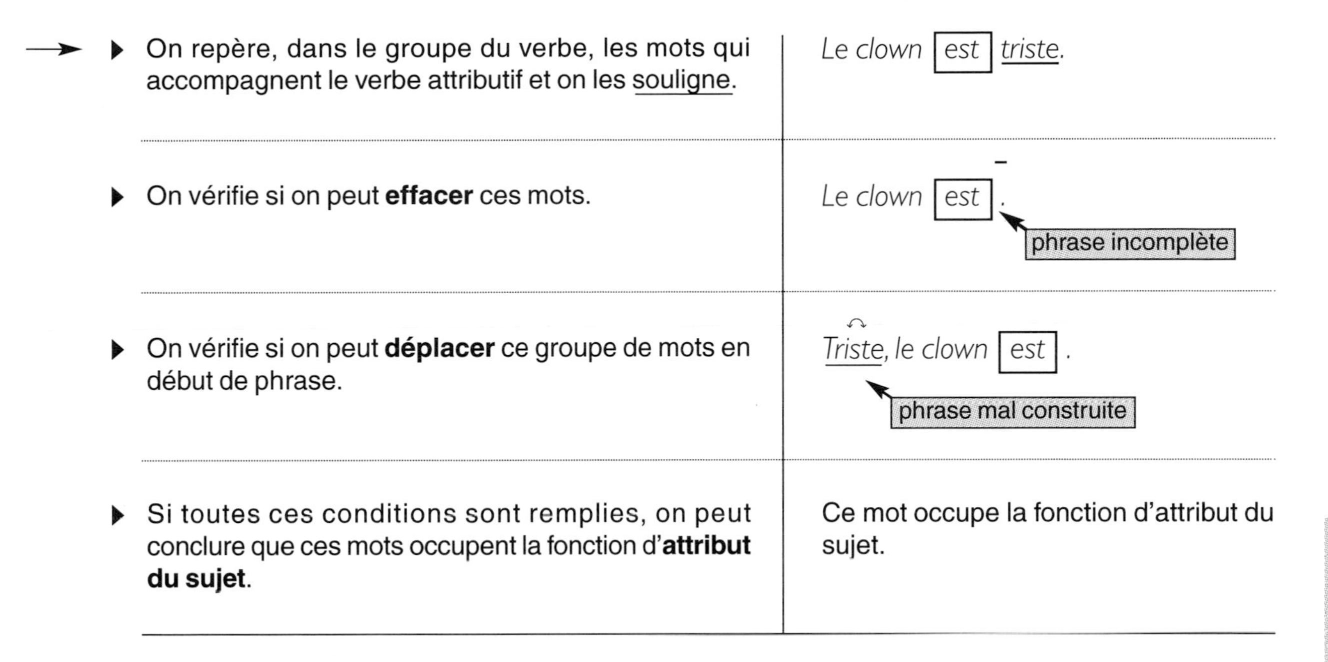

On repère, dans le groupe du verbe, les mots qui accompagnent le verbe attributif et on les souligne.	*Le clown* est *triste.*
On vérifie si on peut **effacer** ces mots.	*Le clown* est . — phrase incomplète
On vérifie si on peut **déplacer** ce groupe de mots en début de phrase.	*Triste, le clown* est . — phrase mal construite
Si toutes ces conditions sont remplies, on peut conclure que ces mots occupent la fonction d'**attribut du sujet**.	Ce mot occupe la fonction d'attribut du sujet.

L'ATTRIBUT DANS LE GROUPE DU VERBE :

– **l'attribut du complément direct**

Qu'est-ce qu'un attribut du complément direct ?

- Un **attribut** du complément direct sert à donner une qualité, une caractéristique, une manière, un état au complément direct du verbe.

- Le verbe qui permet de relier un attribut à un complément direct est généralement un verbe d'**opinion**, de **déclaration**, de **choix**, de **transformation** : *croire, considérer, dire, juger, trouver, voir, appeler, choisir, déclarer, élire, nommer, prendre, faire, rendre, se conduire*, etc.

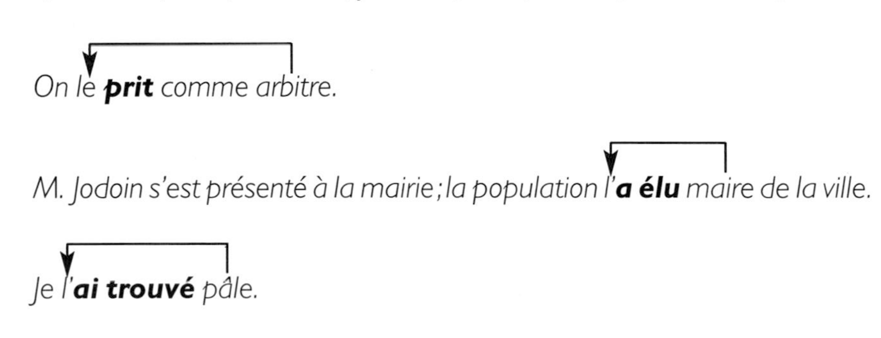

Quelle est la composition d'un attribut du complément direct ?

- Un groupe de l'attribut du complément direct peut être formé d'un mot ou de plusieurs mots. Voici les principales formations :

un groupe du nom

On le dit ***poète*** *.*
GN

un groupe de l'adjectif

Sa situation financière l'a rendu ***malade*** *.*
G Adj.

un groupe prépositionnel

Ils se sont conduits ***en héros*** *lors de l'incendie.*
G Prép.

- L'adjectif qui est attribut du complément direct prend le **genre** et le **nombre** du complément direct.

→ 128

Attention !

On trouve aussi, mais plus rarement, un **attribut** du **complément indirect**.

Qu'est-ce qu'un groupe complément de phrase ?

- Le groupe complément de phrase est un des trois groupes de la phrase. Contrairement au groupe sujet et au groupe du verbe, qui sont obligatoires, le groupe complément de phrase est **facultatif**.

75 82

- Le groupe complément de phrase est un mot (ou un groupe de mots) qui complète la phrase en l'enrichissant ou en la précisant ; il ne dépend ni du groupe sujet ni du groupe du verbe. Le groupe complément de phrase dépend plutôt de l'ensemble de la phrase.

- Le groupe complément de phrase permet d'ajouter des informations à la phrase ou encore d'exprimer des circonstances dans lesquelles se déroule l'action.

Chaque matin*, Natacha prend l'autobus.* **(temps)**

Les lions chassent la nuit, ***en Afrique****.* **(lieu)**

- Le groupe complément de phrase peut se trouver :

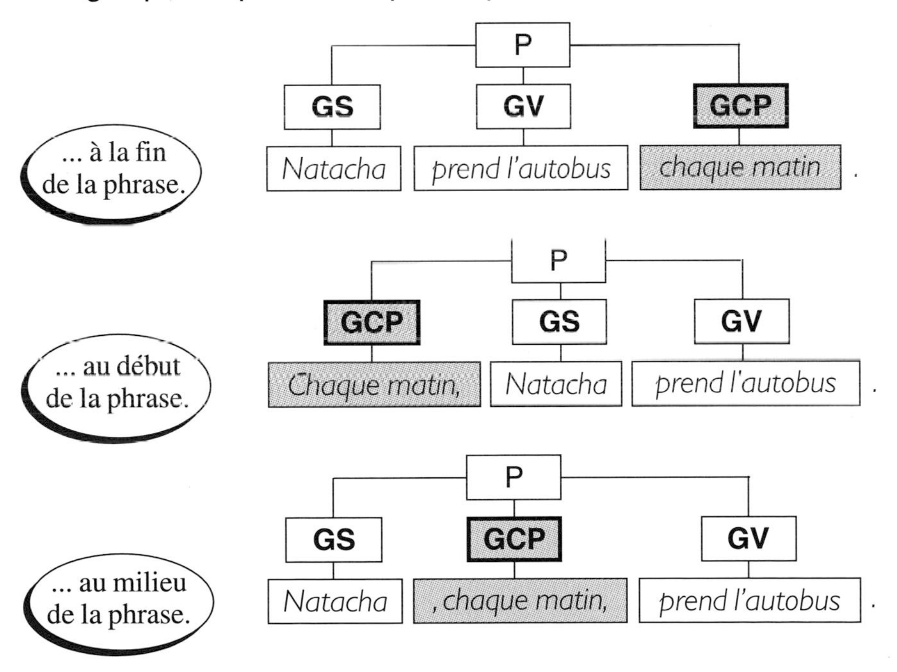

- Dans une phrase, il peut y avoir plusieurs compléments de phrase.

À midi*, Samantha s'approcha de moi* ***alors que je terminais mon repas****.*

Quelle est la composition d'un groupe complément de phrase ?

Un groupe complément de phrase peut être formé d'un mot ou de plusieurs mots :

un **déterminant** et un **nom commun** qui constituent un groupe du nom

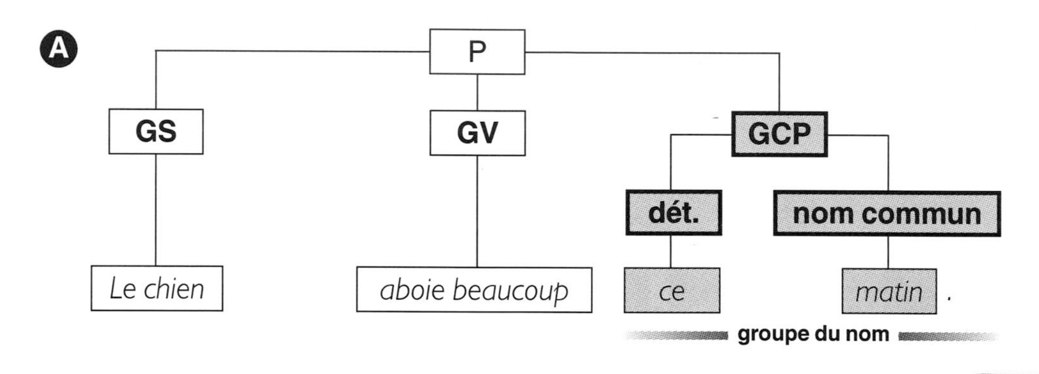

On pourrait **ajouter** un complément du nom à ce groupe du nom.

une **préposition**, un déterminant, un **adjectif** et un nom commun qui constituent un groupe prépositionnel

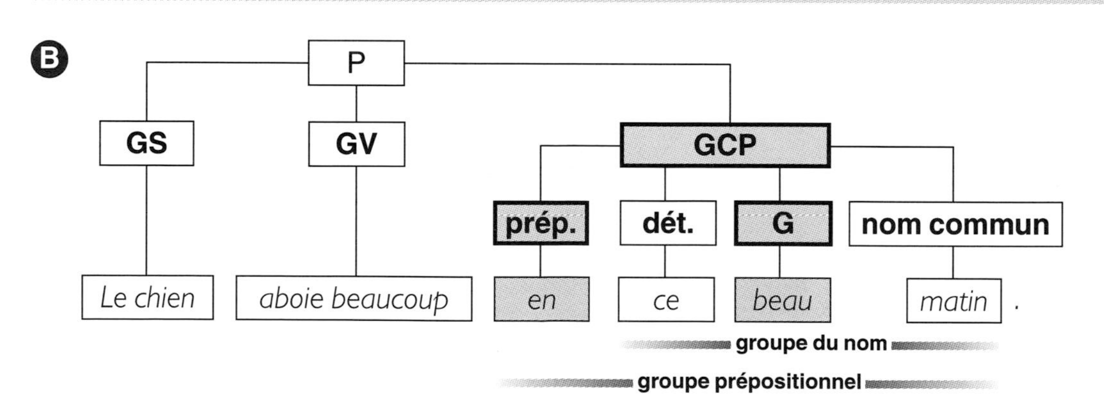

un **adverbe**

C

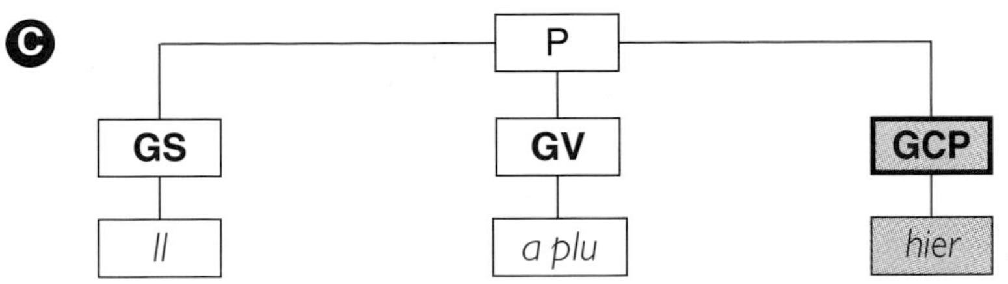

une **subordonnée circonstancielle**

D

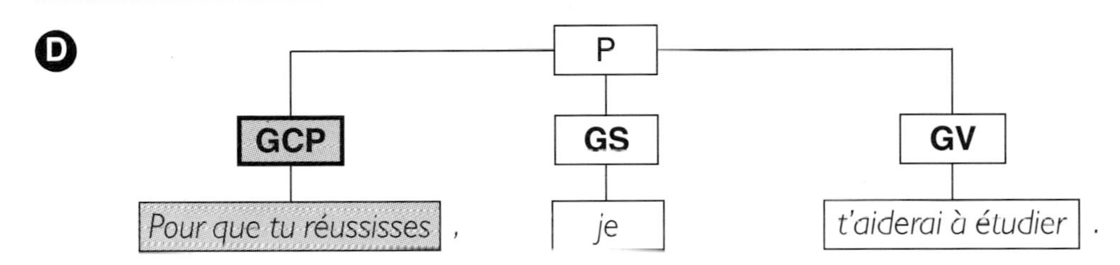

Quelles sont les caractéristiques d'un groupe complément de phrase ?

Lorsqu'on peut déplacer et supprimer un groupe de mots qui exprime une circonstance, on peut raisonnablement penser que c'est un groupe complément de phrase ; de plus, on ne peut généralement le remplacer par un pronom.

– Il peut être déplacé.

Ma sœur lit le journal ***chaque matin***.

Chaque matin*, ma sœur lit le journal.*

– Il peut être supprimé.

Ma sœur lit le journal ***chaque matin***.

Ma sœur lit le journal.

– On ne peut le remplacer par un pronom, sauf s'il désigne un lieu.

Ma sœur lit le journal ***chaque matin***.

Ma sœur ~~en~~ lit le journal.

On peut aussi utiliser la structure **et cela se passe** devant le groupe complément de phrase.
Ma sœur lit le journal ***et cela se passe*** *chaque matin.*

Quelles sont les circonstances qu'un complément de phrase peut exprimer ?

Le complément de phrase peut exprimer diverses circonstances. Voici les plus fréquentes.

Le lieu	*Le cheval broute l'herbe* ***dans le pré****.*
Le temps	*J'ai vu deux tigres au zoo* ***hier****.*
Le but	***Pour que tu réussisses****, je t'aiderai à étudier.*
La manière	*L'artiste lui a dédié une chanson* ***avec beaucoup de chaleur****.*

Comment reconnaître un groupe complément de phrase ?

▶ D'abord, on encercle le (groupe sujet) et on encadre le [groupe du verbe].

(Le poisson rouge de Marie-Soleil) [gisait] au fond du bocal.

88 95

▶ Puis, on essaie de **déplacer** et de **supprimer** le groupe de mots qui reste.

Si la phrase reste compréhensible, le groupe de mots que l'on a repéré est probablement un groupe complément de phrase.

▶ ***Au fond du bocal****, le poisson rouge de Marie-Soleil gisait.*

Le poisson rouge de Marie-Soleil gisait.

▶ Pour obtenir une preuve supplémentaire, on essaie de pronominaliser (sauf **y**) le groupe que l'on a identifié comme étant le groupe complément de phrase ; si cela est impossible, c'est que le groupe de mots identifié est probablement un groupe complément de phrase.

Le poisson rouge de Marie-Soleil ~~le~~ gisait. (impossible)

> Le groupe complément de phrase répond généralement à l'une des questions suivantes :
> **où ? quand ? pourquoi ? comment ?**

Quand et pourquoi faut-il utiliser un groupe complément de phrase?

Le groupe complément de phrase est d'une grande utilité quand on écrit ou révise un texte. Si l'on connaît bien ce qu'est un complément de phrase, on peut enrichir ses phrases en ajoutant des informations, en précisant les circonstances dans lesquelles se déroule l'action.

La perruche de Zoé ***jacassait*** ***dans sa cage***.

La semaine dernière, *Je* ***suis allé*** *au cinéma.*

Je ***vais aller patiner*** ***même si je suis fatiguée***.

Attention!

- Certains compléments qui expriment des circonstances (temps, lieu, manière, but, etc.) ont presque toutes les caractéristiques d'un complément de phrase, mais ils n'en sont pas. Ces compléments sont intimement liés au **verbe** plutôt qu'à la phrase.

Je vais aller [*au cinéma*] [*demain soir*].
GCP

complément du verbe : *au cinéma*
complément de phrase : *demain soir*

- On ne peut ni supprimer ni déplacer ces compléments du verbe.

Il va à Ottawa. *Il va.* (phrase incomplète) *À Ottawa, il va.* (phrase mal construite)

- On peut remplacer ces compléments du verbe par un pronom.

à Ottawa → *Il y va.*

Plusieurs personnes considèrent ces compléments comme des compléments du verbe.

Les classes de mots

Certaines caractéristiques
Les mots variables
Les mots invariables

Certaines caractéristiques

Qu'est-ce qu'une classe de mots?

- Les mots qu'on utilise pour composer une phrase sont traditionnellement classés en plusieurs catégories que l'on appelle **classes**.

- Une classe de mots est un ensemble de mots qui ont des sens différents, mais qui peuvent remplir la même fonction dans la phrase. On doit généralement utiliser des mots de différentes classes pour rédiger des phrases.

Eh oui! (**interjection**) *les* *mots* (**nom**) *utilisables* (**adjectif**) *dans* *une* (**dét.**) *phrase sont* *traditionnellement* (**adverbe**) *classés* *en* (**préposition**) *plusieurs catégories que l'on* *appelle* (**verbe**) *«classes». Certains* (**pronom**) *sont variables* *et* (**conjonction**) *d'autres sont invariables.*

Comment reconnaître la classe d'un mot?

- On reconnaît habituellement qu'un mot appartient à une classe donnée lorsqu'on peut le **remplacer** par un autre mot de cette classe et que la phrase reste toujours bien formée, même si le sens est différent.

Ses (**dét.**) *parents* (**nom**) *ont acheté* (**verbe**) *une* (**dét.**) *petite* (**adj.**) *maison* (**nom**).

Ses parents ont acheté une [***jolie*** / ***grande*** / *petite* / ***luxueuse*** / ***coquette***] *maison.*

On peut remplacer **petite** par **jolie**, **grande**, **luxueuse** et **coquette**, parce que ces mots appartiennent tous à la classe des adjectifs.

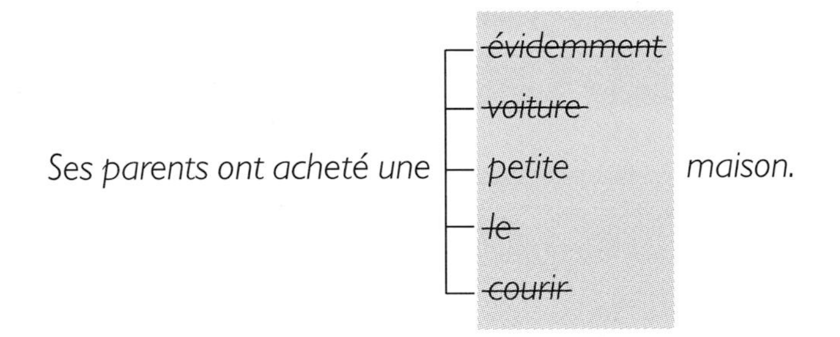

On ne peut remplacer **petite** par **évidemment** (adverbe), **voiture** (nom), **le** (déterminant) et **courir** (verbe), parce que ces mots n'appartiennent pas à la classe des adjectifs, mais à d'autres classes de mots.

- Pour que deux mots appartiennent à une même classe, il faut aussi qu'ils puissent remplir la même fonction dans une phrase.

Christian *viendra dans quelques heures.*
Demain *viendra dans quelques heures.*
M. Bellefeuille *viendra dans quelques heures.*

Christian, qui appartient à la classe des noms, peut être remplacé par **demain** ou **M. Bellefeuille** parce que ces mots font aussi partie de la classe des noms. Les trois noms remplissent la même fonction en étant sujets du verbe **viendra**.

Les mots variables et les mots invariables

- Certaines classes de mots contiennent des mots qui sont **variables**, d'autres contiennent des mots qui sont **invariables**.

Variables (qu'on accorde)	**Invariables** (qu'on n'accorde pas)
le nom	l'adverbe
l'adjectif	la préposition
le déterminant	la conjonction
le verbe	l'interjection (mot-phrase)
le pronom	

qu'on n'accorde pas

- Un mot **invariable** est un mot qui ne change jamais de forme. On doit toujours l'écrire selon son orthographe d'usage, c'est-à-dire tel qu'il se trouve dans le dictionnaire.

C'est une fille ***vraiment*** *gentille.*
Ce sont des garçons ***vraiment*** *gentils.*

J'ai laissé un mot ***sur*** *le bureau.*
Les chats tombent toujours ***sur*** *leurs pattes.*

qu'on accorde

- Un mot **variable** est un mot qui change de forme lorsqu'il est relié à un ou à plusieurs mots. On dit d'un tel mot qu'il s'accorde, c'est-à-dire qu'en plus de l'écrire selon son orthographe d'usage (comme dans le dictionnaire), il faut l'accorder avec les mots qui l'accompagnent. C'est ce que l'on appelle l'orthographe grammaticale.

  Un mot variable doit s'accorder selon le **genre** (masculin ou féminin), le **nombre** (singulier ou pluriel) et parfois la **personne** du mot ou du groupe de mots qui l'accompagne.

Le nom

Le nom commun
Le nom propre
Le nom collectif
Le nom composé

Quelles sont les différentes sortes de noms?

Nous verrons, dans la présente section, plusieurs sortes de noms : le nom commun, le nom propre, le nom collectif et le nom composé.

Le nom commun

Qu'est-ce qu'un nom commun?

- Un nom commun est un mot qui désigne :
  - des êtres animés : *cheval, homme ;*
  - des choses : *école, craie, arbre ;*
  - des sentiments : *joie, amour ;*
  - des idées : *pensée, victoire ;*
  - des états : *maladie, souffrance.*

- Le nom commun est généralement précédé d'un déterminant.

un *cheval,* **des** *hommes*
ton *école,* **une** *craie,* **cet** *arbre*
la *joie,* **l'***amour*
des *pensées,* **cette** *victoire*
sa *maladie,* **des** *souffrances*

149

- Le nom commun a un **genre** (masculin ou féminin) qui reste généralement le même.

un cheval : **masculin**
un arbre : **masculin**
une craie : **féminin**
une plaisanterie : **féminin**

On peut consulter le dictionnaire pour connaître le genre d'un nom commun.

• Le **nombre** du nom commun (singulier ou pluriel) s'acquiert, c'est-à-dire qu'il n'est pas toujours le même. Le nombre du nom dépend généralement du contexte et de l'intention de la personne qui parle ou qui écrit.

masculin	**singulier**	*un cheval*	→	*des chevaux*	**masculin**	**pluriel**
féminin	**singulier**	*une craie*	→	*des craies*	**féminin**	**pluriel**
féminin	**singulier**	*une pensée*	→	*des pensées*	**féminin**	**pluriel**
masculin	**singulier**	*un parc*	→	*des parcs*	**masculin**	**pluriel**

• Le nom commun est souvent le noyau d'un groupe du nom.
C'est ce groupe du nom qui peut avoir une fonction de **sujet**, de **complément** ou d'**attribut**.

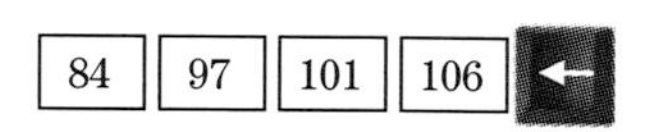
84 97 101 106

• Parmi les noms communs, on peut distinguer les noms **concrets** et les noms **abstraits**. Un nom **concret** représente un être ou un objet réels, qu'on peut voir et toucher. Un nom **abstrait** désigne une idée, un état, un sentiment, donc quelque chose qu'on ne peut ni voir ni toucher.

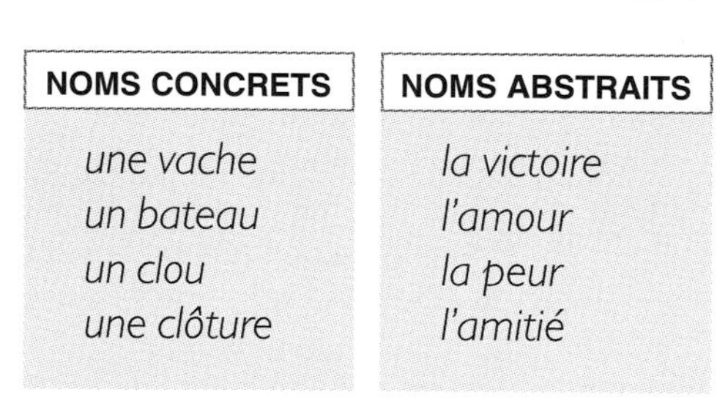

NOMS CONCRETS	NOMS ABSTRAITS
une vache	*la victoire*
un bateau	*l'amour*
un clou	*la peur*
une clôture	*l'amitié*

• On peut utiliser toutes ces caractéristiques du nom commun pour le reconnaître dans une phrase.

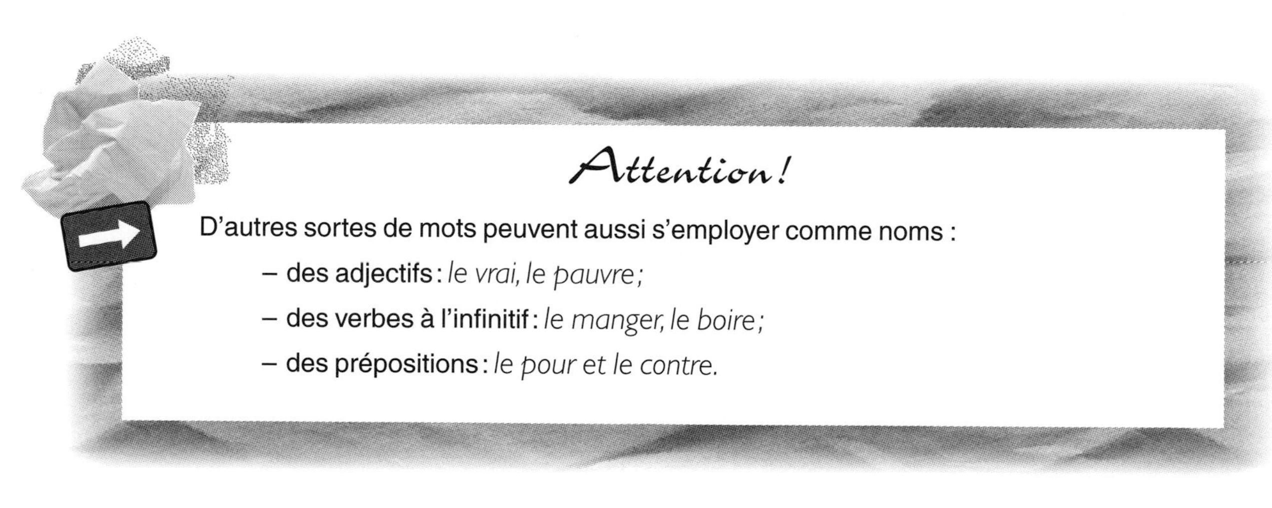

Attention !

D'autres sortes de mots peuvent aussi s'employer comme noms :

– des adjectifs : *le vrai, le pauvre ;*

– des verbes à l'infinitif : *le manger, le boire ;*

– des prépositions : *le pour et le contre.*

Le nom propre

Qu'est-ce qu'un nom propre?

- Un **nom propre** désigne un être ou un objet particuliers. Il s'écrit avec une majuscule.

Sherbrooke
le Québec
Diane
le parc des Laurentides
le fleuve Saint-Laurent
Ottawa

- Même si le nom propre se passe habituellement de déterminant, on peut le voir, à l'occasion, accompagné d'un déterminant.

le Saguenay
la NASA
les Goyette

- Le nom propre a un **genre** (masculin ou féminin) et est généralement invariable en **nombre**.

- Le nom propre peut être le noyau d'un groupe du nom. Ce groupe du nom peut avoir une fonction de **sujet**, de **complément** ou d'**attribut**.

- On peut utiliser toutes ces caractéristiques du nom propre pour le reconnaître dans une phrase.

Qu'est-ce qu'un nom collectif?

- Un nom **collectif** désigne un ensemble d'individus ou d'idées.

foule
troupeau
dizaine

- Le nom collectif est généralement précédé d'un déterminant.

une *foule*
un *troupeau de vaches*
une *dizaine d'erreurs*

- Le nom collectif a un **genre** (masculin ou féminin) et acquiert le **nombre** (singulier ou pluriel). Il varie en nombre selon l'intention de la personne qui parle ou qui écrit.

un troupeau de vaches: **masculin singulier**
une foule: **féminin singulier**
des amas de roches: **masculin pluriel**
des dizaines d'erreurs: **féminin pluriel**

- Le nom collectif peut être le noyau d'un groupe du nom. Ce groupe du nom peut avoir une fonction de **sujet**, de **complément** ou d'**attribut**.

- On peut utiliser toutes ces caractéristiques du nom collectif pour le reconnaître dans la phrase.

Qu'est-ce qu'un nom composé ?

- On appelle **nom composé** un nom formé de deux ou de plusieurs mots ne désignant qu'un seul être ou qu'une seule chose ; ces mots peuvent être réunis ou non par un trait d'union ou une préposition. Le nom composé peut être un nom commun ou un nom propre.

aide-mémoire
Anne-Marie
grand-père
chemin de fer
Canac-Marquis

- Le nom composé est généralement précédé d'un déterminant.

cet aide-mémoire
la petite Anne-Marie
ton grand-père
le chemin de fer
les Canac-Marquis

- Le nom composé a un **genre** (masculin ou féminin) et acquiert le **nombre** (singulier ou pluriel). Il varie en **nombre** selon l'intention de la personne qui parle ou qui écrit.

cet aide-mémoire :	**masculin singulier**
ma grand-mère :	**féminin singulier**
des chemins de fer :	**masculin pluriel**
des portes-fenêtres :	**féminin pluriel**

147

- Le nom composé peut être le noyau d'un groupe du nom. Ce groupe du nom peut avoir une fonction de **sujet**, de **complément** ou d'**attribut**.

- On peut utiliser toutes ces caractéristiques du nom composé pour le reconnaître dans la phrase.

L'adjectif

Certaines caractéristiques

Qu'est-ce qu'un adjectif ?

- Un adjectif est un mot qui exprime une **qualité** ou une **manière d'être** de la chose ou de l'être désignés par le nom.

un compagnon ***fidèle*** *des livres* ***neufs***
cette ***grosse*** *roche* *des tomates* ***mûres***

- L'adjectif fait partie d'un **groupe du nom**, mais il n'est pas obligatoire.

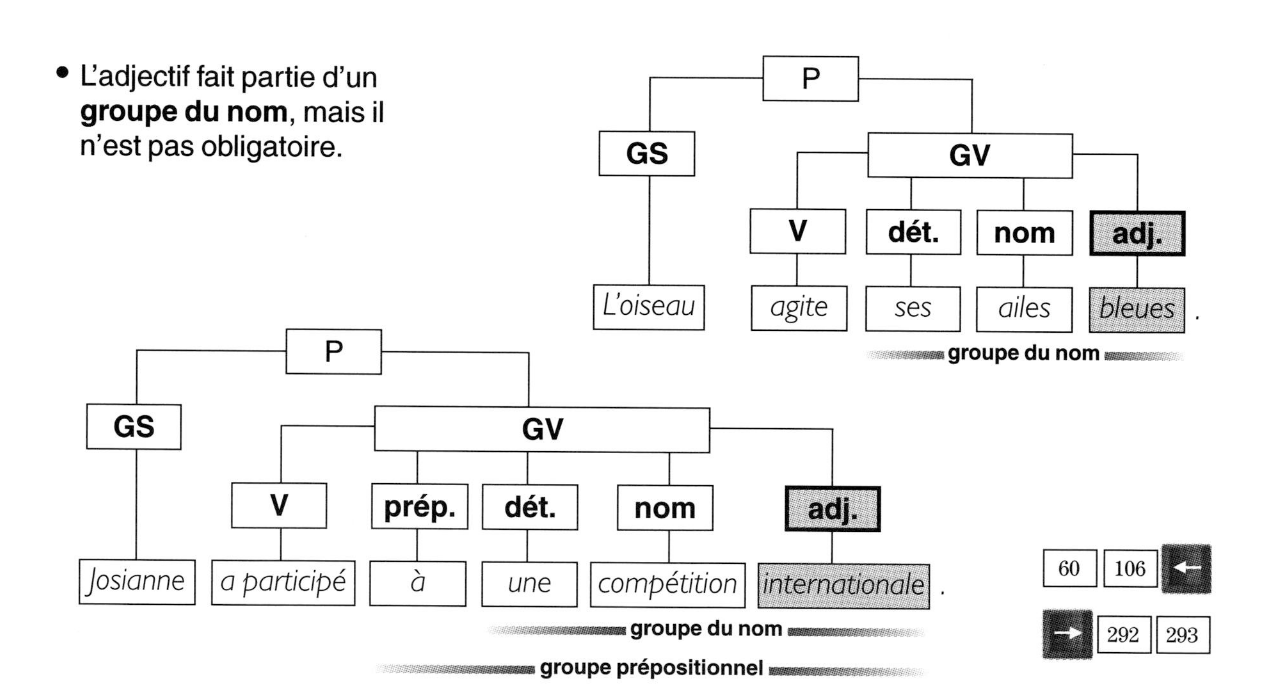

60 106 ← → 292 293

- L'adjectif est le plus souvent composé d'un seul mot, mais il peut être constitué aussi de plusieurs mots.

Ma cousine est une personne ***clairvoyante****.*
J'aime les sauces ***aigres-douces****.*

Les compléments de l'adjectif

Quels sont les compléments d'un adjectif ?

- Un adjectif est souvent accompagné d'un complément et forme avec celui-ci un groupe de l'adjectif (G Adj.). Le complément de l'adjectif ou du groupe de l'adjectif peut être :

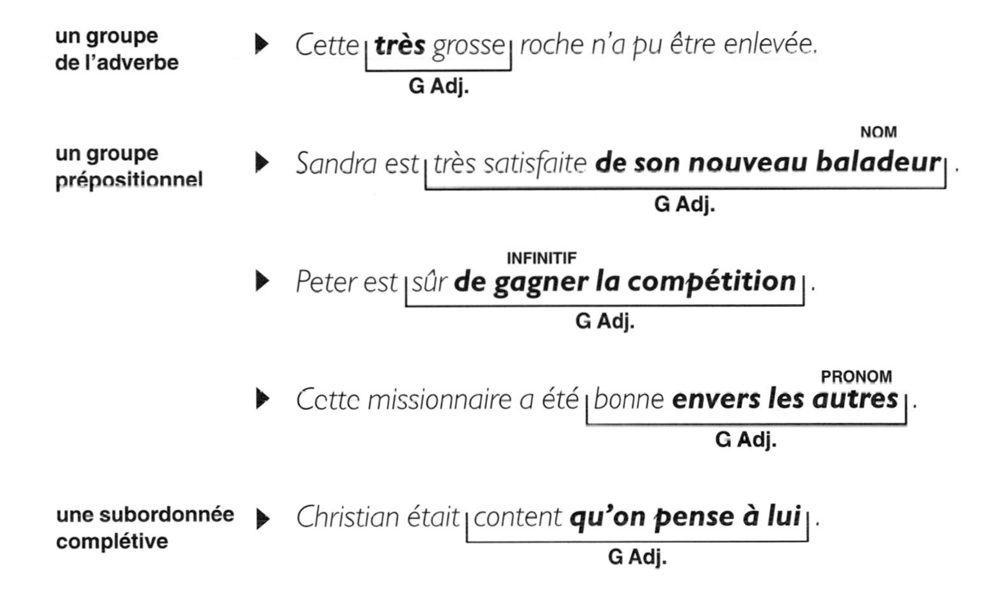

Les fonctions du groupe de l'adjectif

Quelles peuvent être les fonctions d'un groupe de l'adjectif ?

- Un groupe de l'adjectif peut avoir deux fonctions : la fonction de **complément** dans le groupe du nom et la fonction d'**attribut** dans le groupe du verbe.

Complément du nom

- Le groupe de l'adjectif peut **précéder** ou **suivre** le nom qu'il complète.

Plusieurs personnes donnent le nom d'épithète au groupe de l'adjectif qui est complément du nom.

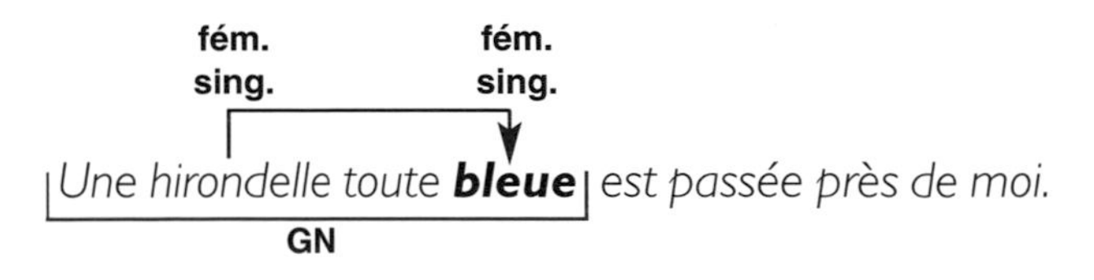

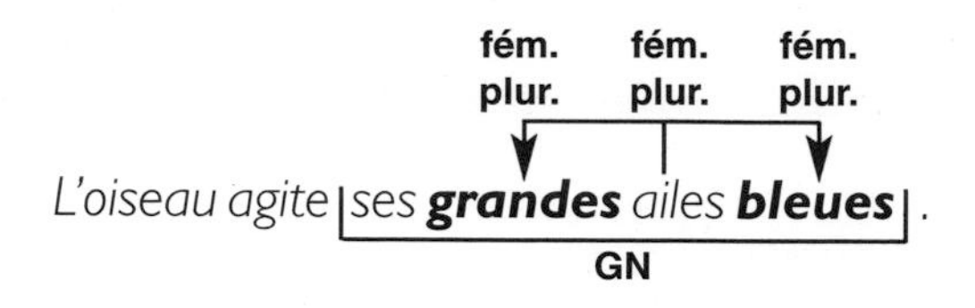

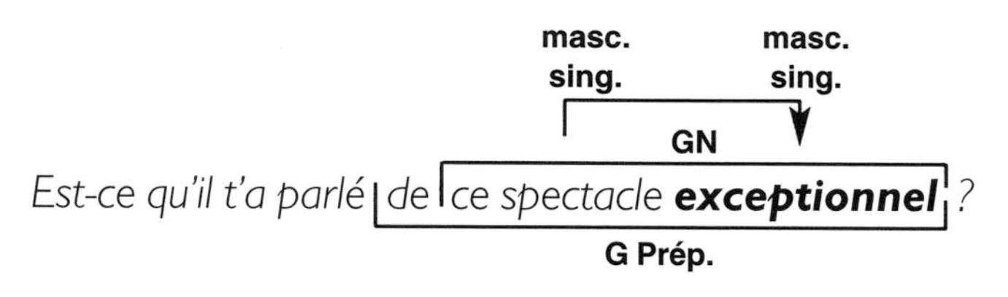

masc. plur. masc. plur.

GN

Le raton se cachait derrière les ***jolis*** *bosquets.*

G Prép.

Attribut

- Le groupe de l'adjectif peut être attribut du **sujet** ou du **complément direct**.

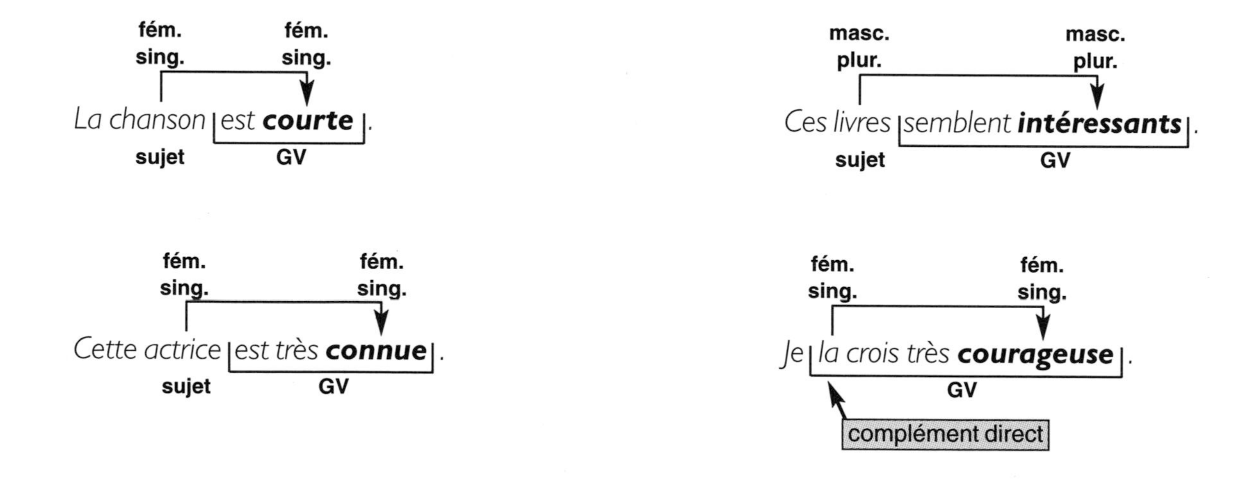

Comment accorde-t-on un adjectif ?

- Lorsqu'il est **complément**, un adjectif s'accorde en **genre** (masculin ou féminin) et en **nombre** (singulier ou pluriel) avec le nom, les noms ou le pronom qu'il complète.

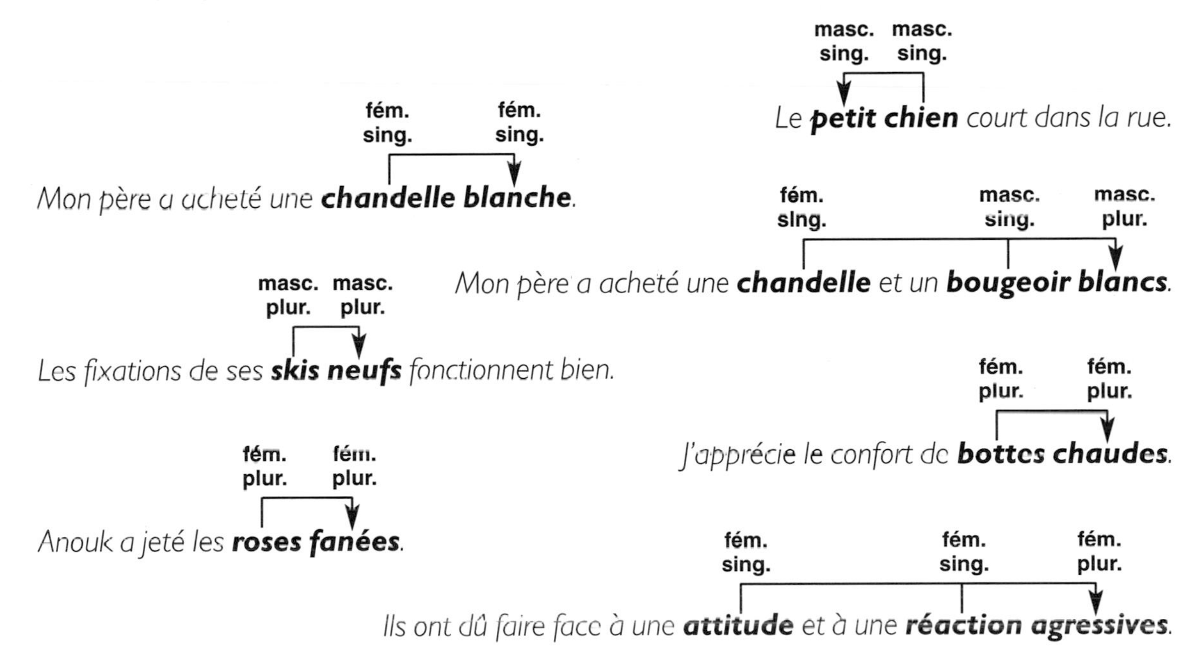

- Lorsqu'il est **attribut**, l'adjectif s'accorde en **genre** (masculin ou féminin) et en **nombre** (singulier ou pluriel) avec le **noyau** du groupe sujet ou du complément direct. Il fait alors partie du groupe du verbe.

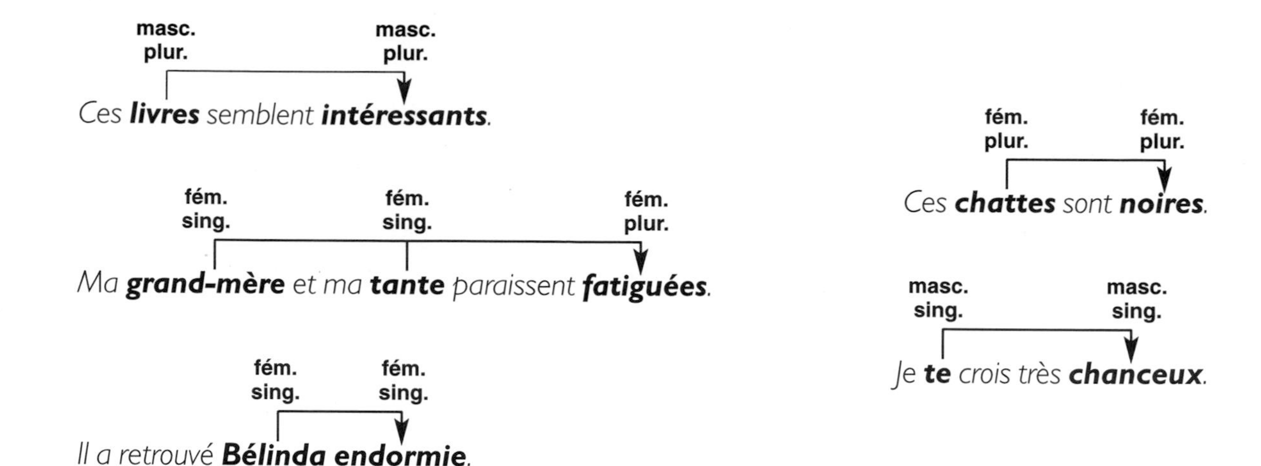

Des règles plus particulières régissent l'accord des adjectifs.

- L'adjectif, précédé de plusieurs noms, s'accorde avec **le premier** lorsque ces noms sont joints par des conjonctions de comparaison, telles **comme**, **ainsi que**, **de même que**, etc.

fém. sing. — fém. sing.

L'autruche a la ***tête****,* ***ainsi que*** *le cou,* ***garnie*** *de duvet.*

Buffon

La comparaison doit être entre virgules.

- L'adjectif, précédé de plusieurs noms unis par **ou** ou **ni**, est généralement au pluriel lorsque l'adjectif complète chacun des noms.

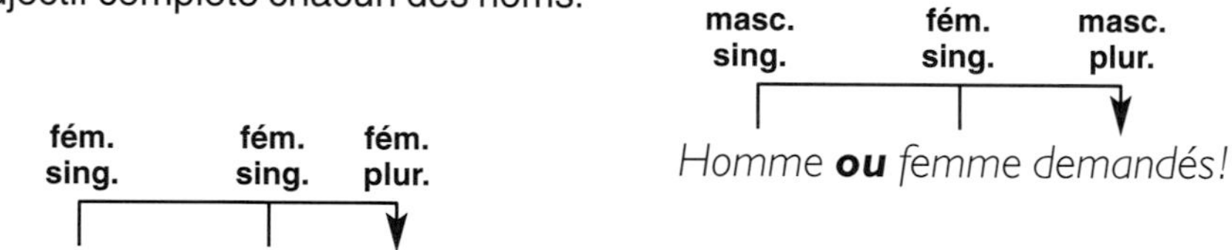

Ni l'auto ni la moto ***bleues*** *n'ont échappé à l'œil vigilant de la policière.*

- Lorsque **on** est employé avec un verbe attributif, celui-ci est au **singulier**, mais l'adjectif varie selon l'intention de la personne qui parle ou qui écrit.

On est ***contentes*** *de notre performance aux compétitions de tennis.*

Le féminin **contentes** réfère à des personnes de sexe féminin.

*On est **contents** de notre performance aux compétitions de tennis.*

Le masculin **contents** réfère à des personnes de sexe masculin ou encore à des personnes de sexe masculin et féminin.

Certains adjectifs présentent aussi des accords particuliers.

POSSIBLE

- L'adjectif **possible** est invariable lorsqu'il est utilisé avec les expressions **le plus**, **le moins** et qu'il se rapporte à ces expressions plutôt qu'au nom qu'il accompagne.

*Il faut essayer de faire **le moins** de fautes **possible**.*

le moins de fautes qu'il est possible de faire

- Dans les autres cas, **possible** est variable.

*Prenez tous les moyens **possibles** pour réussir!*

CI-ANNEXÉ • CI-INCLUS • CI-JOINT

- Les adjectifs **ci-annexé**, **ci-inclus** et **ci-joint** sont **invariables** lorsqu'ils sont au début d'une phrase ou qu'ils précèdent un nom sans déterminant.

__Ci-joint__ copie de votre contrat.
*Vous trouverez **ci-inclus** copie de votre bail.*
*Je vous transmets **ci-annexé** copie des pièces qui accompagnent le dossier.*

- Dans les autres cas, **ci-annexé**, **ci-inclus** et **ci-joint** sont généralement **variables**.

*Je vous demande d'acquitter dans les meilleurs délais la facture **ci-incluse**.*
*La lettre **ci-annexée** vous expliquera clairement la situation.*

DEMI • MI

- Lorsque les adjectifs **demi** et **mi** précèdent le nom qu'ils qualifient, ils sont **invariables**; un trait d'union les relie à ce nom.

*Je serai de retour dans une **demi-**heure.*
*Nous vous rencontrerons à **mi-**chemin.*

- Lorsque l'adjectif **demi** est après le nom qu'il accompagne, il s'accorde, mais en **genre** seulement.

fém. plur. — fém. sing.

*La réunion est à trois heures et **demie**.*

masc. plur. — masc. sing.

*Le poisson que j'ai pris mesurait deux mètres et **demi**.*

NU

- L'adjectif **nu** est **invariable** lorsqu'il est devant un nom sans déterminant ; un trait d'union le relie à ce nom.

*Il se promenait **nu-**pieds sur la plage.*
*Même l'hiver, elle skiait **nu-**tête.*

- L'adjectif **nu** est généralement **variable** lorsqu'il est après le nom.

masc. plur. — masc. plur.

*Il marchait pieds **nus** dans le sable.*

TEL

- Que **tel** soit adjectif ou déterminant, **tel** est généralement **variable** et s'accorde en genre et en nombre avec le nom qu'il complète.

fém. sing. — fém. sing. — fém. sing.

*Que l'on magasine à **telle** ou **telle** boutique ne me dérange pas.*

masc. plur. — masc. plur.

*Je ne comprends pas pourquoi il a tenu de **tels** propos.*

fém. sing. — fém. sing.

*Ils ne savent pas comment les dirigeants sont arrivés à une **telle** conclusion.*

fém. plur. — fém. plur.

*Certaines races de chiens, **telles** que le saint-bernard, le danois et le terre-neuve, sont de grande taille.*

Les adjectifs composés

Comment accorde-t-on un adjectif composé ?

- Lorsque l'adjectif composé est constitué de deux adjectifs qui conservent leurs caractéristiques d'adjectifs, il est **variable**.

*L'une de mes sœurs est **sourde-muette**.*

- Lorsque l'adjectif composé est constitué d'un premier élément se terminant par **-o** et d'un adjectif, le premier terme est invariable et le deuxième terme est variable.

*Ils ont acheté leurs patins d'une compagnie **franco-ontarienne**.*
*L'anglais est une langue **anglo-saxonne**.*

- Lorsque l'adjectif composé est constitué de deux adjectifs dont le premier a une valeur adverbiale, le premier est **invariable** et le deuxième est **variable**.

*Dans le champ, les poulains **nouveau-nés** marchaient difficilement.*
*Les mannequins était **court-vêtus** durant le défilé.*

- Lorque l'adjectif composé est constitué d'une préposition ou d'un adverbe et d'un adjectif, seul ce dernier est **variable**.

*Dans les pays en voie de développement, l'économie est souvent **sous-développée**.*
*J'ai résolu l'énigme lorsque j'ai lu l'**avant-dernière** phrase du texte.*

Les adjectifs de couleur

Comment accorde-t-on un adjectif de couleur ?

- Les adjectifs de couleur simples (un seul mot) s'accordent avec le nom qu'ils complètent, qu'ils soient **compléments** ou **attributs**.

*As-tu vu son ballon **bleu** ?*

*Les souliers de Kevin sont **bruns**.*

*Cette tuque **noire** appartient à Patricia.*

*Les chemises de Jacinthe semblent **roses**.*

- Les adjectifs de couleur composés (deux mots ou plus) sont invariables.

*J'aime beaucoup ces tissus **vert pomme**.*
*Il a jeté ses chemises **bleu pâle**.*
*Ses cheveux semblent **châtain clair**.*

- Lorsqu'un nom est employé comme adjectif de couleur, il est invariable.

*Ces fleurs **orange** sentent bon.* [de la couleur d'une orange]
*Les yeux de Pedro sont **noisette**.* [de la couleur d'une noisette]

SAUF

*écarlate**s**, mauve**s**, rose**s**, pourpre**s**.*

Le degré de l'adjectif

Comment indique-t-on le degré de l'adjectif?

- Il est possible de donner un degré à un adjectif, c'est-à-dire d'exprimer l'**intensité** de la qualité ou de la manière d'être qu'il représente.
- On peut exprimer le degré de l'adjectif de plusieurs façons: certaines relèvent du **comparatif**, et d'autres, du **superlatif**.

Le comparatif

- d'égalité: *Mélanie est **aussi** aventurière **que** son frère.*
- de supériorité: *Mélanie est **plus** aventurière **que** son frère.*
- d'infériorité: *Mélanie est **moins** aventurière **que** son frère.*

Le superlatif

- relatif: *Mélanie est **la plus** aventurière des jeunes filles que je connaisse.*
  *Karim est le garçon **le plus** sérieux que je connaisse.*
  *Ce jardin était **le moins** fleuri de tous.*
  *Mélanie était **la moins** gourmande de tout le groupe.*
- absolu: *Ce problème est **très** facile.*
  *Ce policier est **extrêmement** gentil.*

Attention!

- D'autres adverbes peuvent aussi exprimer un degré de l'adjectif: **assez**, **un peu**, **pas mal**, **suffisamment**.
- Les adjectifs **bon** et **mauvais** forment leurs comparatifs et leurs superlatifs à l'aide de mots différents.

bon: *meilleur que, meilleure que; le meilleur, la meilleure.*
mauvais: *pire que; le pire, la pire.*

LES ADJECTIFS QUI QUALIFIENT OU QUI CLASSENT

- Lorsqu'un adjectif exprime la qualité d'une personne, d'un animal ou d'une chose, on dit qu'il a une valeur **subjective**, c'est-à-dire qu'il exprime l'opinion de la personne qui parle ou qui écrit.

Je me suis appuyé sur une ***grosse*** *roche.*

Elle a attrapé un ***gros*** *rat.*

Alicia est une ***brillante jeune*** *fille.*

Ces adjectifs peuvent recevoir les marques de **degré**.

très

Je me suis appuyé sur une ***grosse*** *roche.*

Plusieurs personnes donnent le nom de **qualifiants** à ces adjectifs.

- Lorsqu'un adjectif exprime la caractéristique d'une personne, d'un animal ou d'une chose qui existe en dehors du locuteur ou de la locutrice, on dit qu'il a une valeur plus **neutre**, plus **objective**.

Mon grand-père est un être ***humain*** *exceptionnel.*

La baleine est un mammifère ***marin****.*

L'écorce ***terrestre*** *est constituée de plusieurs minéraux.*

Ces adjectifs ne peuvent recevoir de marques de degré.

Mon grand-père est un être ***humain*** *exceptionnel.*

Ces adjectifs permettent de **classer**.

- Certains adjectifs peuvent avoir l'une ou l'autre des deux valeurs, selon le contexte.

~~fort~~

adjectif qui classe *Mon père a été bien traité dans cet établissement* ***hospitalier****.*

fort

adjectif qui qualifie *Mon père est* ***hospitalier****.*

Le féminin des noms et des adjectifs

- **Le genre des noms**
- **La formation du féminin des noms et des adjectifs**

Le genre des noms

Quel est le genre des noms ?

Le genre des noms d'êtres animés varie en fonction du sexe des êtres en question.

un écolier
une écolière
un chanteur
une chanteuse

Des mots comme **éléphant** (masc.) ou **girafe** (fém.) désignent les animaux mâles et femelles.

une girafe mâle
un éléphant femelle

Certains noms d'animaux familiers ont un genre selon le sexe des animaux concernés.

un taureau, une vache
un cerf, une biche
un loup, une louve

Pour la plupart des noms d'animaux et les noms de choses, c'est l'usage qui a décidé de leur genre ; le masculin est généralement indiqué par les déterminants **le** ou **un**, et le féminin, par les déterminants **la** ou **une**.

un village : **masculin**
la table : **féminin**
une carotte : **féminin**
le bonheur : **masculin**

Plusieurs personnes donnent un autre nom aux mots **le**, **un**, **la**, **une** ; elles les appellent des **articles**.

Comment forme-t-on le féminin des noms et des adjectifs ?

RÈGLE GÉNÉRALE

- On ajoute un **e** au masculin des noms et des adjectifs.

NOMS			ADJECTIFS		
un savant	→	*une savant**e***	*lourd*	→	*une lourd**e** table*
un ami	→	*une ami**e***	*petit*	→	*une petit**e** fille*
un Québécois	→	*une Québécois**e***	*fort*	→	*une fort**e** tempête*

MAIS

il existe plusieurs exceptions (cas particuliers).

- Les noms et les adjectifs qui se terminent par -EN ou -ON redoublent la consonne finale avant de prendre le **e** du féminin.

NOMS			ADJECTIFS		
un chien	→	*une chie**nne***	*ancien*	→	*une automobile ancie**nne***
un gardien	→	*une gardie**nne***	*canadien*	→	*une compagnie canadie**nne***
un champion	→	*une champio**nne***	*moyen*	→	*une taille moye**nne***
un lion	→	*une lio**nne***	*bon*	→	*une bo**nne** tablette de chocolat*
un baron	→	*une baro**nne***			
un sauvageon	→	*une sauvageo**nne***			

MAIS

*mormo**n**e, Lapo**n**e, démo**n**e.*

Les autres noms et adjectifs qui se terminent par un **n** (**-an, -in*, -ain, -ein, -un**) ne redoublent pas le **n**, sauf dans *Jeanne* et *paysanne*.

NOMS		
un sultan	→	*une sultan**e***
un gitan	→	*une gitan**e***
un orphelin	→	*une orphelin**e***
un châtelain	→	*une châtelain**e***
un lapin	→	*une lapin**e***

ADJECTIFS		
plein	→	*la plein**e** lune*
brun	→	*une robe brun**e***
hautain	→	*une personne hautain**e***
commun	→	*une table commun**e***
partisan	→	*une attitude partisan**e***
félin	→	*une allure félin**e***

* *bénin* et *malin* font ***bénigne*** et ***maligne***.

-ET

- Les noms et les adjectifs qui se terminent par -ET redoublent le **t** avant de prendre le **e** du féminin.

NOMS		
un cadet	→	*une cade**tte***
un muet	→	*une mue**tte***

ADJECTIFS		
muet	→	*une lettre mue**tte***
net	→	*une casserole ne**tte***

MAIS

*compl**ète**, incompl**ète**, concr**ète**, désu**ète**, discr**ète**, indiscr**ète**, secr**ète**, inqui**ète**.*

Ne pas oublier l'accent grave sur le **e** de l'avant-dernière syllabe !

Attention !

Les autres noms et adjectifs qui se terminent par un **t** (**-at**, **-ot**) ne redoublent pas le **t** au féminin.

avocat	→	*avocat**e***
idiot	→	*idiot**e***
rat	→	*rat**e***
délicat	→	*délicat**e***
ingrat	→	*ingrat**e***

SAUF

*cha**tte**, so**tte**, boulo**tte**, pâlo**tte**.*

-EL
-EIL

- Les noms qui se terminent par -EL redoublent le **l** avant de prendre le **e** du féminin.

NOMS		
un colonel	→	*une colone**lle***
un criminel	→	*une crimine**lle***

- Les adjectifs qui se terminent par -EL ou -EIL redoublent le **l** avant de prendre le **e** du féminin.

ADJECTIFS		
cruel	→	*une situation crue**lle***
vermeil	→	*une robe vermei**lle***
pareil	→	*à une heure parei**lle***

AJOUTONS

*nu**lle***
*genti**lle***

-S

- Les noms et les adjectifs qui se terminent par -S redoublent le **s** avant de prendre le **e** du féminin.

NOMS		
un métis	→	*une méti**sse***
un gros	→	*une gro**sse***

MAIS

un marquis	→	*une marquis**e***
un intrus	→	*une intrus**e***

ADJECTIFS		
bas	→	*une table ba**sse***
gras	→	*une entrecôte gra**sse***
las	→	*une personne la**sse***
épais	→	*une sauce épai**sse***
métis	→	*une personne méti**sse***
gros	→	*une gro**sse** poche*

AJOUTONS

exprès	→	*une demande expre**sse***

MAIS

inclus	→	*une lettre inclu**se***

-ER
-IER

- Les noms et les adjectifs qui se terminent par -ER ou -IER font **-ère** et **-ière** au féminin.

NOMS		
un boulanger	→	*une boulang**ère***
un épicier	→	*une épic**ière***
un berger	→	*une berg**ère***
un fermier	→	*une ferm**ière***

ADJECTIFS		
amer	→	*une boisson am**ère***
cher	→	*ch**ère** madame*
léger	→	*une chaloupe lég**ère***
dernier	→	*une dern**ière** chanson*
fier	→	*une personne f**ière***

-F

- Les noms et les adjectifs qui se terminent par -F changent le **f** en **v** avant de prendre le **e** du féminin.

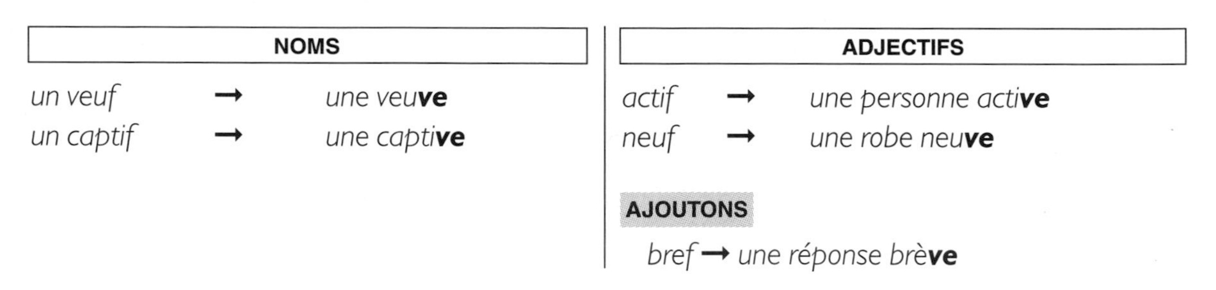

NOMS			ADJECTIFS		
un veuf	→	*une veu**ve***	*actif*	→	*une personne acti**ve***
un captif	→	*une capti**ve***	*neuf*	→	*une robe neu**ve***

AJOUTONS

bref → *une réponse brè**ve***

-EUR
-EUX

- Les noms et les adjectifs en -EUR font **-euse** au féminin.

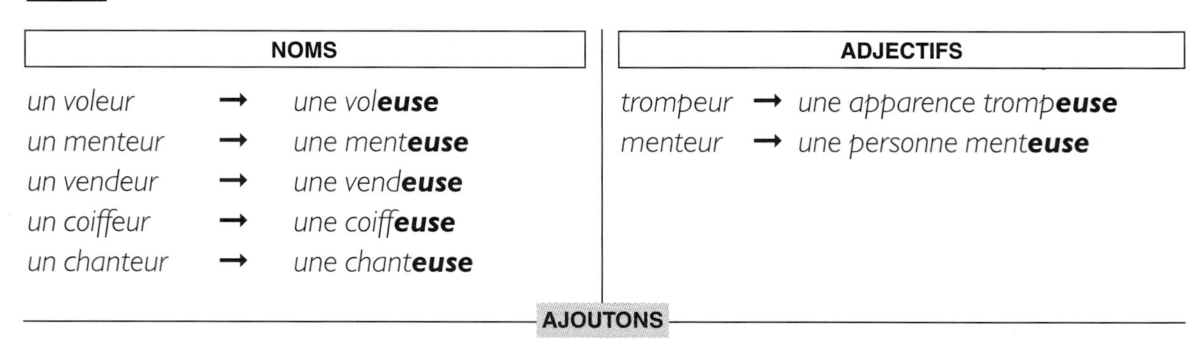

NOMS			ADJECTIFS		
un voleur	→	*une vol**euse***	*trompeur*	→	*une apparence tromp**euse***
un menteur	→	*une ment**euse***	*menteur*	→	*une personne ment**euse***
un vendeur	→	*une vend**euse***			
un coiffeur	→	*une coiff**euse***			
un chanteur	→	*une chant**euse***			

AJOUTONS

les noms et les adjectifs en -EUX, qui font **-euse** au féminin.

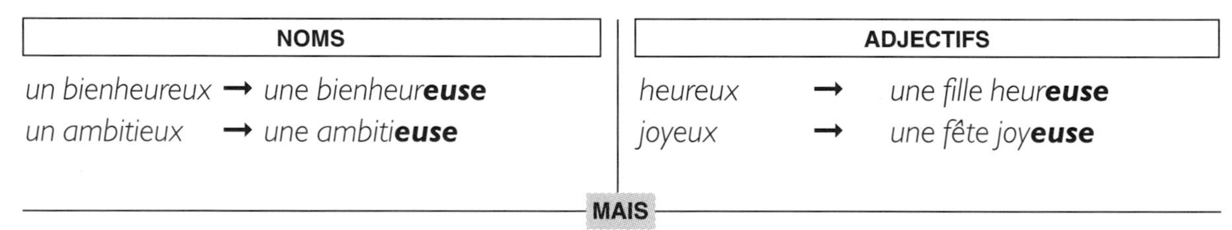

NOMS			ADJECTIFS		
un bienheureux	→	*une bienheur**euse***	*heureux*	→	*une fille heur**euse***
un ambitieux	→	*une ambiti**euse***	*joyeux*	→	*une fête joy**euse***

MAIS

antérieur, extérieur, inférieur, intérieur,
majeur, mineur, postérieur, supérieur, ultérieur

suivent la règle générale et prennent un **e** au féminin.

NOMS	ADJECTIFS
*la supérieur**e***	*une fenêtre extérieur**e***
*une mineur**e***	*une réparation mineur**e***
	*une cour intérieur**e***

- Beaucoup de noms et d'adjectifs en -TEUR font **-trice** au féminin.

NOMS		
un acteur	→	*une ac**trice***
un aviateur	→	*une avia**trice***
un directeur	→	*une direc**trice***

ADJECTIFS		
protecteur	→	*une plaque protec**trice***
destructeur	→	*une guerre destruc**trice***

- Les adjectifs qui se terminent par -X changent le **x** en **c**, **s** ou **ss** avant de prendre le **e** du féminin.

ADJECTIFS		
doux	→	*une peau dou**ce***
faux	→	*une réponse fau**sse***
jaloux	→	*une personne jalou**se***
roux	→	*une chevelure rou**sse***

AJOUTONS

quelques noms qui se terminent par -X et qui changent le **x** en **s** ou **ss** avant de prendre le **e** du féminin.

NOMS		
un époux	→	*une épou**se***
un jaloux	→	*une jalou**se***
un roux	→	*une rou**sse***

Attention !

- On ajoute le suffixe **-esse** aux noms suivants pour former le féminin.

NOMS					
comte	→	*comt**esse***	*prince*	→	*princ**esse***
duc	→	*duch**esse** (c → ch)*	*prophète*	→	*prophét**esse** (è → é)*
hôte	→	*hôt**esse***	*Suisse*	→	*Suiss**esse** (Suisse)*
maire	→	*mair**esse***	*tigre*	→	*tigr**esse***
maître	→	*maîtr**esse***	*traître*	→	*traîtr**esse***
poète	→	*poét**esse** (è → é)*	*vicomte*	→	*vicomt**esse***

→

- En général, les autres noms et adjectifs qui se terminent par -E ne varient pas quand ils sont au féminin.

un ou une élève sage
un ou une arbitre détestable
un ou une camarade aimable
un ou une concierge fiable
un ou une garde utile
un ou une photographe habile

- À certains noms et à certains adjectifs, on insère une lettre avant d'ajouter le **e** du féminin.

NOMS	
un favori	→ une favori**te**
un rigolo	→ une rigolo**te**
un Andalou	→ une Andalou**se**

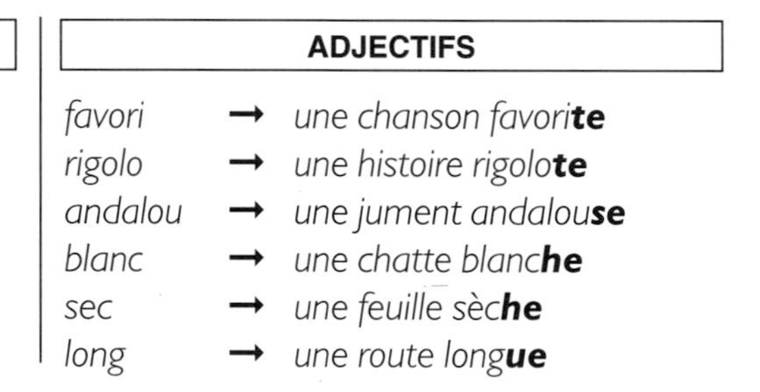

ADJECTIFS	
favori	→ une chanson favori**te**
rigolo	→ une histoire rigolo**te**
andalou	→ une jument andalou**se**
blanc	→ une chatte blanc**he**
sec	→ une feuille sèc**he**
long	→ une route long**ue**

- Certains noms et certains adjectifs ont une forme particulière au féminin.

ADJECTIFS	
aigu	→ une voix aigu**ë**
beau	→ une b**elle** maison
bénin	→ une maladie béni**gne**
fou	→ une idée f**olle**
jumeau	→ une sœur jum**elle**
malin	→ une personne mali**gne**
mou	→ une crème glacée m**olle**
nouveau	→ une idée nouv**elle**
vieux	→ une vi**eille** chaise

NOMS	
un canard	→ une cane
un compagnon	→ une compagne
un copain	→ une copine
un dindon	→ une dinde
un Grec	→ une Grecque
un héros	→ une héroïne
un laïc	→ une laïque
un malin	→ une maligne
un mulet	→ une mule
un neveu	→ une nièce
un roi	→ une reine
un sacristain	→ une sacristine
un serviteur	→ une servante
un tsar	→ une tsarine
un Turc	→ une Turque

- Certains noms ont une forme très différente au féminin.

NOMS			
un bélier	→ une **brebis**	*un lièvre*	→ une **hase**
un bouc	→ une **chèvre**	*un mâle**	→ une **femelle**
un cerf	→ une **biche**	*un mari*	→ une **femme**
un confrère	→ une **consœur**	*un oncle*	→ une **tante**
un coq	→ une **poule**	*un papa*	→ une **maman**
un étalon	→ une **jument**	*un parrain*	→ une **marraine**
un frère	→ une **sœur**	*un père*	→ une **mère**
un garçon	→ une **fille**	*un sanglier*	→ une **laie**
un gendre	→ une **bru**	*un singe*	→ une **guenon**
un homme	→ une **femme**	*un taureau*	→ une **vache**

* Le mot **femelle** est souvent ajouté à certains noms masculins d'animaux pour les féminiser : *un écureuil femelle*. L'inverse est aussi vrai : *une girafe mâle*.

Le genre des noms suivants est à surveiller.

Mots masculins

Les noms suivants sont du masculin.

un abîme
un acrostiche
un adage
un âge
un air
un alcool
un amiante
un anniversaire
un antidote
un antre
un apogée
un armistice
un artifice
un asphalte
un astérisque
un asthme
un atome
un augure
un autobus
un autographe
un automate
un avion
un bulbe
un échange
un élastique
un éloge
un emblème
un entracte
un épiderme
un épisode
un équilibre
un escompte
un évangile
un exemple
un exode
un globule
un granule
un haltère
un hémisphère
un hôpital
un horoscope
un incendie
un indice
un insigne
un intermède
un interstice
un intervalle
un isthme
un ivoire
le naphte
un obstacle
un organe
le périgée
un pétale
un pore
un tentacule
un tubercule

le, un

Mots féminins

Les noms suivants sont du féminin.

une acné
une acre
une agrafe
une algèbre
une amnistie
une anagramme
une ancre
une anicroche
une apostrophe
une argile
une artère
une astuce
une atmosphère
une congère
une dynamo
une ébène
une ecchymose
une écharde
une enclume
une énigme
une épitaphe
une épithète
une épître
une équerre
une idole
une idylle
une impasse
une intrigue
une molécule
une moustiquaire
une oasis
une octave
une offre
une omoplate
une once
une orbite
une orthographe
une stalactite
une stalagmite

la, une

Les noms suivants sont du masculin ou du féminin.

un ou une après-midi
un ou une avant-midi
un ou une météorite
un ou une perce-neige

le, un
la, une

Le pluriel des noms et des adjectifs

Le nombre des noms

Quel est le nombre des noms?

En français, il y a deux nombres: le singulier et le pluriel. Le singulier désigne **un** être ou **une** chose, tandis que le pluriel désigne **plusieurs** êtres ou **plusieurs** choses.

La formation du pluriel des noms et des adjectifs

Comment forme-t-on le pluriel des noms et des adjectifs?

RÈGLE GÉNÉRALE

- On ajoute un **s** au singulier des noms et des adjectifs.

NOMS		
le bâton	→	*les bâton**s***
une bouteille	→	*des bouteille**s***
la chaise	→	*les chaise**s***
un duc	→	*des duc**s***

ADJECTIFS		
sage	→	*des enfants sage**s***
noir	→	*des chandails noir**s***
patient	→	*des garçons patient**s***
intéressant	→	*des livres intéressant**s***
lourd	→	*des colis lourd**s***
clair	→	*des tissus clair**s***

MAIS

il existe plusieurs exceptions (cas particuliers).

- Les noms et les adjectifs qui se terminent par -S, -X ou -Z ne changent pas au pluriel.

NOMS			ADJECTIFS		
*une souri**s***	→	*des souri**s***	*un gro**s** camion*	→	*des gro**s** camions*
*un autobu**s***	→	*des autobu**s***	*un homme heureu**x***	→	*des hommes heureu**x***
*une noi**x***	→	*des noi**x***			
*un fau**x***	→	*des fau**x***			
*une croi**x***	→	*des croi**x***			
*un ne**z***	→	*des ne**z***			

-AL

- Les noms et les adjectifs qui se terminent par -AL font **-aux** au pluriel.

NOMS			ADJECTIFS		
un journal	→	*des journ**aux***	*un ami loyal*	→	*des amis loy**aux***
un animal	→	*des anim**aux***	*un coup brutal*	→	*des coups brut**aux***
un cheval	→	*des chev**aux***	*un regard amical*	→	*des regards amic**aux***
un général	→	*des génér**aux***			

MAIS

bal, carnaval, chacal, festival, récital, régal suivent la règle générale et prennent un **s** au pluriel.

*des carnaval**s***
*des festival**s***

*banal, fatal, final**, glacial**, naval* suivent la règle générale et prennent un **s** au pluriel.

*des accidents fatal**s***
*des incidents banal**s***

RETENONS AUSSI

*mistral**s***
*rorqual**s***

*natal**s***
*bancal**s***

* On écrit aussi *fin**aux***, *glaci**aux***.

• Les noms et les adjectifs en -EAU ainsi que les noms en -AU prennent généralement un **x** au pluriel.

NOMS		
un chapeau	→	*des chapeau**x***
un bateau	→	*des bateau**x***
un château	→	*des château**x***
un nouveau	→	*des nouveau**x***
un oiseau	→	*des oiseau**x***
un tuyau	→	*des tuyau**x***

SAUF

*landau**s***
*sarrau**s***

ADJECTIFS		
un beau cadeau	→	*des beau**x** cadeaux*
un jouet nouveau	→	*des jouets nouveau**x***
un frère jumeau	→	*des frères jumeau**x***

-EU

• Les noms en -EU prennent généralement un **x** au pluriel.

NOMS		
un cheveu	→	*des cheveu**x***
un milieu	→	*des milieu**x***
un vœu	→	*des vœu**x***
un feu	→	*des feu**x***
un jeu	→	*des jeu**x***
un lieu	→	*des lieu**x***

SAUF

*bleu**s*** (nom et adjectif)
*pneu**s***

-OU

- Sept noms en -OU prennent un **x** au pluriel :

*bijou**x**, caillou**x**, chou**x**, genou**x**, hibou**x**, joujou**x**, pou**x**.*

MAIS

les autres noms en -OU suivent la règle générale et prennent un **s** au pluriel.

un sou → *des sou**s***
un kangourou → *des kangourou**s***
un filou → *des filou**s***
un clou → *des clou**s***
un écrou → *des écrou**s***

-AIL

- Quelques noms qui se terminent par -AIL font **-aux** au pluriel.

un bail → *des b**aux***
le corail → *les cor**aux***
un émail → *des ém**aux***
un soupirail → *des soupir**aux***
un travail → *des trav**aux***
un vitrail → *des vitr**aux***

MAIS

les autres noms en -AIL suivent la règle générale et prennent un **s** au pluriel.

un chandail → *des chandail**s***
un détail → *des détail**s***
un éventail → *des éventail**s***
un rail → *des rail**s***

Le pluriel des noms propres

Comment forme-t-on le pluriel des noms propres ?

- Les noms propres ne prennent pas la marque du pluriel quand ils désignent des familles ou des prénoms.

*Les **Gagnon** et les **Pelletier** sont venus nous rendre visite.*
*Christophe joue souvent avec les petits **Leblanc**.*
*Il y a trois **Nathalie** dans ma classe.*

- Ils prennent la marque du pluriel quand ils désignent des peuples.

*les Espagnol**s***
*les Canadien**s***
*les Nigérien**s***

Le pluriel des noms étrangers

Comment forme-t-on le pluriel des noms étrangers ?

- En général, les noms empruntés aux langues étrangères sont invariables.

des curriculum vitæ

- Cependant, ils peuvent prendre un **s** au pluriel quand ils sont devenus d'usage courant.

arabe *des sofa**s***
italien *des macaroni**s***
anglais *des clown**s***

Le pluriel des noms composés

Comment forme-t-on le pluriel des noms composés ?

- Seuls le nom et l'adjectif peuvent prendre la marque du pluriel. Ils ne la prennent que lorsque le sens le permet.

*des arc**s**-en-ciel*
*des basse**s**-cour**s***
*des belle**s**-sœur**s***
*des chef**s**-d'œuvre*
*des chou**x**-fleur**s***
*des couvre-pied**s***
*des dur**s** à cuire*
des garde-boue
*des garde-fou**s***
des garde-manger
des poids plume
*des porte-clé**s***
*des raton**s** laveur**s***
*des salle**s** d'étude*
des sans-cœur
*des sourd**s**-muet**s***
*des timbre**s**-poste*
des va-et-vient

• Pour orthographier correctement un nom composé, on essaie de le remplacer par des mots qui font apparaître la signification des éléments qui le composent.

singulier

des arcs-en-ciel: des arcs qui se forment dans le ciel

singulier

des timbres-poste: des timbres pour la poste

Le nombre du complément du nom

Quel est le nombre (singulier ou pluriel) d'un nom qui est complément d'un autre nom?

Le **sens** détermine le nombre (singulier ou pluriel) d'un nom complément du nom.

– Si le nom complément indique une quantité **indéterminée** (qu'on ne peut pas compter), on emploie le **singulier**.

Un marchand de vin:	qui vend du vin.
Des sacs de sucre:	qui contiennent du sucre.
Des tas de sable:	qui contiennent du sable.
Un contrat d'assurance:	qui offre de l'assurance.
Une toile d'araignée:	qui est tissée par une araignée.

– Si le nom complément indique une quantité **précise** (qu'on peut évaluer ou compter), on emploie le **pluriel**.

Un panier de poires:	on peut compter les poires.
Une boîte d'œufs:	la boîte contient des œufs qu'on peut compter.
Une corbeille de fleurs:	la corbeille comprend différentes sortes de fleurs ou plusieurs fleurs.
Un pot à fleurs:	on peut y déposer plusieurs fleurs.
Un tas de pierres:	le tas est composé de plusieurs pierres.

402

Le déterminant

Certaines caractéristiques

Qu'est-ce qu'un déterminant?

- Un déterminant est un mot qui **annonce** un nom et qui permet à ce nom de jouer un rôle dans la phrase. Le déterminant fait régulièrement partie du groupe du nom.

LAPIN PRAIRIE ▶ ***Le lapin*** *court dans* ***la prairie****.*

FLEUR ▶ *As-tu vu* ***cette fleur*** *exotique?*

AMI ▶ ***Mes amis*** *viennent chez moi en fin de semaine.*

- Le déterminant est toujours placé **devant** le nom.

- Le déterminant reçoit le **genre** (masculin ou féminin) et le **nombre** (singulier ou pluriel) du nom qu'il accompagne.

- Le déterminant permet parfois de connaître le **genre** et le **nombre** des noms qui ne varient pas.

masc.
J'ai aidé ***mon*** *camarade en mathématiques.*

fém.
J'ai aidé ***ma*** *camarade en mathématiques.*

sing.
J'ai acheté ***une*** *souris blanche.*

plur.
J'ai acheté ***des*** *souris blanches.*

Quelles sont les sortes de déterminants ?

Le déterminant le plus simple est l'**article**. L'article ne fait que manifester la présence d'un nom. Les autres déterminants ajoutent une précision supplémentaire :

– un rapport de possession :	le déterminant possessif	→ 157
– la désignation d'un être ou d'un objet :	le déterminant démonstratif	→ 163
– une quantité :	le déterminant numéral	→ 166
– une quantité ou une identité imprécises :	le déterminant indéfini	→ 170
– une interrogation :	le déterminant interrogatif	→ 175
– l'expression d'un sentiment vif :	le déterminant exclamatif	→ 177

Quand peut-on supprimer le déterminant devant un nom commun ?

On peut **supprimer** le déterminant dans certains cas. Voici les principaux.

- Dans les proverbes :

Chien qui aboie ne mord pas.

absence

- Dans des locutions verbales :

L'infirmier prend soin des malades.

absence

avoir raison
avoir faim
prendre soin
faire soleil
etc.

→

- Lorsque les noms désignent la même personne, le même animal ou la même chose :

  Son confrère et ‸ ami l'a beaucoup aidé dans les moments difficiles.

  absence

- Dans certaines expressions :

  Le navire a sombré ‸ corps et ‸ biens.

  absence absence

  Les employés ont travaillé ‸ nuit et ‸ jour pour terminer le prototype.

  absence absence

- Lorsque le nom est attribut :

  Le père de Hugues est ‸ plombier.

  absence

- Généralement, devant un complément du nom (apposition) :

  Paris, ‸ capitale de la France, est construite sur les bords de la Seine.

  absence

- Généralement, devant un nom mis en apostrophe :

  ‸ Objets inanimés, avez-vous donc une âme?

  Lamartine

  absence

Qu'est-ce qu'un «déterminant-article» ?

- Un « déterminant-article » est un mot qui **annonce** et qui accompagne le nom ; il précède le nom.
- C'est le déterminant le plus fréquent.
- Le «déterminant-article» fait régulièrement partie d'un groupe du nom.

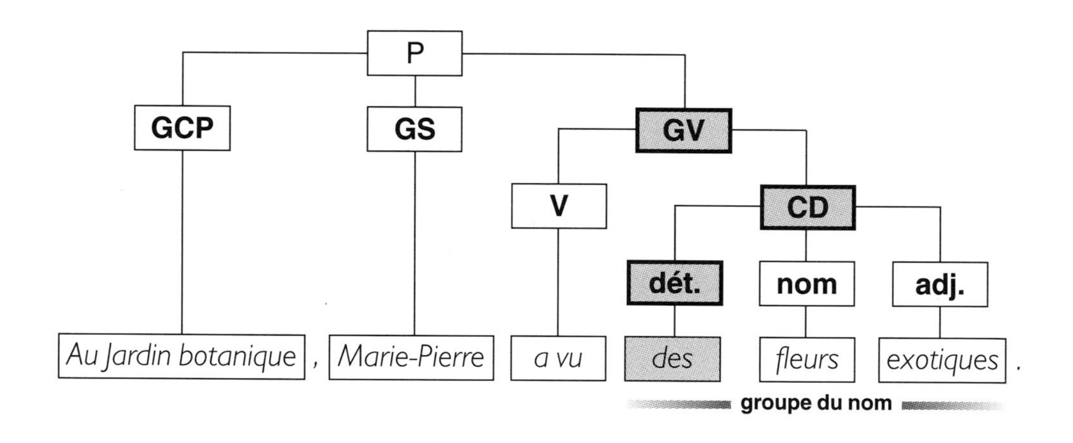

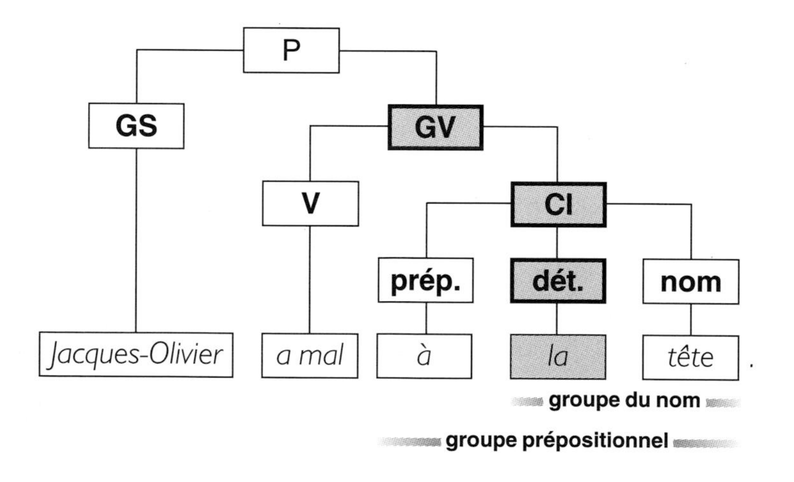

Quelles sont les formes du «déterminant-article» ?

Voici les différentes formes du «déterminant-article».

LE « DÉTERMINANT-ARTICLE » DÉFINI

	Genre et nombre	Exemples
le	masculin singulier	***Le*** *lapin du fermier mange des carottes.*
la	féminin singulier	*J'ai emprunté* ***la*** *bicyclette de maman.*
les	masculin ou féminin pluriel	***Les*** *fils de la voisine ont cassé une vitre.* ***Les*** *couleurs primaires sont le rouge, le bleu et le jaune.*
l'	masculin ou féminin singulier devant un nom commençant par une voyelle ou un h muet	
l'	féminin	*Le coq chante à* ***l'****aube.*
l'	masculin	***L'****or, l'ocre et le rouge sont les couleurs de l'automne.*
l'	féminin	*Benito aime bien se rouler dans* ***l'****herbe.*
l'	masculin	*Durant* ***l'****hiver, les ours hibernent.*

391

Attention !

- Lorsque les déterminants **le** et **les** se combinent aux prépositions **à** et **de**, ils forment des déterminants **contractés**.

  – à le → **au** (masculin singulier) ▸ *Je suis allé* ***au*** *cinéma.*

  – à les → **aux** (masculin ou féminin pluriel) ▸ *Le directeur a parlé* ***aux*** *garçons et* ***aux*** *filles.*

  – de le → **du** (masculin singulier) ▸ *Simon revient* ***du*** *magasin.*

  – de les → **des** (masculin ou féminin pluriel) ▸ *Le chien* ***des*** *voisins court souvent après le facteur.*
  ▸ *Les pétales* ***des*** *roses sont joliment découpés.*

LE « DÉTERMINANT-ARTICLE » INDÉFINI

	GENRE ET NOMBRE	EXEMPLES
un	masculin singulier	**Un** *jeune garçon est venu livrer le journal.*
une	féminin singulier	*On annonce* **une** *tempête de neige.*
des	masculin ou féminin pluriel	*Au Jardin botanique, j'ai vu* **des** *fleurs* (**fém.**) *exotiques.* *Au Jardin botanique, j'ai vu* **des** *rosiers* (**masc.**) *géants.*

Le déterminant **partitif** (*du*, *de l'*, *de la*, *des*) est une forme de « déterminant-article » indéfini qui s'emploie devant un nom exprimant une réalité qui ne se compte pas.

Elle prend **du** *sucre dans son café.*

Est-ce que tu veux **du** *lait ou* **de l'***eau?*

Ma cousine met toujours **de la** *marmelade d'oranges sur ses rôties.*

Je préfère **des** *confitures de fraises.*

Comment accorde-t-on le «déterminant-article» ?

- Le «déterminant-article» reçoit le **genre** (masculin ou féminin) et le **nombre** (singulier ou pluriel) du nom qu'il accompagne.

• L'accord du «déterminant-article» se fait à l'intérieur d'un groupe du nom.

	GENRE	NOMBRE
Le ciel est gris; il va pleuvoir. (**Le** ciel : groupe du nom)	masculin	singulier
Un ciel gris annonce la pluie. (**Un** ciel gris : groupe du nom)	masculin	singulier
Patrick aime bien jouer aux billes. à **les** billes (groupe du nom)	féminin	pluriel
Mais il aime aussi jouer aux échecs. à **les** échecs (groupe du nom)	masculin	pluriel
Stéphanie s'est cassé une jambe. (**une** jambe : groupe du nom)	féminin	singulier
Elle a mal à la tête. (à **la** tête : groupe prépositionnel; **la** tête : GN)	féminin	singulier
Il y a des camions sur la route. (**des** camions : groupe du nom)	masculin	pluriel
Il y a aussi des motos. (**des** motos : groupe du nom)	féminin	pluriel

Le mot **aux**, qui est un déterminant contracté, contient la préposition **à** et le déterminant **les**.

Ne pas confondre

LA

- est un «déterminant-article»;
- se place devant un nom (ou un adjectif) au féminin singulier;
- ne peut être remplacé par **l'avait**.

***La** chaîne du chien est cassée.*

L'A

- est composé du pronom personnel **l'** (*le*, *la*) et du verbe (ou de l'auxiliaire) **avoir** à la 3e personne du singulier de l'indicatif présent;
- peut être remplacé par **l'avait**.

l'avait

*Cette chanson **l'a** enchanté.*

La peut aussi être un pronom personnel.

→ 265

LÀ

- est un adverbe de lieu;
- suit souvent un verbe;
- peut être remplacé par son contraire **ici**.

ici

*Crois-tu que ton oncle est **là** ?*

Qu'est-ce qu'un déterminant possessif ?

- Un déterminant possessif est un mot qui accompagne un nom et qui indique généralement la **possession** ou l'**appartenance** d'un être ou d'un objet. Il peut indiquer aussi une **simple relation**.

__Ma__ plante manque d'eau.
Ils sont fiers de __leur__ ville.
Il ne faut pas que je rate __mon__ autobus!

- Le déterminant possessif fait partie d'un groupe du nom ; il précède le nom.

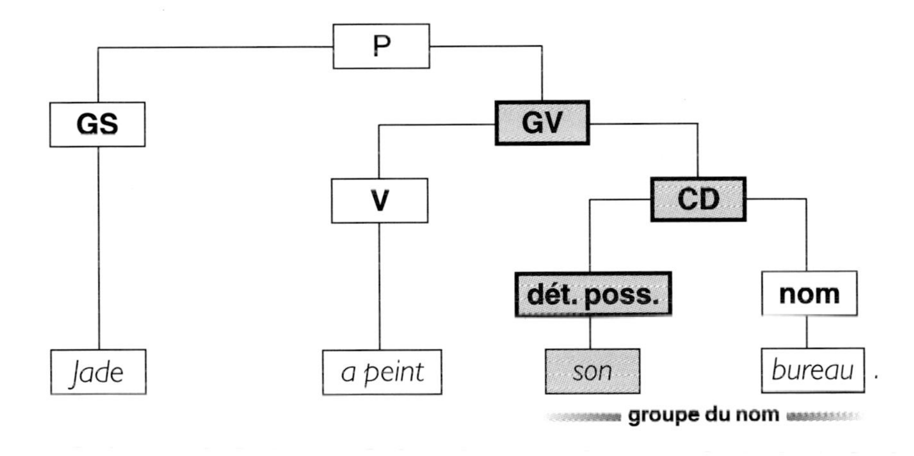

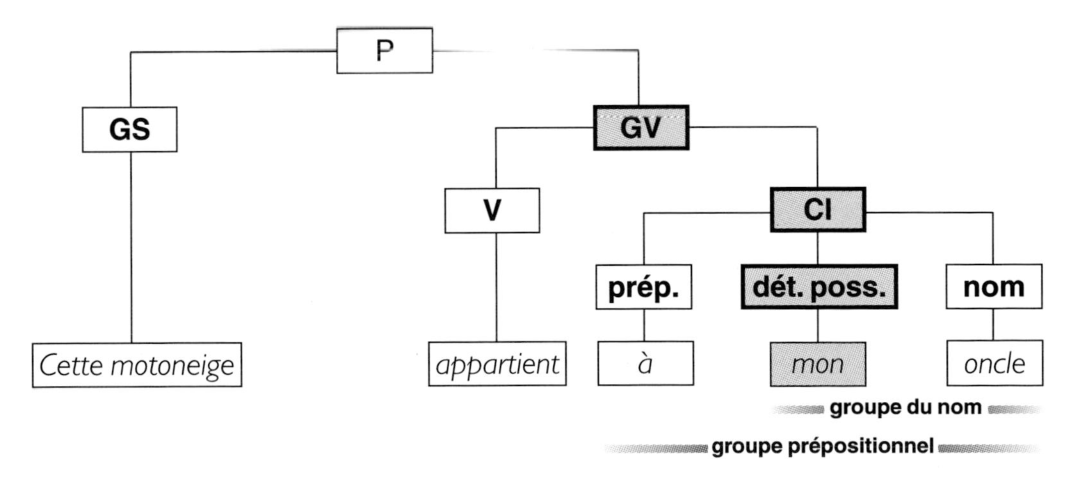

Quelles sont les formes du déterminant possessif?

Voici les différentes formes du déterminant possessif.

	Déterminants possessifs	Genre et nombre	Exemples	Personne
Un possesseur	mon	masculin singulier	*J'ai peint* ***mon*** *bureau en vert.*	1re
	ton	masculin singulier	*Elle a bu* ***ton*** *verre de lait.*	2e
	son	masculin singulier	***Son*** *ballon est crevé.*	3e
	ma	féminin singulier	*Tu as perdu* ***ma*** *clé de voiture.*	1re
	ta	féminin singulier	*Il a jeté* ***ta*** *brosse à dents.*	2e
	sa	féminin singulier	*Elle a perdu* ***sa*** *place.*	3e
	mes	masculin ou féminin pluriel	*J'ai ciré* ***mes*** *souliers bruns.* *Il a confié un secret à* ***mes*** *cousines.*	1re 1re
	tes	masculin ou féminin pluriel	*As-tu perdu* ***tes*** *gants bleus?* *J'ai bien aimé* ***tes*** *photographies.*	2e 2e
	ses	masculin ou féminin pluriel	*Elle nous a parlé de* ***ses*** *projets.* ***Ses*** *joues sont rouges.*	3e 3e
Plusieurs possesseurs	notre	masculin ou féminin singulier	***Notre*** *jardin est petit.* ***Notre*** *cuisine est grande.*	1re 1re
	votre	masculin ou féminin singulier	*J'aime bien* ***votre*** *grand chalet.* *Je connais bien* ***votre*** *belle grand-maman.*	2e 2e
	leur	masculin ou féminin singulier	***Leur*** *père est sérieux.* ***Leur*** *clôture est blanche.*	3e 3e
	nos	masculin ou féminin pluriel	***Nos*** *amis sont gentils.* ***Nos*** *difficultés sont grandes.*	1re 1re
	vos	masculin ou féminin pluriel	***Vos*** *légumes sont frais.* ***Vos*** *questions sont indiscrètes.*	2e 2e
	leurs	masculin ou féminin pluriel	*Les chanteurs ont fait la promotion de* ***leurs*** *disques.* *Les photographes ont pris plusieurs clichés;* ***leurs*** *photos sont très colorées.*	3e 3e

Devant un nom féminin, un adjectif ou un autre déterminant commençant par une voyelle ou un **h** muet, le déterminant possessif prend généralement la forme du déterminant masculin singulier.

		MAIS
mon *amie*	**son** *échelle*	**ma** *hotte*
ton *idée*	**son** *habitude*	**ma** *houppette*
mon *ancienne copine*	**mon** *autre amie*	

Il faut surveiller la première lettre du mot qui suit.

Comment accorde-t-on le déterminant possessif?

- Le déterminant possessif est **variable** et reçoit le **genre** (masculin ou féminin) et le **nombre** (singulier ou pluriel) du nom qu'il accompagne.
- Le choix de la **personne** (1re, 2e ou 3e) dépend de l'individu ou des individus à qui appartiennent l'être ou la chose désignés.
- L'accord du déterminant possessif se fait à l'intérieur d'un groupe du nom.

	GENRE	NOMBRE
As-tu vu [**mon** *crayon*] *?* (groupe du nom)	masculin	singulier
[**Ma** *mère*] *est dentiste.* (groupe du nom)	féminin	singulier
Qu'est-ce que tu as fait [*de* [**tes** *patins*] (GN)] *?* (groupe prépositionnel)	masculin	pluriel
Elle a prêté [**ses** *bottes*]. (groupe du nom)	féminin	pluriel

Faut-il écrire leur ou leurs?

- On emploie **leurs** (le pluriel) lorsque chaque possesseur **possède plusieurs objets** ou lorsque le **contexte** l'exige.

▶ *Les arbres ont perdu* ***leurs*** *feuilles.*

Chaque arbre possède plusieurs feuilles.

▶ *Les enfants ramassent* ***leurs*** *jouets.*

Chaque enfant possède plusieurs jouets.

▶ ***Leurs*** *nez se touchaient.*

Évidemment, chaque personne n'a qu'un nez, mais le contexte (se toucher) exige le pluriel.

- On emploie **leur** (le singulier) lorsque les possesseurs ne possèdent qu'un seul objet ou lorsque le **contexte** l'exige.

▶ *Les enfants ramassent* ***leur*** *jouet.*

Chaque enfant a un seul jouet.

▶ *Nos voisins ont réparé* ***leur*** *maison.*

Les voisins, même s'ils sont plusieurs, n'ont qu'une maison.

- **Leur** est aussi pronom personnel ; dans ce cas, il **ne varie pas**.

*Dites-***leur** *de venir me voir.*
Je **leur** *ai parlé après le cours.*

Ne pas confondre

SON

- est un déterminant possessif;
- précède généralement un nom (ou un adjectif);
- ne peut être remplacé par **était**.

Éric a perdu ***son*** *foulard.* (~~était~~)

Il a perdu ***son*** *beau foulard.* (~~était~~)

SONT

- est le verbe (ou l'auxiliaire) **être** à la 3e personne du pluriel de l'indicatif présent;
- est généralement précédé d'un nom ou d'un pronom;
- peut être remplacé par **étaient**.

Manon et sa cousine ***sont*** *de grandes amies.* (étaient)

Elles ***sont*** *parties en voyage.* (étaient)

Ne pas confondre

SES

- est un déterminant possessif;
- est le pluriel de **son**, **sa**, et précède généralement un nom (ou un adjectif).
- On peut ajouter le mot **propres** après **ses**.

Sylvain a perdu ***ses*** (propres) *cartes de hockey.*

Sylvain a perdu ***ses*** (propres) *bonnes cartes de hockey.*

CES

- est un déterminant démonstratif;
- est le pluriel de **ce**, **cet**, **cette**, et précède généralement un nom (ou un adjectif);
- désigne des personnes ou des choses que l'on montre ou dont on parle.
- On ne peut ajouter le mot **propres** après **ces**.

As-tu vu ***ces*** (~~propres~~) *oiseaux bleus?*

As-tu vu ***ces*** (~~propres~~) *beaux oiseaux bleus?*

Ne pas confondre

MA

- est un déterminant possessif ;
- précède généralement un nom (ou un adjectif) au féminin singulier ;
- peut être remplacé par **une**.

une

*Aimes-tu **ma** coiffure?*

*Aimes-tu **ma** nouvelle coiffure?*

M'A

- est composé du pronom personnel **m'** (*me*) et de l'auxiliaire **avoir** à la 3e personne du singulier de l'indicatif présent ;
- peut être remplacé par **m'avait**.

m'avait

*Ce chanteur **m'a** beaucoup plu.*

Ne pas confondre

TA

- est un déterminant possessif ;
- précède généralement un nom (ou un adjectif) au féminin singulier ;
- peut être remplacé par **une**.

une

*J'aime **ta** coiffure.*

une

*J'aime **ta** nouvelle coiffure.*

T'A

- est composé du pronom personnel **t'** (*te*) et de l'auxiliaire **avoir** à la 3e personne du singulier de l'indicatif présent ;
- peut être remplacé par **t'avait**.

t'avait

*Cette chanson **t'a** beaucoup plu.*

Qu'est-ce qu'un déterminant démonstratif?

- Un déterminant démonstratif est un mot qui accompagne un nom **en montrant** (avec le geste ou par le contexte) **l'être** ou **la chose** désignés par ce nom; il précède le nom.
- Le déterminant démonstratif fait partie d'un groupe du nom; il précède le nom.

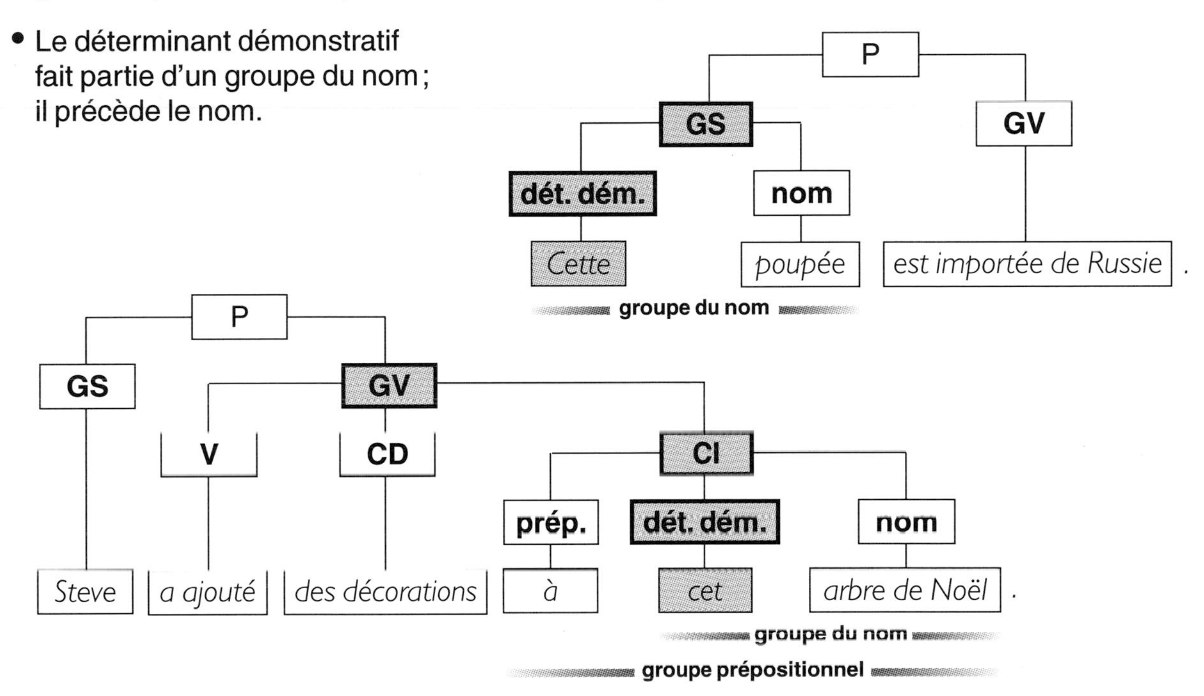

Quelles sont les formes du déterminant démonstratif?

Voici les différentes formes du déterminant démonstratif.

Déterminants démonstratifs	Genre et nombre	Exemples
ce	masculin singulier (devant une consonne ou un **h** aspiré)	*Mon oncle travaille dans* **ce** *magasin de fruits et légumes.* **Ce** *hibou est impressionnant.*
cet	masculin singulier (devant une voyelle ou un **h** muet)	**Cet** *accident n'a fait aucun blessé.* *Nous avons reçu beaucoup de neige* **cet** *hiver.*
cette	féminin singulier	**Cette** *poupée est importée de Russie.*
ces	masculin pluriel	*Il est difficile de choisir entre* **ces** *deux gâteaux.*
ces	féminin pluriel	*Toutes* **ces** *bicyclettes sont à vendre.*

Comment accorde-t-on le déterminant démonstratif ?

- Le déterminant démonstratif est **variable** et reçoit le **genre** et le **nombre** du nom qu'il accompagne.

- L'accord du déterminant démonstratif se fait à l'intérieur d'un groupe du nom.

	GENRE	NOMBRE
[***Ces*** *patins*] *appartiennent à Magalie.* (groupe du nom)	**masculin**	**pluriel**
À qui sont [***ces*** *mitaines*] *?* (groupe du nom)	**féminin**	**pluriel**
[***Cette*** *épicerie*] *est à vendre.* (groupe du nom)	**féminin**	**singulier**
Stéphanie préfère [***ce*** *film*]. (groupe du nom)	**masculin**	**singulier**
Steve a décoré [***cet*** *arbre de Noël*]. (groupe du nom)	**masculin**	**singulier**
Le Concorde a atterri [*à* [***cet*** *aéroport bien connu*] GN]. (groupe prépositionnel)	**masculin**	**singulier**

- Lorsqu'on veut donner plus de force au déterminant démonstratif, on utilise les adverbes **-ci** ou **-là**, qui se joignent au nom par un trait d'union.

Ne prends pas cette ***route-ci****,* [proche]
mais cette ***route-là****.* [éloignée]

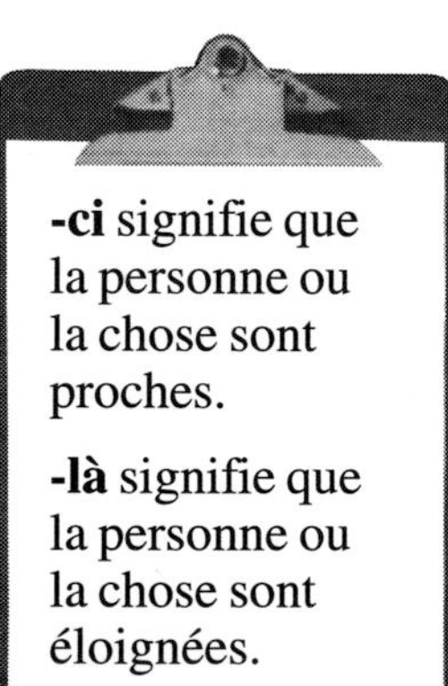

• Le déterminant démonstratif permet la reprise de l'information dans un texte.

Un loup n'avait que les os et la peau.

***Ce** loup rencontre un dogue aussi puissant que beau.*
La Fontaine

→ 332

Ne pas confondre

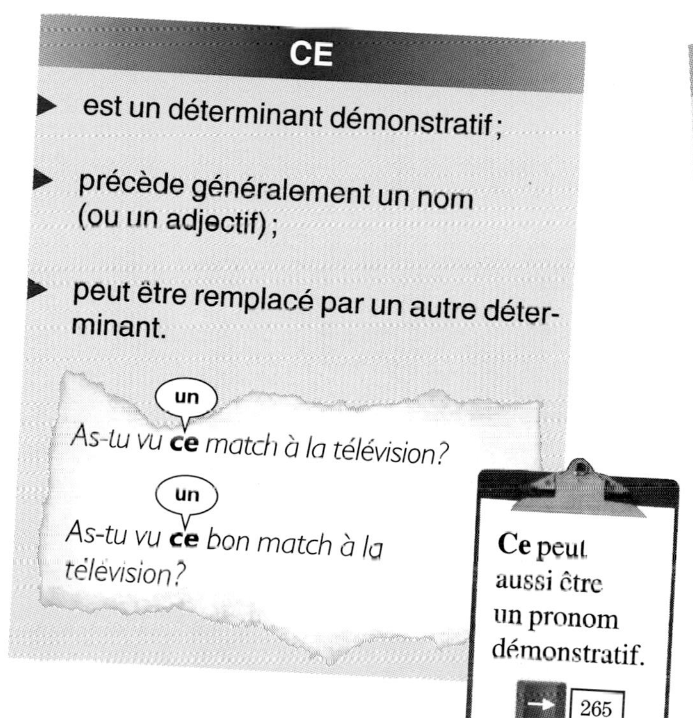

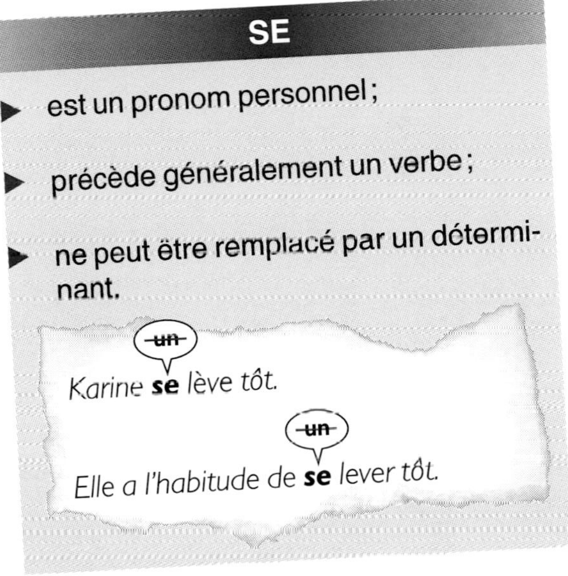

Ne pas confondre

Qu'est-ce qu'un déterminant numéral ?

- Un déterminant numéral est un mot qui accompagne un nom et qui indique le **nombre** des êtres ou des choses désignés par ce nom. On l'appelle aussi **numéral cardinal**.

cinq *canards*
trente et un *élèves*
quarante-quatre *personnes*

- Le déterminant numéral fait partie d'un groupe du nom ; il précède généralement le nom.

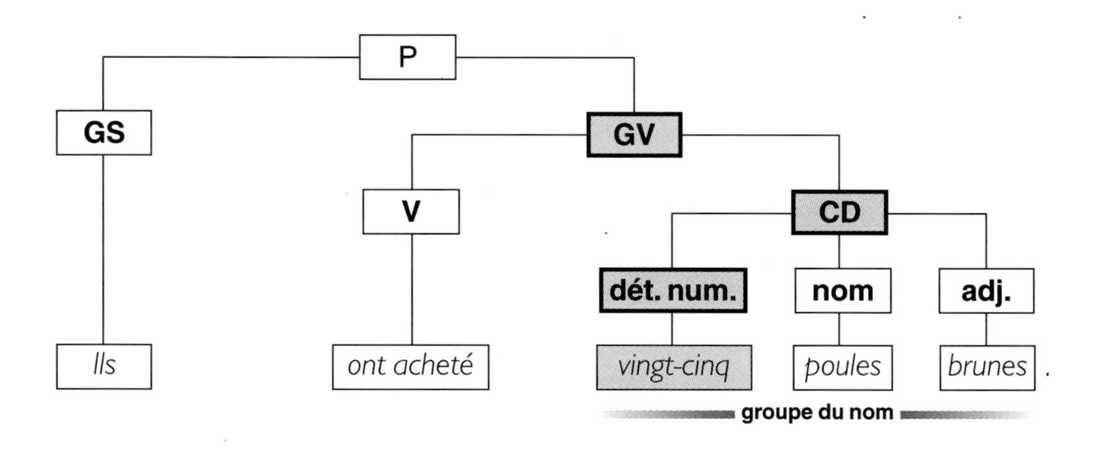

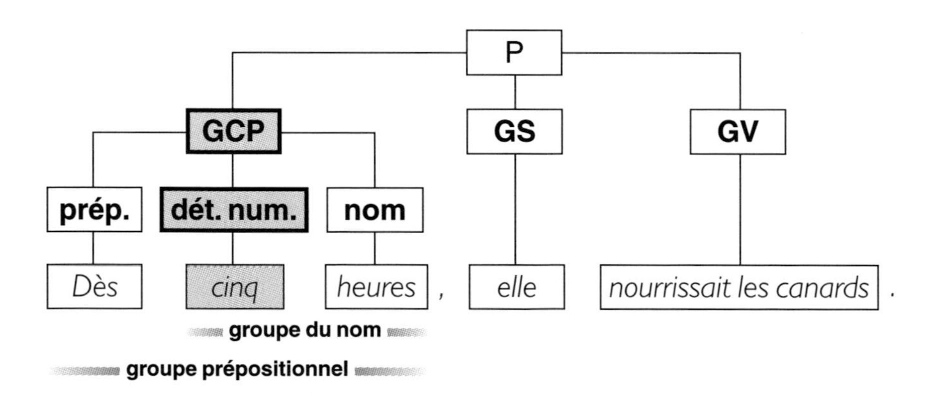

Quelles sont les formes du déterminant numéral ?

Voici quelques exemples de déterminants numéraux.

DÉTERMINANTS NUMÉRAUX			
un (une)	*cinq*	*quatre-vingt***s** *arbres*	*mille dix*
deux	*seize*	*cent*	*quatre-vingt-huit*
trois	*dix-sept*	*deux cent dix-huit*	*dix mille*
quatre	*trente-quatre*	*trois cent trente*	*trois cent***s** *personnes*

- Les nombres composés de **moins de cent** prennent un **trait d'union.**

dix-sept *élèves*
trente-huit *participants*
soixante-quinze *abonnés*
quatre-vingt-un *livres*

MAIS

vingt **et** *un*
trente **et** *un*
etc.

Le **et** remplace le trait d'union pour joindre le **un** aux dizaines.

- Le déterminant numéral est parfois accompagné d'un autre déterminant.

les douze *mois de l'année* ***les quatre*** *saisons*
mes trois *frères* ***ces deux*** *chemises*

- L'indication de l'heure peut s'effectuer de diverses façons.

Cinq heures vingt du soir → *17 h 20* → *17:20*
Huit heures moins dix du matin → *7 h 50* → *7:50*
Deux heures vingt-cinq de l'après-midi → *14 h 25* → *14:25*
Neuf heures et quart du soir → *21 h 15* → *21:15*

Comment accorde-t-on le déterminant numéral ?

- Le déterminant numéral est généralement **invariable**.

treize *chevaux*
cinquante *perdrix*
neuf *enfants*

SAUF

un • vingt • cent

▸ Au féminin, **un** fait **une**. **Un** s'accorde seulement en **genre** avec le nom qu'il détermine.

une *minute*
une *livre de beurre*
trente et ***une*** *voitures*

▸ **Vingt** et **cent** prennent un **s** au pluriel quand ils sont multipliés par un nombre et qu'ils ne sont pas suivis par un autre nombre.

*quatre-vingt****s*** *employés*
*trois cent****s*** *maisons*

MAIS

*quatre-****vingt****-dix employés*
trois ***cent*** *cinquante maisons*

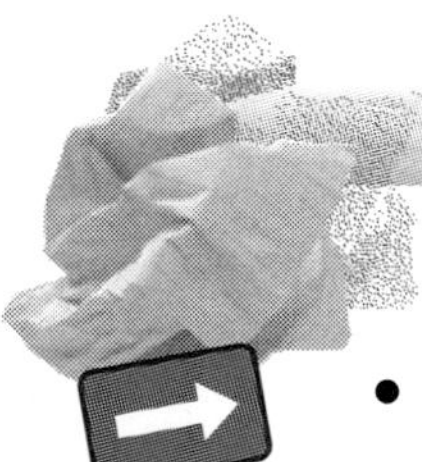

Attention !

- Le déterminant numéral **mille** est toujours **invariable**.

cinquante ***mille*** *kilomètres*
trois ***mille*** *personnes*

- **Million**, **milliard** et **billion** sont des noms, et ils sont **variables**.

*Mille million****s*** *de mille étoiles !*
*Des milliard****s*** *de personnes.*
*Trois billion****s*** *de dollars.*

LES ADJECTIFS NUMÉRAUX ORDINAUX

- Les mots comme **deuxième**, **cent quatrième**, **vingt-huitième** ne sont pas des déterminants. Ce sont des **adjectifs numéraux ordinaux**. On les appelle ainsi parce qu'ils expriment un rang, un ordre.

- On forme généralement les adjectifs numéraux en ajoutant le suffixe **-ième** aux déterminants numéraux (cardinaux). Les mots **premier** et **second** ne proviennent pas de déterminants numéraux.

trois → *trois***ième**
trente-quatre → *trente-quatr***ième**
million → *million***ième**
cent → *cent***ième**
vingt et un → *vingt et un***ième**
cent cinq → *cent cinqu***ième**

- Comme les autres adjectifs, ils prennent le **genre** et le **nombre** du nom qu'ils déterminent.

Ce marathonien a obtenu la ***troisième*** *place.*

C'était la ***première*** *fois qu'il participait à une compétition internationale.*

- Certains déterminants numéraux, cessant d'être des déterminants, s'emploient à la place des adjectifs ordinaux.

la page ***quatre-vingt***
l'acte ***un***
la scène ***quatre***
la section ***trois***

Qu'est-ce qu'un déterminant indéfini ?

- Un déterminant indéfini est un mot qui annonce un nom en exprimant de façon plus ou moins précise une idée :

  – de **quantité** (*aucun*, *chaque*, *divers*, *nul*, *plusieurs*, *quelques*, *tout*) ;

  – de **qualité** ou d'**identité** (*certain*, *tel*, *quelque*).

- Le déterminant indéfini fait partie d'un groupe du nom ; il précède le nom.

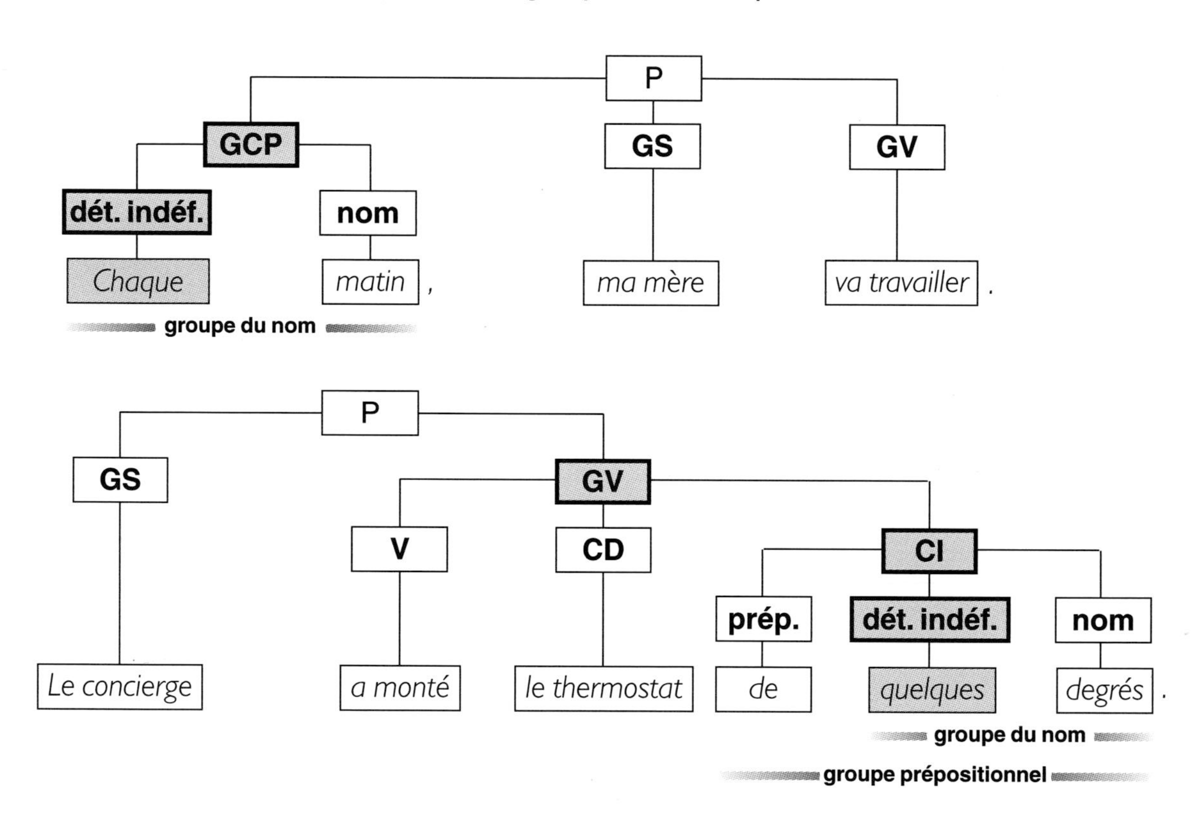

Quels sont les principaux déterminants indéfinis ?

- Voici une liste des déterminants indéfinis les plus fréquents.

aucun	chaque	divers	plusieurs	tel
certain	différents	nul	quelque	tout

• Voici deux déterminants indéfinis qui présentent des difficultés particulières : **tout** et **quelque**.

Le mot **tout** peut être **déterminant indéfini**, **adjectif indéfini, pronom indéfini, nom** ou **adverbe.** Il est variable ou invariable, selon le cas.

TOUT

CARACTÉRISTIQUES	FORMES	REMARQUES	EXEMPLES
Déterminant indéfini (**variable** en genre et en nombre)	tout	Précède un nom sans déterminant	*On peut faire de l'exercice à* ***tout*** *âge.*
	toute	"	*Elle est serviable en* ***toute*** *occasion.*
	tous	"	*Le logiciel était, à* ***tous*** *égards, compatible.*
	toutes	"	*Sur le contrat, c'était écrit en* ***toutes*** *lettres.*
Adjectif indéfini (**variable** en genre et en nombre)	tout	Précède un nom accompagné d'un déterminant	*Mon père a déjà lu* ***tout*** *un livre sur les papillons.*
	toute	"	*Elle s'est baignée* ***toute*** *la journée.*
	tous	"	*Il a prêté* ***tous*** *ses jouets à son frère.*
	toutes	"	*Stéphanie a mangé* ***toutes*** *les tartelettes.*
Pronom indéfini (**variable** en genre et en nombre)	tout	Précède souvent un verbe	***Tout*** *semble bon dans cette pâtisserie.*
	tous	"	***Tous*** *ont ri durant le film de Walt Disney.*
	toutes	"	***Toutes*** *ont apprécié le spectacle.*
	tous	"	*Ils sont* ***tous*** *venus.*
	tout	"	*Dis-moi* ***tout****!*
Nom masculin (**variable** en nombre)	tout	Suit un déterminant	*Est-ce que ces morceaux forment un* ***tout****?*
	touts	"	*Réunissez ces morceaux afin de former des* ***touts****.*
Adverbe (**invariable**)	tout	Précède un adjectif	*Les enfants sont* ***tout*** *joyeux.*
	tout	"	*Mes sœurs étaient* ***tout*** *étonnées.*
	tout	"	*Mélissa était* ***tout*** *heureuse.*
Adverbe (**variable** en genre et en nombre)	toute	Précède un adjectif féminin commençant par une **consonne** ou un **h** aspiré	*Sa barbe était* ***toute*** *hérissée.*
	toutes	"	*Mes sandales sont* ***toutes*** *neuves.*

QUELQUE

Le mot **quelque** peut être **déterminant indéfini** ou **adverbe**. Il est variable ou invariable, selon le cas.

- Placé devant un nom, **quelque** est déterminant indéfini et il est **variable** ; au pluriel, il signifie «plusieurs» ; au singulier, il signifie « un certain, une certaine ».

Il a pris ***quelques*** *kilos* *durant ses vacances.*
(kilos : **nom**)

Cette nouvelle a suscité ***quelque*** *émoi* *dans la population.*
(émoi : **nom**)

- Placé devant un déterminant numéral, le mot **quelque** est adverbe et il est **invariable** ; il signifie «environ».

Quelque *deux mille* *personnes ont assisté au récital.*
(deux mille : **déterminant numéral**)

Comment accorde-t-on le déterminant indéfini ?

- Le déterminant indéfini est généralement **variable** et reçoit le **genre** (masculin ou féminin) et le **nombre** (singulier ou pluriel) du nom qu'il accompagne.
- L'accord du déterminant indéfini se fait à l'intérieur du groupe du nom.

	GENRE	NOMBRE
***Certains** enfants* (**groupe du nom**) *iront au cirque demain.*	masculin	pluriel
*Caroline et Patrick ont reçu les félicitations de **plusieurs** personnes.* (G Prép. : *de plusieurs personnes* ; groupe du nom : ***plusieurs** personnes*)	féminin	pluriel
*Un trophée a été remis à **chaque** joueuse.* (G Prép. : *à chaque joueuse* ; groupe du nom : ***chaque** joueuse*)	féminin	singulier
*Stéphane est venu nous voir **chaque** jour.* (groupe du nom : ***chaque** jour*)	masculin	singulier

→

	GENRE	NOMBRE
→ ***Nul** événement* *ne fut plus médiatisé que le bogue de l'an 2000.* (groupe du nom : *Nul événement*)	masculin	singulier
*Ils ne peuvent faire confiance à **telle** et **telle** personne.* (G Prép. : *à telle et telle personne* ; groupe du nom : *telle et telle personne*)	féminin	singulier
*Ils ont considéré la situation sous **différents** aspects.* (G Prép. : *sous différents aspects* ; groupe du nom : *différents aspects*)	masculin	pluriel
*Elles ont pu constater son courage en **diverses** occasions.* (G Prép. : *en diverses occasions* ; groupe du nom : *diverses occasions*)	féminin	pluriel

Des adjectifs indéfinis

- Les mots **autre**, **même** et **quelconque** sont considérés comme des adjectifs indéfinis.

  *Essaie d'entrer par l'**autre** porte.*

- **Même** présente des difficultés particulières.
  - Placé **devant** un nom, **même** est adjectif indéfini et il est **variable** ; il signifie « semblable, identique ».

    *Mon frère et moi avons les **mêmes** amis.*

  - Placé **après** un nom ou un pronom, **même** joue un rôle de renforcement, de mise en relief ; il s'accorde avec ce nom ou ce pronom.

    *Les élèves **eux-mêmes** ont organisé la kermesse de l'école.*

    *Ma grand-mère était la bonté **même**.*

  - Lorsque **même** accompagne un verbe ou un adjectif, il est adverbe et **invariable.**

    *Tous les manifestants étaient excités ; certains refusaient **même** de circuler.*

    ***Même** fatigués, ils terminèrent le marathon.*

Ne pas confondre

QUELQUE

- s'écrit en un mot ;
- est un déterminant indéfini lorsqu'il est placé devant un nom (ou un adjectif) ;
- s'accorde avec le nom ;
- peut être remplacé par **plusieurs**.

(plusieurs)
J'ai vu ***quelques*** *enfants.*

(plusieurs)
J'ai vu ***quelques*** *jeunes enfants.*

QUEL QUE

- s'écrit en deux mots ;
- se place devant le verbe **être** au subjonctif ;
- s'accorde avec le sujet du verbe ;
- ne peut être remplacé par **plusieurs**.

Quelles que *soient tes raisons, il faut que tu ailles à ton rendez-vous.*

Attention !

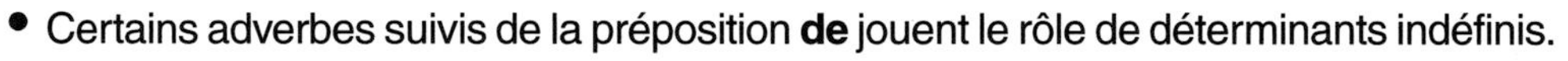

- Certains adverbes suivis de la préposition **de** jouent le rôle de déterminants indéfinis.

- C'est le cas de : **assez de**, **autant de**, **beaucoup de**, **bien des**, **peu de**, **trop de**, etc.

[plusieurs]
Beaucoup de *jeunes assistèrent au spectacle.*

Elles ont ***peu de*** *chance de réussir.*

Qu'est-ce qu'un déterminant interrogatif ?

- Un déterminant interrogatif est un mot qui introduit un nom et qui permet de poser une question à propos de l'être ou de la chose désignés par ce nom.
- La phrase qui contient un déterminant interrogatif (interrogation directe) se termine par un point d'interrogation.
- Le déterminant interrogatif fait partie d'un groupe du nom ; il précède le nom.

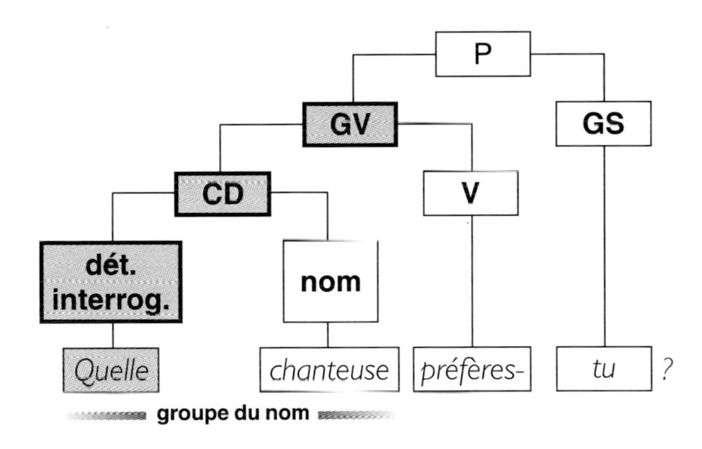

Quelles sont les formes du déterminant interrogatif ?

Formes	Genre et nombre
Quel	masculin singulier
Quelle	féminin singulier
Quels	masculin pluriel
Quelles	féminin pluriel

Comment accorde-t-on le déterminant interrogatif?

- Le déterminant interrogatif est **variable** et reçoit le **genre** (masculin ou féminin) et le **nombre** (singulier ou pluriel) du nom qu'il accompagne.
- L'accord du déterminant interrogatif se fait à l'intérieur d'un groupe du nom.

	GENRE	NOMBRE
[***Quel*** *âge*] *as-tu?* (groupe du nom)	masculin	singulier
G Prép. [*À* [***quelle*** *heure*]] *viendras-tu?* (groupe du nom)	féminin	singulier
[***Quels*** *projets*] *veux-tu réaliser?* (groupe du nom)	masculin	pluriel
[***Quelles*** *espadrilles*] *as-tu choisies?* (groupe du nom)	féminin	pluriel
G Prép. [*À* [***quelles*** *personnes*]] *veux-tu donner ces cadeaux?* (groupe du nom)	féminin	pluriel

Attention!

- La locution **combien de** peut jouer le rôle d'un déterminant interrogatif.

Combien de *personnes as-tu invitées?*

- Lorsque l'interrogatif **quel** est **attribut**, il devient un adjectif. Il s'accorde alors avec le sujet du verbe.

Quels *sont tes projets?*

Quelle *est ta chanteuse préférée?*

Qu'est-ce qu'un déterminant exclamatif?

- Un déterminant exclamatif est un mot qui accompagne un nom et qui permet d'exprimer un **sentiment vif**.
- Le déterminant exclamatif fait partie d'un groupe du nom; il précède le nom.
- Une phrase qui contient un déterminant exclamatif se termine par un point d'exclamation.

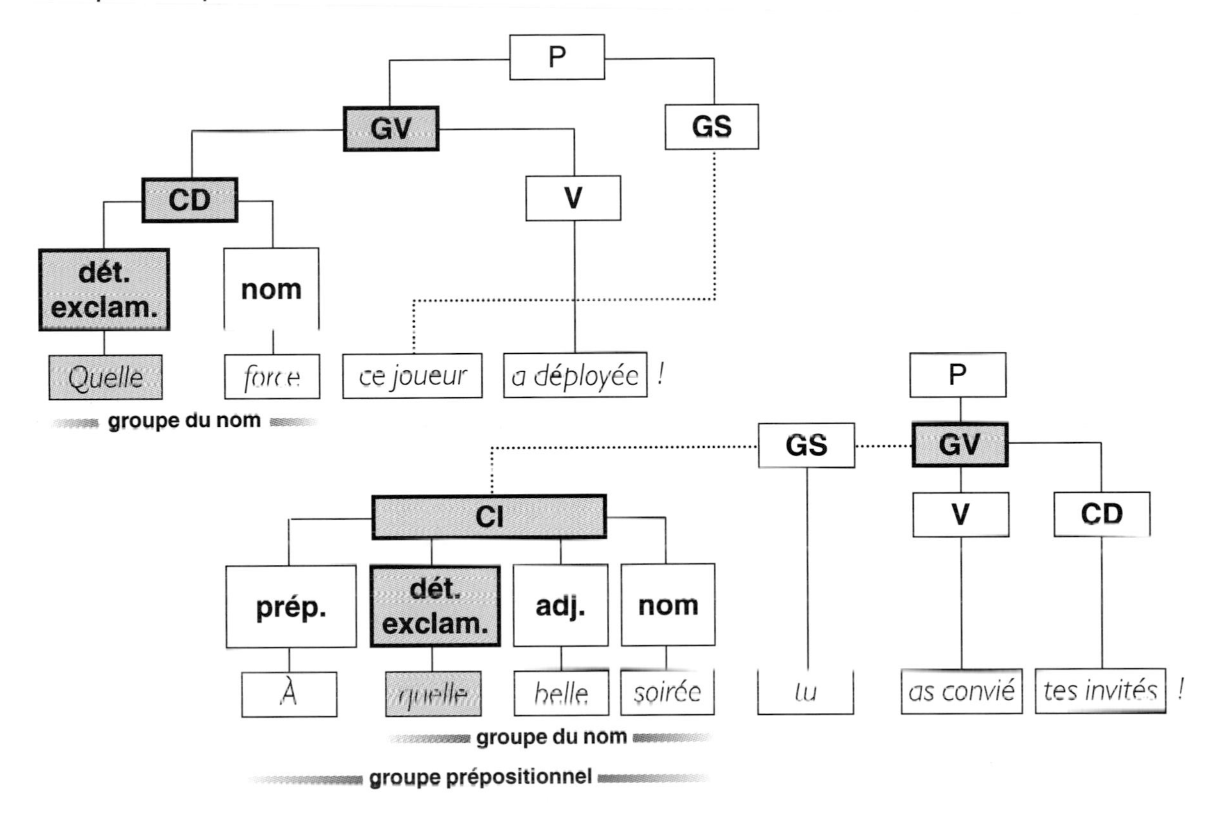

Quelles sont les formes du déterminant exclamatif?

FORMES	GENRE ET NOMBRE
Quel	masculin singulier
Quelle	féminin singulier
Quels	masculin pluriel
Quelles	féminin pluriel

Comment accorde-t-on le déterminant exclamatif ?

- Le déterminant exclamatif est **variable** et reçoit le **genre** (masculin ou féminin) et le **nombre** (singulier ou pluriel) du nom qu'il accompagne.

- L'accord du déterminant exclamatif se fait à l'intérieur d'un groupe du nom.

	GENRE	NOMBRE
***Quel** accident* [groupe du nom] *ce fut!*	masculin	singulier
*À **quelle** belle soirée* [G Prép.; groupe du nom : ***quelle** belle soirée*] *tu m'invites!*	féminin	singulier
***Quels** beaux avions* [groupe du nom] *!*	masculin	pluriel
***Quelles** jolies fleurs* [groupe du nom] *tu as envoyées!*	féminin	pluriel

Attention!

Les locutions **combien de** et **que de** peuvent jouer le rôle de déterminants exclamatifs.

***Que de** paroles inutiles il a prononcées!*

LE DÉTERMINANT RELATIF

Il existe aussi un autre déterminant qui est surtout utilisé dans la langue juridique. C'est le **déterminant relatif**.

*Je reconnais devoir la somme de 500 $ à M. Pierre Martin, **laquelle somme** devra être remboursée d'ici trois mois.*

Le verbe

Certaines caractéristiques

Quelles sont les caractéristiques d'un verbe ?

- Un verbe est un mot qui exprime :
  - une action **que l'on fait** : *Le menuisier* ***scie*** *la planche.*
  - une action **qui est subie** : *La grange* ***a brûlé*** *rapidement.*
  - un **état** : *Ma mère* ***est*** *heureuse.* *Mon père* ***semble*** *malade.*

- Le verbe est le **noyau** du groupe du verbe.

89 ←

- Le groupe du verbe indique **ce que l'on dit** à propos du sujet.

Que dit-on au sujet du menuisier ?
On dit qu'**il scie la planche**.

- Le rapport du verbe avec son sujet peut être représenté par la **forme active** ou la **forme passive**.

FORME ACTIVE ▶ *Les pompiers ont éteint l'incendie.*

FORME PASSIVE ▶ *L'incendie a été éteint par les pompiers.*

12

- Les verbes d'action, selon qu'ils demandent ou non un complément direct ou indirect, se divisent en verbes **transitifs** et en verbes **intransitifs**.

181

- Le verbe a deux parties : le **radical** et la **terminaison**.

- Enfin, le verbe varie en **mode**, en **temps**, en **personne** et en **nombre**. C'est ce qu'on veut exprimer en disant qu'il se conjugue.

181 185

Lorsqu'un verbe est formé d'un verbe accompagné d'un nom sans déterminant, on lui donne le nom de **locution verbale**.

avoir raison *tenir tête*
faire fortune *avoir froid*

Le radical et la terminaison

Quelles sont les parties d'un verbe ?

- Le **radical** est la partie du verbe qui ne varie pas beaucoup lorsqu'on conjugue un verbe. Cependant, le radical de certains verbes, particulièrement les verbes irréguliers, peut subir plusieurs modifications.

__chant__er : __chant__ais, __chant__eront, __chant__iez
__pouv__oir : __peu__x, __pour__rai, __puiss__es

- La **terminaison** est la partie du verbe qui varie. En règle générale, elle indique le **temps** et le **mode** du verbe, ainsi que la **personne** et le **nombre**.

Personne et nombre

– La terminaison **-ons** indique qu'il s'agit de la 1re personne du pluriel.

*Nous mange**ons** de la crème glacée.*

– La terminaison **-ent** indique qu'il s'agit de la 3e personne du pluriel.

*Ils mang**ent** de la crème glacée.*

– La terminaison **-s** indique qu'il s'agit principalement de la 2e personne du singulier.

*Tu mange**s** de la crème glacée.*

Temps et modes

– La terminaison **-rai**, **-ras**, **-ra**, **-rons**, **-rez** ou **-ront** indique qu'il s'agit du futur simple de l'indicatif.

*Il commence**ra** bientôt son casse-tête.*

– La terminaison **-ais**, **-ais**, **-ait**, **-ions**, **-iez** ou **-aient** indique qu'il s'agit de l'imparfait de l'indicatif.

*Je jou**ais** aux échecs lorsque tu es arrivé.*

– La terminaison **-rais**, **-rais**, **-rait**, **-rions**, **-riez** ou **-raient** indique qu'il s'agit du conditionnel présent.

*Je joue**rais** plus souvent aux échecs si j'avais le temps.*

*Elle **jouait** aux échecs.*

Le **-ait** de **jouait** indique que le verbe est à l'**imparfait** de l'**indicatif**, à la **3e personne** du **singulier**.

Les verbes transitifs et les verbes intransitifs

Qu'est-ce que les verbes transitifs et les verbes intransitifs ?

Parmi les verbes d'action, il y a les verbes **transitifs** et les verbes **intransitifs**.

▶ Les verbes qui se construisent généralement avec un **complément direct** sont appelés **transitifs directs**.

Le menuisier scie [la planche]$_{CD}$.

Le mois dernier, les hirondelles [nous]$_{CD}$ ont quittés.

Mes parents mangent souvent [de la tarte aux cerises]$_{CD}$.

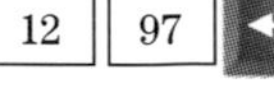
12 97

▸ Les verbes qui se construisent généralement avec un **complément indirect** s'appellent **transitifs indirects**.

Delphine profite |*de la journée*| .
CI

Les élèves ont parlé |*de leurs problèmes*| |*à la directrice*| .
CI CI

▸ On appelle **intransitifs** les verbes qui ne commandent ni un complément direct ni un complément indirect.

Ma cousine a beaucoup voyagé |*ce printemps*| .
GCP

La neige tombe |*dru*| .
G Adv.

Les enfants dorment.
sans complément

Attention !

- Un verbe peut être transitif **direct** ou **indirect** selon le sens qu'on lui donne.

Alice ***a manqué*** |*son émission préférée*| .
CD

Alice ***n'a pas manqué*** |*à son devoir*| .
CI

- Un verbe transitif peut devenir intransitif (et vice versa) selon le sens qu'on lui donne.

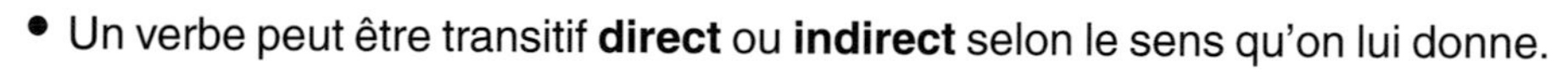

INTRANSITIFS	TRANSITIFS
Courir *à perdre haleine.*	***Courir*** *deux lièvres à la fois.*
Cette plante ***pousse*** *bien.*	*Lorsqu'il était jeune, il* ***poussait*** *une petite voiture.*

Qu'est-ce qu'un verbe attributif ?

- Un verbe attributif permet de relier un **attribut** à un **sujet** ou à un **complément direct**.

- **Être** est le verbe attributif par excellence.

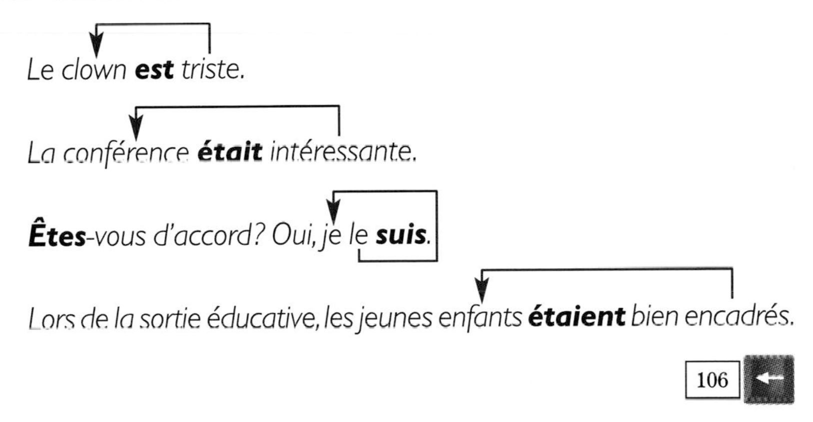

106

- D'autres verbes, tels **sembler**, **rester**, **devenir**, **demeurer**, **avoir l'air**, **être appelé**, **paraître**, **passer pour**, etc., jouent un rôle similaire au verbe **être**.

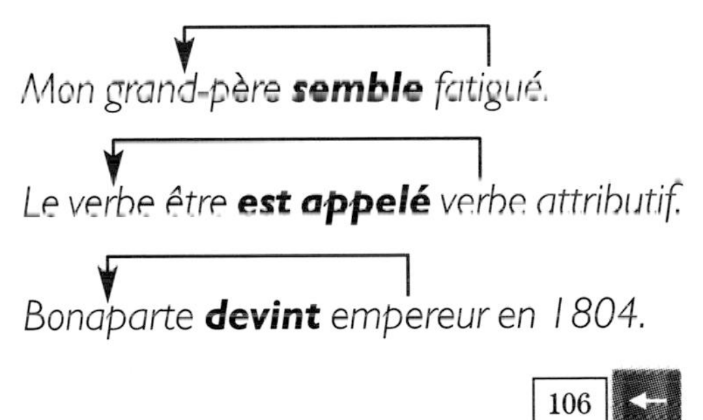

106

- Certains verbes d'opinion, de choix, de transformation, de déclaration, tels **croire**, **considérer**, **dire**, **juger**, **trouver**, **voir**, **appeler**, **choisir**, **déclarer**, **élire**, **nommer**, **prendre**, **faire**, **rendre**, etc., peuvent relier un attribut à un complément direct.

109

Qu'est-ce qu'un verbe impersonnel?

- Un verbe **impersonnel** est un verbe employé seulement à la 3e personne du singulier.

3e pers. sing.

*Il **faut** que je te raconte mon aventure.*

- Certains verbes sont **essentiellement** impersonnels, c'est-à-dire qu'ils ne sont employés qu'à la forme impersonnelle ; on retrouve dans cette catégorie des verbes qui font référence à des **phénomènes atmosphériques**, le verbe **falloir** et l'expression **il y a**.

***Il pleut**: je ne sors pas!*

***Il y a** beaucoup d'électricité dans l'air.*

***Il faut** que tu ailles visiter ton grand-père à l'hôpital.*

- D'autres verbes qui sont généralement personnels peuvent être employés à la forme **impersonnelle** ; dans cette catégorie, l'expansion qui suit le verbe constitue généralement le **sujet réel** du verbe impersonnel.

GN ▶ ***Il court** des rumeurs non fondées au sujet de sa maladie.* (**sujet réel** : des rumeurs non fondées au sujet de sa maladie)

SUBORDONNÉE ▶ ***Il est temps** qu'il prenne ses études au sérieux.* (**sujet réel** : qu'il prenne ses études au sérieux)

GROUPE DE L'INFINITIF ▶ ***Il est** vraiment **dommage** de polluer l'eau des lacs.* (**sujet réel** : de polluer l'eau des lacs)

Attention !

Le verbe **faire** contribue fréquemment à construire des verbes impersonnels.

Il fait beau.	*Il fait jour.*
Il fait chaud.	*Il fait nuit.*
Il fait froid.	*Il fait soleil.*
etc.	etc.

Quels sont les principaux temps d'un verbe?

- Il existe des temps **simples** et des temps **composés.**

- Simple ou composé, le temps d'un verbe situe l'action dans le **présent**, le **passé** ou le **futur** ; il peut aussi situer l'action par rapport à une autre action.

Présent :	*je mange*
Passé :	*je mangeais, j'avais mangé, j'ai mangé*
Futur :	*je mangerai, je mangerais*
Rapport dans le futur :	*J'aurai mangé lorsque tu arriveras.*
Rapport dans le passé :	*J'avais déjà mangé lorsque tu es arrivé.* *Je mangeais lorsque tu es arrivé.*

- Aux **temps simples**, le verbe est formé d'un seul mot.

chantant
je chanterai
elle chantait

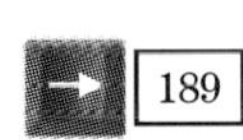
189

- Aux **temps composés**, le verbe est formé de deux mots, soit un **auxiliaire** et un **participe passé**.

189

Attention !

- Il est important d'harmoniser les temps des verbes à l'intérieur d'un texte, et ce, en vue d'assurer la cohésion du texte.

- L'harmonisation des temps des verbes doit tenir compte de la chronologie des événements, du temps principal du récit et du sens de la phrase.

AVANT	ACTUELLEMENT	APRÈS
(passé composé)	(présent)	(futur)
Le mois dernier, ma chatte ***a eu*** *des petits chatons.*	*Je les* ***observe*** *et je* ***joue*** *avec eux depuis ce temps,*	*car nous* ***devrons*** *bientôt les donner.*

403

Qu'est-ce que le mode d'un verbe?

Le mode d'un verbe indique la façon dont la personne qui parle ou qui écrit considère l'action ou l'état exprimés par le groupe du verbe.

indicatif

Cynthia ***reviendra*** *demain.*

La personne qui parle ou qui écrit pense que l'action **va** se produire.

subjonctif

Je souhaite que Cynthia ***revienne*** *demain.*

La personne qui parle ou qui écrit pense que l'action **va peut-être** se produire.

Quels sont les modes d'un verbe?

• Un verbe peut avoir plusieurs modes. On peut les regrouper en deux grandes catégories.

Les **modes personnels**, c'est-à-dire ceux qui se conjuguent.

– Le **mode indicatif** situe l'action au **présent**, au **passé** ou au **futur**.

En ce moment, il ***navigue*** *dans Internet.*

Le mode indicatif présente généralement les événements comme **réels** ou **éventuels**.

La radio ***a été*** *le passe-temps favori de nos grands-parents.*

Le mode indicatif est le mode habituel de la phrase **déclarative** ou **interrogative**.

L'ordinateur ***subira*** *encore plusieurs transformations.*

– Le **mode subjonctif** permet d'exprimer un sentiment ou une nuance de la volonté à l'égard du fait exprimé par le verbe.

L'action devient ainsi plus **irréelle** ou **incertaine**.

Le mode subjonctif se retrouve principalement dans les subordonnées.

Je veux [*que tu* ***voies*** *le spectacle*]. (**subordonnée**)

Je doute [*qu'elle* ***vienne*** *te voir*]. (**subordonnée**)

Nous souhaitons [*que vous* ***reveniez*** *nous voir*]. (**subordonnée**)

Je n'aime pas [*que tu te* ***nourrisses*** *mal*]. (**subordonnée**)

– Le **mode impératif** présente l'action sous la forme d'un ordre, d'un conseil, d'une consigne, d'un souhait...

Viens *ici!*

Ferme *la porte.*

Incorporez *le lait au mélange.*

Les **modes impersonnels**, c'est-à-dire ceux qui ne se conjuguent pas.

– Le **mode infinitif** présente l'action à la manière d'un nom.

Boire de l'eau est très bon pour la santé.

Même s'il conserve la valeur d'un verbe, l'infinitif a les mêmes fonctions que le nom : sujet, attribut, complément.

*Elle aime **étudier**.*

*Après **avoir mangé**, ils allèrent au parc.*

C'est au mode infinitif que l'on trouve le verbe dans le dictionnaire.

– Le **mode participe** présente l'action à la manière d'un adjectif.

*La bouteille était bien **bouchée**.*

Même s'il conserve la valeur d'un verbe, le participe a les mêmes fonctions que l'adjectif.

*Le chat, **marchant** à pas feutrés, nous a surpris.*

Attention !

- Même si plusieurs personnes considèrent le gérondif comme un mode, on peut le traiter aussi comme un **participe présent** précédé de **en**. Le gérondif peut prendre diverses valeurs.

En forgeant, on devient forgeron.

*C'est **en chantant des chansons de jazz** que cet artiste s'est fait connaître.*

*Josée pourrait mieux réussir **en étudiant davantage**.*

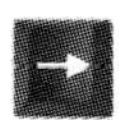
207

- L'utilisation de l'indicatif ou du subjonctif dans une subordonnée ainsi que l'utilisation des temps appropriés relèvent de la concordance des temps ; il est important de se baser sur le sens de la phrase pour choisir un temps et un mode.

• **Voici les principales combinaisons des modes et des temps d'un verbe.**

MODES	TEMPS		EXEMPLES
	SIMPLES	COMPOSÉS	
INDICATIF	présent		*Je joue*
		passé composé	*Tu as joué*
	imparfait		*Elle jouait*
		plus-que-parfait	*Vous aviez joué*
	passé simple		*Ils jouèrent*
		passé antérieur	*J'eus joué*
	futur simple		*Nous jouerons*
		futur antérieur	*Tu auras joué*
	conditionnel* présent (futur du passé)		*Vous joueriez*
		conditionnel* passé	*Elles auraient joué*
SUBJONCTIF	présent		*Qu'ils jouent*
		passé	*Que j'aie joué*
	imparfait**		*Que tu jouasses*
		plus-que-parfait**	*Qu'il eût joué*
IMPÉRATIF	présent		*Joue, jouons, jouez*
		passé**	*Aie joué, ayons joué, ayez joué*
INFINITIF	présent		*Jouer*
		passé	*Avoir joué*
PARTICIPE	présent		*Jouant*
	passé		*Joué*

*Auparavant, le conditionnel était traité comme un mode ;
aujourd'hui, il est plutôt considéré comme un temps de l'indicatif.
Il conserve, dans certains cas, ses caractéristiques de mode.

→ 197

** L'imparfait du subjonctif, le plus-que-parfait du subjonctif et le passé de l'impératif sont des temps beaucoup moins utilisés que les autres.

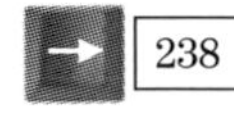
238

L'emploi des temps et des modes et leurs principales terminaisons

L'EMPLOI DES TEMPS SIMPLES DE L'INDICATIF ET LEURS PRINCIPALES TERMINAISONS

Le présent de l'indicatif

- Le présent est le temps du verbe qui indique généralement qu'une action :
  - se produit au moment où l'on parle ;
  - est habituelle ;
  - est permanente.

Que fais-tu en ce moment? Je ***mange****.* **action présente**

Tous les samedis, je ***joue*** *au hockey.* **action habituelle**

L'eau ***gèle*** *à 0 °C.* **action permanente**

- Le présent de l'indicatif peut avoir aussi d'autres valeurs ; il peut exprimer :
  - un passé récent ;
  - un futur.

Elle ***vient d'****arriver à l'instant.* **action passée**

Sheila ***arrive*** *dans dix minutes.* **action future**

- **Les terminaisons du présent de l'indicatif sont les suivantes :**

	je, j'	tu	il, elle	nous	vous	ils, elles
Groupe 1						
Jouer	joue **e**	joues **s**	joue **e**	jouons **ons**	jouez **ez**	jouent **ent**
Groupe 2						
Fournir	fournis **s**	fournis **s**	fournit **t**	fournissons **ons**	fournissez **ez**	fournissent **ent**
Groupe 3						
Aller	vais **s**	vas **s**	va **a**	allons **ons**	allez **ez**	vont **ont**
Offrir	offre **e**	offres **s**	offre **e**	offrons **ons**	offrez **ez**	offrent **ent**
Prendre	prends **s**	prends **s**	prend **d**	prenons **ons**	prenez **ez**	prennent **ent**
Vouloir	veux* **x**	veux* **x**	veut **t**	voulons **ons**	voulez **ez**	veulent **ent**
Savoir	sais **s**	sais **s**	sait **t**	savons **ons**	savez **ez**	savent **ent**
Faire	fais **s**	fais **s**	fait **t**	faisons **ons**	faites **tes**	font **ont**
Sans groupe						
Être	suis **s**	es **s**	est **t**	sommes **mes**	êtes **tes**	sont **ont**
Avoir	ai **ai**	as **s**	a **a**	avons **ons**	avez **ez**	ont **ont**

* Les verbes **pouvoir** et **valoir** prennent aussi un **x**.

L'imparfait de l'indicatif

- L'imparfait de l'indicatif présente une action qui est en train de se dérouler dans le passé, mais dont le début et la fin restent inconnus.

*Le jour **se levait**, le soleil **commençait** à briller: la journée **s'annonçait** splendide.*

*Hier, il **pleuvait**.*

- La durée qu'exprime l'imparfait sert souvent à indiquer « l'espace-temps » où une autre action se produit.

*Il **mangeait** lorsque l'orage éclata.*

- L'imparfait de l'indicatif peut aussi indiquer qu'une action passée est **habituelle** ou **répétitive**.

*Il **parcourait** un kilomètre tous les jours.*

- L'imparfait de l'indicatif est souvent utilisé dans la **subordonnée de condition** qui commence par **si**.

*Si j'**étais** plus habile, je ferais de l'aquarelle.*

- Il existe aussi un imparfait de **narration** ou de **description**.

*Quand nous sommes arrivés sur les lieux, nous avons constaté l'étendue des dégâts: des arbres gigantesques **étaient couchés**, déracinés, des parties de la toiture **pendaient**, partout des débris de verre et de plâtre **jonchaient** le sol.*

• **Les terminaisons de l'imparfait de l'indicatif sont les suivantes :**

	je, j'	tu	il, elle	nous	vous	ils, elles
Groupe 1						
Jouer	jouais **ais**	jouais **ais**	jouait **ait**	jouions **ions**	jouiez **iez**	jouaient **aient**
Groupe 2						
Fournir	fournissais **ais**	fournissais **ais**	fournissait **ait**	fournissions **ions**	fournissiez **iez**	fournissaient **aient**
Groupe 3						
Aller	allais **ais**	allais **ais**	allait **ait**	allions **ions**	alliez **iez**	allaient **aient**
Offrir	offrais **ais**	offrais **ais**	offrait **ait**	offrions **ions**	offriez **iez**	offraient **aient**
Prendre	prenais **ais**	prenais **ais**	prenait **ait**	prenions **ions**	preniez **iez**	prenaient **aient**
Vouloir	voulais **ais**	voulais **ais**	voulait **ait**	voulions **ions**	vouliez **iez**	voulaient **aient**
Savoir	savais **ais**	savais **ais**	savait **ait**	savions **ions**	saviez **iez**	savaient **aient**
Faire	faisais **ais**	faisais **ais**	faisait **ait**	faisions **ions**	faisiez **iez**	faisaient **aient**
Sans groupe						
Être	étais **ais**	étais **ais**	était **ait**	étions **ions**	étiez **iez**	étaient **aient**
Avoir	avais **ais**	avais **ais**	avait **ait**	avions **ions**	aviez **iez**	avaient **aient**

Le futur simple de l'indicatif

- Le futur simple situe l'action dans le futur, à un moment déterminé ou non.

*Luce **ira** au cirque.*	**moment indéterminé**
*Luce **ira** au cirque demain.*	**moment déterminé**
*Luce **ira** au cirque bientôt.*	**moment plus ou moins déterminé**

- Le futur simple peut exprimer aussi une **vérité générale**.

*Les personnes déterminées **atteindront** presque toujours leur but.*

- Le futur simple peut être utilisé pour exprimer un **ordre**.

*Tu **rentreras** avant minuit!*

- Il existe aussi un **futur historique**.

Jean Lesage est élu premier ministre en 1960;
*son règne **durera** plusieurs années.*

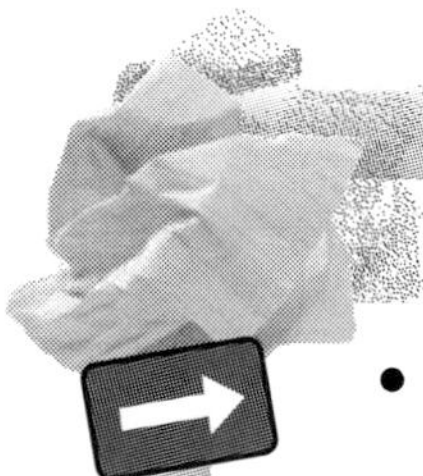

Attention!

- Il existe aussi un autre temps pour exprimer le futur: on le nomme le **futur proche**.
- Il est formé par le verbe **aller** à l'indicatif présent et le verbe qu'on désire utiliser **à l'infinitif**.

*Je **vais manger** bientôt.*
*Nous **allons** nous **baigner** demain.*

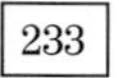
233

- **Les terminaisons du futur simple sont les suivantes :**

	je, j'	tu	il, elle	nous	vous	ils, elles
Groupe 1						
Jouer	jouerai (e)**rai**	joueras (e)**ras**	jouera (e)**ra**	jouerons (e)**rons**	jouerez (e)**rez**	joueront (e)**ront**
Groupe 2						
Fournir	fournirai (i)**rai**	fourniras (i)**ras**	fournira (i)**ra**	fournirons (i)**rons**	fournirez (i)**rez**	fourniront (i)**ront**
Groupe 3						
Aller	irai **rai**	iras **ras**	ira **ra**	irons **rons**	irez **rez**	iront **ront**
Offrir	offrirai **rai**	offriras **ras**	offrira **ra**	offrirons **rons**	offrirez **rez**	offriront **ront**
Prendre	prendrai **rai**	prendras **ras**	prendra **ra**	prendrons **rons**	prendrez **rez**	prendront **ront**
Vouloir	voudrai **rai**	voudras **ras**	voudra **ra**	voudrons **rons**	voudrez **rez**	voudront **ront**
Savoir	saurai **rai**	sauras **ras**	saura **ra**	saurons **rons**	saurez **rez**	sauront **ront**
Faire	ferai **rai**	feras **ras**	fera **ra**	ferons **rons**	ferez **rez**	feront **ront**
Sans groupe						
Être	serai **rai**	seras **ras**	sera **ra**	serons **rons**	serez **rez**	seront **ront**
Avoir	aurai **rai**	auras **ras**	aura **ra**	aurons **rons**	aurez **rez**	auront **ront**

Le passé simple de l'indicatif

- Le passé simple exprime une action qui s'est produite à un **moment précis** du passé.

  *Nos amis **arrivèrent** à 8 h.*

  *Nous étions en train de souper, lorsque l'orage **éclata**.*

- Le passé simple n'est presque plus utilisé dans la langue parlée.
  Dans la langue écrite, il est surtout utilisé à la 3e personne du singulier et du pluriel.

- **Les terminaisons du passé simple sont les suivantes :**

	je, j'	tu	il, elle	nous*	vous*	ils, elles
Groupe 1						
Jouer	jouai **ai**	jouas **as**	joua **a**	jouâmes **âmes**	jouâtes **âtes**	jouèrent **èrent**
Groupe 2						
Fournir	fournis **is**	fournis **is**	fournit **it**	fournîmes **îmes**	fournîtes **îtes**	fournirent **irent**
Groupe 3						
Aller	allai **ai**	allas **as**	alla **a**	allâmes **âmes**	allâtes **âtes**	allèrent **èrent**
Offrir	offris **is**	offris **is**	offrit **it**	offrîmes **îmes**	offrîtes **îtes**	offrirent **irent**
Prendre	pris **is**	pris **is**	prit **it**	prîmes **îmes**	prîtes **îtes**	prirent **irent**
Vouloir	voulus **us**	voulus **us**	voulut **ut**	voulûmes **ûmes**	voulûtes **ûtes**	voulurent **urent**
Savoir	sus **us**	sus **us**	sut **ut**	sûmes **ûmes**	sûtes **ûtes**	surent **urent**
Faire	fis **is**	fis **is**	fit **it**	fîmes **îmes**	fîtes **îtes**	firent **irent**
Sans groupe						
Être	fus **us**	fus **us**	fut **ut**	fûmes **ûmes**	fûtes **ûtes**	furent **urent**
Avoir	eus **us**	eus **us**	eut **ut**	eûmes **ûmes**	eûtes **ûtes**	eurent **urent**

* À l'oral et à l'écrit, les formes de la 1re et de la 2e personne du pluriel ne sont presque plus utilisées.

Le conditionnel présent

- Traditionnellement, le conditionnel présent faisait partie du mode conditionnel, mais, de nos jours, on considère plutôt le conditionnel présent comme un temps de l'indicatif. On lui donne le nom de **futur du passé**.

*Mylène a promis qu'elle **viendrait** plus tard.*
*Roch annonça subitement qu'il **subirait** une opération le mois prochain.*

- **Les terminaisons du conditionnel présent sont les suivantes :**

	je, j'	tu	il, elle	nous	vous	ils, elles
Groupe 1						
Jouer	jouerais (e)**rais**	jouerais (e)**rais**	jouerait (e)**rait**	jouerions (e)**rions**	joueriez (e)**riez**	joueraient (e)**raient**
Groupe 2						
Fournir	fournirais (i)**rais**	fournirais (i)**rais**	fournirait (i)**rait**	fournirions (i)**rions**	fourniriez (i)**riez**	fourniraient (i)**raient**
Groupe 3						
Aller	irais **rais**	irais **rais**	irait **rait**	irions **rions**	iriez **riez**	iraient **raient**
Offrir	offrirais **rais**	offrirais **rais**	offrirait **rait**	offririons **rions**	offririez **riez**	offriraient **raient**
Prendre	prendrais **rais**	prendrais **rais**	prendrait **rait**	prendrions **rions**	prendriez **riez**	prendraient **raient**
Vouloir	voudrais **rais**	voudrais **rais**	voudrait **rait**	voudrions **rions**	voudriez **riez**	voudraient **raient**
Savoir	saurais **rais**	saurais **rais**	saurait **rait**	saurions **rions**	sauriez **riez**	sauraient **raient**
Faire	ferais **rais**	ferais **rais**	ferait **rait**	ferions **rions**	feriez **riez**	feraient **raient**
Sans groupe						
Être	serais **rais**	serais **rais**	serait **rait**	serions **rions**	seriez **riez**	seraient **raient**
Avoir	aurais **rais**	aurais **rais**	aurait **rait**	aurions **rions**	auriez **riez**	auraient **raient**

- Le conditionnel conserve, dans certains cas, ses **caractéristiques de mode** en exprimant :
  – un fait irréel ou incertain ;
  – un fait dont la réalisation dépend d'une condition.

*Je pensais que tu le **saurais**.*
*Claire **ferait** du ski **si** elle n'avait pas un pied dans le plâtre.*

L'EMPLOI DES TEMPS COMPOSÉS DE L'INDICATIF ET LEUR FORMATION

- Un temps composé est formé de **deux** mots.

- Pour former les temps composés, on utilise généralement l'auxiliaire **avoir** (et, parfois, l'auxiliaire **être**) et le **participe passé** du verbe concerné.

	auxiliaire AVOIR	**participe passé** de **chanter**		**auxiliaire ÊTRE**	**participe passé** de **partir**
Maud	***a***	***chanté*** .	*Magalie*	***est***	***partie*** .
Les enfants	***ont***	***chanté*** .	*Ils*	***sont***	***partis*** .

Attention !

- Voici des verbes qui peuvent se conjuguer avec l'auxiliaire **être** ou avec l'auxiliaire **avoir**, selon le sens qu'on leur donne.

accourir	réapparaître
apparaître	redescendre
demeurer	rentrer
descendre	reparaître
disparaître	repasser
entrer	ressortir
monter	ressusciter
paraître	retourner
passer	sortir

- Certains verbes ne s'emploient qu'avec l'auxiliaire **être**.

arriver	revenir
aller	tomber
partir	venir
rester	

*Je **suis allé** au cinéma.*

Le passé composé de l'indicatif

- Le passé composé situe l'action dans le passé, à un moment **déterminé** ou **indéterminé**. Il présente cette action comme **achevée, terminée.**

*J'**ai mangé** des céréales au petit déjeuner, ce matin.*
moment déterminé

*Mon père **a rencontré** ma tante Diane au magasin.*
moment indéterminé

- Le passé composé peut aussi exprimer une action passée qui se poursuit jusqu'au moment où l'on parle.

*La science médicale **a progressé** depuis l'invention du laser.*

*Les cheveux de ma grand-mère **ont grisonné**, mais elle est toujours aussi dynamique.*

- Il existe aussi un passé composé de **narration.**

*Nous attendions tranquillement l'arrivée du train lorsque, soudain, Luc aperçut l'oiseau. Il **s'est posé** près de nous, nous **a regardés**, puis il **a ouvert** ses ailes et **s'est envolé**.*

- Le passé composé est un temps composé. On le forme en utilisant l'auxiliaire **avoir** (et, parfois, l'auxiliaire **être**) au **présent de l'indicatif** et le **participe passé** du verbe concerné.

	auxiliaire	participe passé		auxiliaire	participe passé
	AVOIR			**ÊTRE**	
J'	***ai***	***vu*** .	*Elle*	***est***	***partie*** .
Tu	***as***	***parlé*** .	*Nous*	***sommes***	***revenus*** .

- Pour les terminaisons du **présent de l'indicatif** : 191 

  Pour les terminaisons du **participe passé** : 209

Le plus-que-parfait de l'indicatif

- Le plus-que-parfait situe l'action dans le passé **avant** une autre **action passée**.

*L'air **s'était** déjà **rafraîchi** lorsque l'orage éclata.*
*Il **était** déjà **parti** lorsque nous **sommes arrivés**.*

- Le plus-que-parfait est un temps composé. On le forme en utilisant l'auxiliaire **avoir** (et, parfois, l'auxiliaire **être**) à l'**imparfait de l'indicatif** et le **participe passé** du verbe concerné.

	auxiliaire AVOIR	participe passé			auxiliaire ÊTRE	participe passé	
Tu	***avais***	***chanté***	.	*J'*	***étais***	***arrivé***	.
Elle	***avait***	***mangé***	.	*Vous*	***étiez***	***venues***	.

- Pour les terminaisons de l'**imparfait de l'indicatif** : 193 ←

Pour les terminaisons du **participe passé** :  209

Le futur antérieur

- Le futur antérieur situe l'action dans le futur **avant** une autre **action future**.

*Quand tu **auras fini** de lire ce livre, tu me le remettras.*

- Le futur antérieur est un temps composé. On le forme en utilisant l'auxiliaire **avoir** (et, parfois, l'auxiliaire **être**) au **futur simple** et le **participe passé** du verbe concerné.

	auxiliaire AVOIR	participe passé			auxiliaire ÊTRE	participe passé	
J'	***aurai***	***terminé***	.	*Il*	***sera***	***arrivé***	.
Nous	***aurons***	***commencé***	.	*Elles*	***seront***	***sorties***	.

- Pour les terminaisons du **futur simple** : 195 ←

Pour les terminaisons du **participe passé** :  209

Le passé antérieur de l'indicatif

- Le passé antérieur n'est presque plus utilisé à l'oral ; on le retrouve à l'écrit, surtout dans les récits.
- Le passé antérieur exprime un fait passé qui est **antérieur** à un autre **fait passé** (souvent représenté par le passé simple).

*Dès qu'il **eut compris** le mécanisme, il put ouvrir le coffre.*

- Le passé antérieur est un temps composé. On le forme en utilisant l'auxiliaire **avoir** (et, parfois, l'auxiliaire **être**) au **passé simple** et le **participe passé** du verbe concerné.

	auxiliaire AVOIR	participe passé		auxiliaire ÊTRE	participe passé
Dès qu'il	***eut***	***trouvé*** …	*Lorsque je*	***fus***	***parti*** …
Dès qu'elles	***eurent***	***lu*** …	*Lorsqu'ils*	***furent***	***arrivés*** …

- Pour les terminaisons du **passé simple** : 196

Pour les terminaisons du **participe passé** : 209

Le conditionnel passé

- Le conditionnel passé exprime au **passé** les mêmes valeurs que le conditionnel présent exprimait pour le présent et le futur.

*Si j'avais su, je n'**aurais** pas **acheté** ce type d'ordinateur.*
*Dix ans plus tôt, il **aurait gagné** le championnat.*

- Le conditionnel passé est un temps composé. On le forme en utilisant l'auxiliaire **avoir** (et, parfois, l'auxiliaire **être**) au **conditionnel présent** et le **participe passé** du verbe concerné.

	auxiliaire AVOIR	participe passé		auxiliaire ÊTRE	participe passé
Il	***aurait***	***gagné*** .	*Tu*	***serais***	***allée*** .
Elles	***auraient***	***changé*** .	*Nous*	***serions***	***partis*** .

- Pour les terminaisons du **conditionnel présent** : 197

Pour les terminaisons du **participe passé** : 209

L'EMPLOI DES TEMPS DU SUBJONCTIF, LEURS PRINCIPALES TERMINAISONS ET LEUR FORMATION

Le présent du subjonctif

- Le présent du subjonctif présente un fait qui est surtout **considéré dans la pensée**. Il dépend souvent d'un autre verbe qui exprime soit :
  - la volonté : *Je veux* *que Martin* ***s'en aille****.*
  - un souhait : *Je désire* *que Jessica* ***réussisse*** *à son examen.*
  - un sentiment : *Je crains* *qu'elle ne* ***soit*** *malade.*
  - le doute : *Je doute* *qu'il* ***fasse*** *cette course en trois minutes.*
  - une opinion : *Je ne pense pas* *que tu* ***aies*** *raison au sujet des tigres.*

  Les subjonctifs des phrases précédentes se trouvent dans des subordonnées ; le subjonctif est souvent utilisé dans les subordonnées.

- On emploie aussi le subjonctif présent **après** un verbe **impersonnel**.

  Il faut *que tu* ***viennes*** *me voir.*

  Il est important *que tu* ***ailles*** *visiter ton grand-père.*

- Le subjonctif présent est utilisé pour exprimer un **ordre** ou un **souhait** dans une phrase exclamative.

  Que tout le monde ***sorte*** *de l'immeuble !*

  Vienne *la belle saison !*

- Le subjonctif présent est généralement utilisé dans la **subordonnée sujet**.

  Qu'il ***prenne*** *le temps de t'écouter est une attitude louable.*

  Que tu me ***demandes*** *de t'accompagner me surprend.*

- Le subjonctif présent est aussi utilisé dans certaines subordonnées circonstancielles de temps, de concession, de condition ou de but.

TEMPS ▶ *Je travaillerai jusqu'à ce que tu **arrives**.*

CONCESSION ▶ *Quoiqu'il **fasse** très froid, les enfants jouent dehors.*

CONDITION ▶ *Je t'aiderai pourvu que tu **fasses** des efforts.*

BUT ▶ *Ils les ont accompagnés afin qu'ils ne **soient** pas seuls au récital.*

- **Les terminaisons du présent du subjonctif sont les suivantes :**

	que je, j'	que tu	qu'il, qu'elle	que nous	que vous	qu'ils, qu'elles
Groupe 1						
Jouer	joue **e**	joues **es**	joue **e**	jouions **ions**	jouiez **iez**	jouent **ent**
Groupe 2						
Fournir	fournisse **e**	fournisses **es**	fournisse **e**	fournissions **ions**	fournissiez **iez**	fournissent **ent**
Groupe 3						
Aller	aille **e**	ailles **es**	aille **e**	allions **ions**	alliez **iez**	aillent **ent**
Offrir	offre **e**	offres **es**	offre **e**	offrions **ions**	offriez **iez**	offrent **ent**
Prendre	prenne **e**	prennes **es**	prenne **e**	prenions **ions**	preniez **iez**	prennent **ent**
Vouloir	veuille **e**	veuilles **es**	veuille **e**	voulions **ions**	vouliez **iez**	veuillent **ent**
Savoir	sache **e**	saches **es**	sache **e**	sachions **ions**	sachiez **iez**	sachent **ent**
Faire	fasse **e**	fasses **es**	fasse **e**	fassions **ions**	fassiez **iez**	fassent **ent**
Sans groupe						
Être	sois **s**	sois **s**	soit **t**	soyons **ons**	soyez **ez**	soient **ent**
Avoir	aie **e**	aies **es**	ait **t**	ayons **ons**	ayez **ez**	aient **ent**

Le passé du subjonctif

- Le subjonctif passé peut être employé à la place du subjonctif présent dans la mesure où il exprime une action qui est **accomplie** ou un fait qui **est antérieur à un autre**.

Je veux que Stéphane ***soit parti*** *lorsque j'arriverai.*

Monica souhaite que Jessica ***ait réussi*** *à son examen.*

Il est important que tu ***aies terminé*** *ton travail avant de prendre des vacances.*

Que tout le monde ***soit sorti*** *de l'immeuble lorsque les pompiers arriveront!*

Qu'il ***ait pris*** *le temps de t'écouter ne m'étonne pas.*

Je travaillerai jusqu'à ce que tu ***sois arrivé****.*

Elle t'aidera pourvu que tu ***aies*** *déjà* ***fait*** *des efforts.*

- Le passé du subjonctif est un temps composé. On le forme en utilisant l'auxiliaire **avoir** (et, parfois, l'auxiliaire **être**) au **présent du subjonctif** et le **participe passé** du verbe concerné.

	auxiliaire AVOIR	**participe passé**			**auxiliaire** ÊTRE	**participe passé**	
Que j'	***aie***	***terminé***	...	*Que tu*	***sois***	***arrivé***	...
Que vous	***ayez***	***commencé***	...	*Que nous*	***soyons***	***sortis***	...

- Pour les terminaisons du **présent du subjonctif** : 

  Pour les terminaisons du **participe passé** : 

Il existe aussi un imparfait et un plus-que-parfait du subjonctif, mais ce sont des temps très peu employés.

 238 239

Le présent de l'impératif

- Le présent de l'impératif peut exprimer un ordre, une demande, un conseil, une prière, une interdiction.

  ***Viens**!*
  ***Mangez** toute votre soupe.*
  ***Allons** jouer dehors.*

- Le présent de l'impératif n'est conjugué qu'à trois personnes : la 2e du singulier, la 1re du pluriel et la 2e du pluriel.

  ***Fais** attention au verglas!*
  ***Rencontrons**-nous une dernière fois.*
  ***Venez** ici tout de suite!*

- Il existe aussi un passé de l'impératif, mais il est peu employé.

239

- **Les terminaisons du présent de l'impératif sont les suivantes :**

	2e pers. du sing.	1re pers. du plur.	2e pers. du plur.
Groupe 1			
Jouer	joue **e**	jouons **ons**	jouez **ez**
Groupe 2			
Fournir	fournis **s**	fournissons **ons**	fournissez **ez**
Groupe 3			
Aller	va **a**	allons **ons**	allez **ez**
Offrir	offre **e**	offrons **ons**	offrez **ez**
Prendre	prends **s**	prenons **ons**	prenez **ez**
Vouloir*	veux **x**	voulons **ons**	voulez **ez**
Savoir	sache **e**	sachons **ons**	sachez **ez**
Faire	fais **s**	faisons **ons**	faites **tes**
Sans groupe			
Être	sois **s**	soyons **ons**	soyez **ez**
Avoir	aie **e**	ayons **ons**	ayez **ez**

Les verbes du groupe 1 (-er), certains verbes du groupe 2 (offrir), le verbe **aller** et le verbe **avoir** prennent un **s** devant **en** et **y**.

*Pense**s**-y...* *Va**s**-y...*
*Offre**s**-en...* *Aie**s**-en soin...*

* Les formes **veuille**, **veuillons** et **veuillez** sont toujours existantes.

L'EMPLOI DU PARTICIPE, SES PRINCIPALES TERMINAISONS ET SA FORMATION

Le mode participe présente le verbe sous une forme adjectivale. Le participe joue souvent le rôle d'un adjectif. Il existe deux sortes de participes : le participe **présent** et le participe **passé**.

Le participe présent

- Le participe présent se termine par **-ant**.

- Lorsque le participe présent joue le **rôle d'un verbe**, il exprime une action limitée dans le temps, souvent simultanée par rapport à celle du verbe principal ; il est alors **invariable**. Il a souvent, dans ce cas, un **complément**.

GN ▶ *Mes amis, **délaissant** leur émission de télévision, sont allés voir l'accident.*

G Prép. ▶ *Je l'ai vu **se promenant** à cheval le long de la rivière.*

G Inf. ▶ ***Croyant** reconnaître ma cousine dans la foule, je fis de grands signes de reconnaissance à une inconnue.*

Attention !

Le participe présent a généralement deux fonctions : complément du nom ou attribut du complément direct.

COMPLÉMENT DU NOM ▶ *La brume **recouvrant** toute la région rendait la visibilité presque nulle.*

ATTRIBUT ▶ *Je l'ai vu **se promenant** à cheval le long de la rivière.*

- Le participe présent est souvent précédé de la préposition **en**. Dans ce cas, il peut marquer plusieurs valeurs dont le temps, la manière, la cause, le moyen, etc. ; il est **invariable**. On l'appelle le **gérondif**.

  Il travaille ***en*** *chantant.*

  Elle est devenue championne ***en*** *s'entraînant tous les jours.*

188

- Lorsque le participe présent joue le **rôle d'un adjectif**, il exprime plutôt un état et il est **variable**. Pour le reconnaître, on vérifie s'il peut être précédé d'un adverbe comme **très**, **fort**, **bien**, etc.

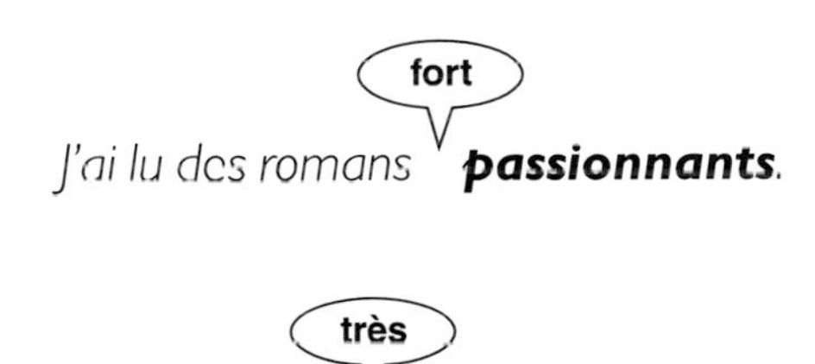

J'ai lu des romans ***passionnants****.*

C'est une idée ***brillante****.*

(très)

Les arguments qu'il a avancés étaient ***convaincants****.*

- **Les terminaisons du participe présent sont les suivantes :**

Groupe 1	
Jouer	jouant **ant**
Groupe 2	
Fournir	fournissant **ant**
Groupe 3	
Aller	allant **ant**
Offrir	offrant **ant**
Prendre	prenant **ant**
Vouloir	voulant **ant**
Savoir	sachant **ant**
Faire	faisant **ant**
Sans groupe	
Être	étant **ant**
Avoir	ayant **ant**

- Certains adjectifs s'écrivent différemment du participe présent correspondant.

PARTICIPE PRÉSENT		ADJECTIF
*convain**quant***	↔	*convain**cant***
*provo**quant***	↔	*provo**cant***
*suffo**quant***	↔	*suffo**cant***
*va**quant***	↔	*va**cant***
*fati**guant***	↔	*fati**gant***
*intrig**uant***	↔	*intrig**ant***
*converg**eant***	↔	*converg**ent***
*différ**ant***	↔	*différ**ent***
*équival**ant***	↔	*équival**ent***
*influ**ant***	↔	*influ**ent***
*néglige**ant***	↔	*néglig**ent***
*précéd**ant***	↔	*précéd**ent***
*somnol**ant***	↔	*somnol**ent***

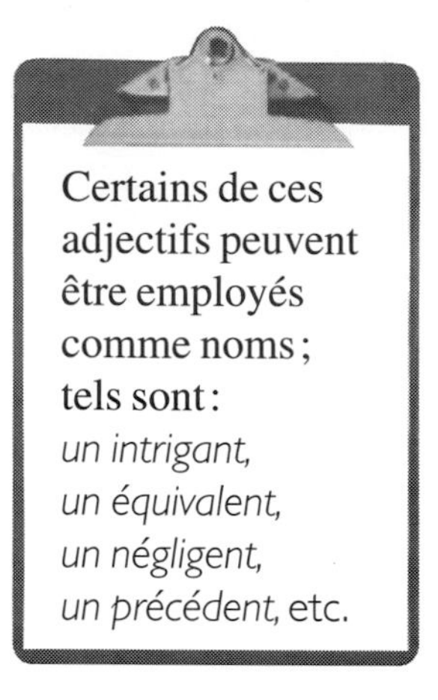

Plusieurs personnes donnent le nom d'**adjectifs verbaux** à ces adjectifs.

Le participe passé

- Le participe passé peut faire partie d'une **forme verbale** (les temps composés) ; dans ce cas, il est employé avec l'auxiliaire **avoir** ou **être**.

*Katie et Sandra **sont parties** pour Toronto.*
*Cet écrivain que j'aime bien **a écrit** un roman policier.*

Il existe aussi une forme composée du participe passé.

***Ayant prononcé** ces paroles, elle se leva et partit.*

- Le participe passé peut aussi être employé **seul** ; dans ce cas, il est considéré comme un **adjectif** ; on l'appelle alors **participe adjectif**.

*Il leur a envoyé des chèques **postdatés**.*

Attention !

- Plusieurs participes adjectifs qui sont utilisés fréquemment sont devenus de véritables **adjectifs** et apparaissent comme tels dans le dictionnaire.

*Chose **promise**, chose **due**.*

*Il faut laisser la porte **fermée**.*

- Certains participes passés sont employés comme **prépositions**.

attendu
excepté
passé
supposé
vu

***Vu** l'importance de l'événement, nous avons pris toutes les mesures nécessaires pour qu'il se déroule bien.*

- **Les terminaisons du participe passé sont les suivantes :**

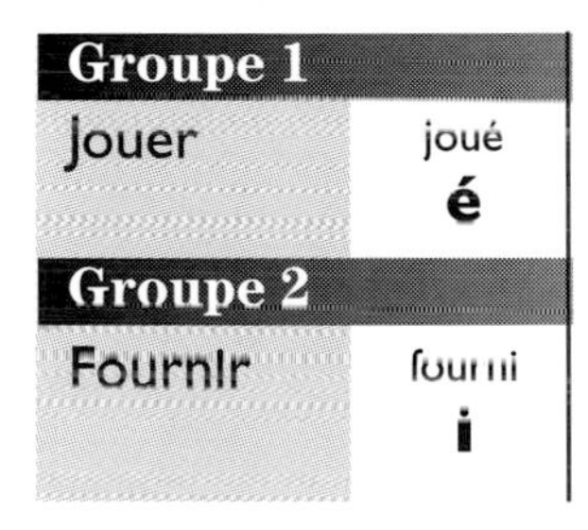

Groupe 1	
Jouer	joué **é**
Groupe 2	
Fournir	fourni **i**

Sans groupe	
Être	été **é**
Avoir	eu **u**

Groupe 3	
Aller	allé **é**
Offrir	offert **t**
Prendre	pris **s**
Vouloir	voulu **u**
Savoir	su **u**
Faire	fait **t**

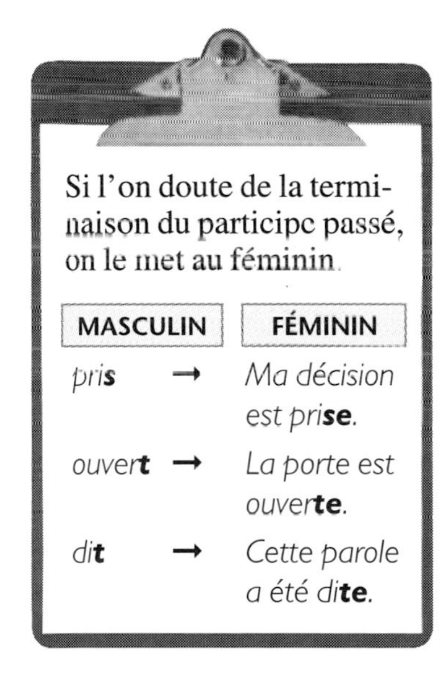

Si l'on doute de la terminaison du participe passé, on le met au féminin.

MASCULIN		FÉMININ
pris	→	*Ma décision est pri**se**.*
*ouver**t***	→	*La porte est ouver**te**.*
*di**t***	→	*Cette parole a été di**te**.*

- Le participe passé employé **seul** ou avec l'auxiliaire **être** est généralement **variable** ; le participe passé employé avec l'auxiliaire **avoir** est variable dans certains cas.

→ 251 252 253

L'EMPLOI DE L'INFINITIF ET SA FORMATION

Le présent de l'infinitif

- Le présent de l'infinitif indique une action **simultanée** ou **postérieure** à une autre action.

*Elle espère **réussir**.*
*Mon père aimait **chasser**.*
*Elle aimera **pêcher** dans ce grand lac.*

C'est sous cette forme, **sans nombre** (singulier ou pluriel) et **sans personne** (*je*, *tu*, *il*, *elle*, *nous*, *vous*, *ils*, *elles*), que l'on trouve le verbe dans le dictionnaire.

- L'infinitif présent (ou le groupe de l'infinitif) peut remplir plusieurs fonctions dans la phrase ; ces **fonctions** s'apparentent à celles du **groupe du nom**. Voici les plus fréquentes.

SUJET ▶ ***Écrire** des poèmes est passionnant.*

ATTRIBUT ▶ *Crier n'est pas **chanter**.*

COMPLÉMENT DU NOM ▶ *Il est important d'acquérir le goût de **lire**.*

COMPLÉMENT DE L'ADJECTIF ▶ *Le traversier était prêt à **revenir**.*

COMPLÉMENT DIRECT ▶ *Noémie adore **manger** de l'agneau.*

COMPLÉMENT INDIRECT ▶ *Il les aidait à **distribuer** des vivres.*

- La phrase infinitive contient un verbe à l'infinitif. 55 

- On utilise les terminaisons du présent de l'infinitif pour diviser les verbes en groupes.

- Les terminaisons du présent de l'infinitif sont les suivantes :

Groupes	Terminaisons
Groupe 1	**-ER** (sauf *aller*)
Groupe 2	**-IR** (*-issant*)
Groupe 3	**-IR** (*-ant*) **-OIR** **-RE**

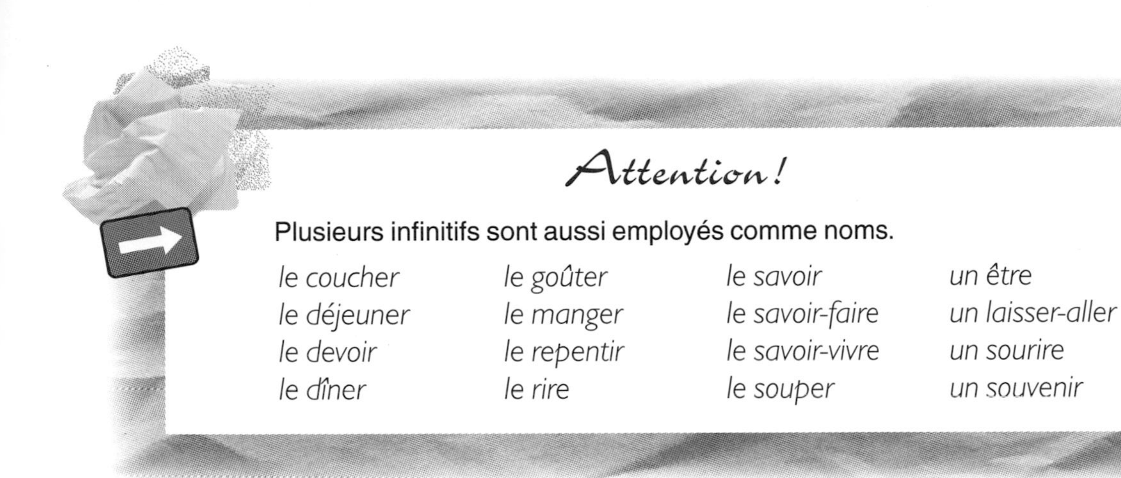

Attention !

Plusieurs infinitifs sont aussi employés comme noms.

le coucher	*le goûter*	*le savoir*	*un être*
le déjeuner	*le manger*	*le savoir-faire*	*un laisser-aller*
le devoir	*le repentir*	*le savoir-vivre*	*un sourire*
le dîner	*le rire*	*le souper*	*un souvenir*

Le passé de l'infinitif

- Le passé de l'infinitif indique une action **passée** qui est **antérieure** à une autre action.

*Ma sœur croyait **avoir retrouvé** une amie d'enfance.*

- L'infinitif (ou le groupe de l'infinitif) peut remplir plusieurs fonctions dans la phrase ; ces **fonctions** s'apparentent à celles du **groupe du nom**. Voici les plus fréquentes.

SUJET ▶ ***Avoir remporté** un championnat de hockey est une grande satisfaction.*

COMPLÉMENT DU NOM ▶ *Le plaisir d'**avoir lu** un bon roman est indéniable.*

COMPLÉMENT DE L'ADJECTIF ▶ *Joëlle était contente d'**être revenue** à la maison.*

COMPLÉMENT DIRECT ▶ *Noémie se rappelait **avoir mangé** de l'agneau.*

COMPLÉMENT INDIRECT ▶ *Ils s'attendaient à **être revenus** avant la brunante.*

- **Les terminaisons du passé de l'infinitif sont les suivantes :**

Groupe 1	
Jouer	avoir joué
Groupe 2	
Fournir	avoir fourni
Groupe 3	
Aller	être allé allée allés allées
Offrir	avoir offert
Prendre	avoir pris
Vouloir	avoir voulu
Savoir	avoir su
Faire	avoir fait
Sans groupe	
Être	avoir été
Avoir	avoir eu

Attention !

- L'infinitif (ou le groupe de l'infinitif) peut servir aux mêmes constructions qu'un verbe conjugué.

Elle espère [***réussir***]$_{\text{G Inf.}}$ *.* (**réussir** : infinitif)

Elle espère [***réussir*** [*cette recette difficile*]$_{\text{GN}}$]$_{\text{G Inf.}}$ *.*

Trop de personnes aiment [***parler*** [*pour parler*]$_{\text{G Prép.}}$]$_{\text{G Inf.}}$ *!*

[[*Te*]$_{\text{pronom}}$ ***parler***]$_{\text{G Inf.}}$ *m'a fait beaucoup de bien.*

Il ne faut pas [***croire*** [*que tu puisses y arriver tout seul*]$_{\text{subordonnée complétive}}$]$_{\text{G Inf.}}$ *.*

LES DERNIÈRES LETTRES DES TERMINAISONS DES TEMPS SIMPLES

- Dans le tableau, on trouvera les **dernières lettres** des terminaisons de l'**indicatif** (présent, imparfait, futur simple, passé simple, conditionnel présent), du **subjonctif** présent et de l'**impératif présent** pour les trois groupes.

- Comme on peut le constater, les dernières lettres des terminaisons ne sont pas aussi nombreuses qu'on pourrait le croire.

- Les lettres majuscules indiquent les terminaisons les plus fréquentes ; les lettres minuscules indiquent les terminaisons moins fréquentes.

	DERNIÈRES LETTRES DES TERMINAISONS	
Je, j'	-E -S	-ai -x
Tu	-S	-x -e
Il, elle, on	-E -T	-d -a -c*
Nous	-ONS	-mes
Vous	-EZ	-tes
Ils, elles	-ENT	-ont

* La terminaison de **vaincre** et de **convaincre** à la 3e personne du singulier de l'indicatif présent.

Qu'est-ce qu'un verbe pronominal?

- Un **verbe pronominal** est un verbe qui se construit avec un pronom **complément** de la même personne que le sujet. Ce pronom complément désigne le même être ou la même chose que le sujet.

3e pers. sing. *Elle* — **3e pers. sing.** *se* **lève** *tôt chaque matin.*

3e pers. plur. *Ils* — **3e pers. plur.** *se* **lèvent** *tôt chaque matin.*

PRONOMS COMPLÉMENTS	
1re pers. sing. :	*me, m'*
2e pers. sing. :	*te, t'*
3e pers. sing. :	*se, s'*
1re pers. plur. :	*nous*
2e pers. plur. :	*vous*
3e pers. plur. :	*se*

- Les **temps composés** des verbes pronominaux se construisent avec l'auxiliaire **être.**

Mes amies ***se sont promenées*** *dans le parc.*
Ils ***se sont promenés*** *dans le parc.*

LES SORTES DE VERBES PRONOMINAUX

Quelles sont les sortes de verbes pronominaux?

On classe généralement les verbes pronominaux en quatre catégories.

Les pronominaux réfléchis

Un verbe pronominal est dit **réfléchi** lorsque le groupe sujet fait une action dont il (le groupe sujet) est l'objet.

Le cheval ***se désaltérait*** *dans le ruisseau.*

Le cheval et **se** désignent le même être.

Le groupe sujet fait et subit l'action.

Ils ***se baignaient*** *dans la mer.*

Les pronominaux réciproques

Un verbe pronominal est dit **réciproque** lorsque les êtres ou les choses du groupe sujet agissent les uns sur les autres.

Les pronominaux réciproques s'emploient le plus souvent au pluriel.

Mon frère et ma sœur ***se disputent*** *souvent.*

Ils ***se disputent*** *souvent.*

Les pronominaux à sens passif

Un verbe pronominal est dit **à sens passif** lorsque le groupe sujet **subit** l'action.

La cueillette des pommes ***se fait*** *à l'automne.*
Les Laurentides ***se voient*** *de loin.*

Les autres pronominaux

- La catégorie des autres pronominaux regroupe les verbes qui sont **toujours employés à la forme pronominale**.

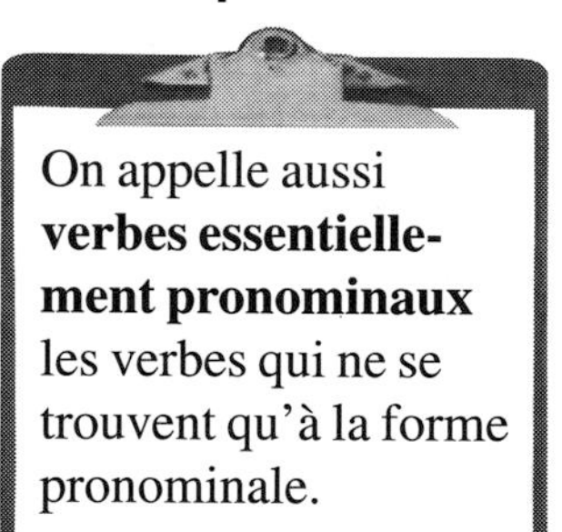

On appelle aussi **verbes essentiellement pronominaux** les verbes qui ne se trouvent qu'à la forme pronominale.

Ils ***se réfugièrent*** *au sous-sol.*

Le verbe **se réfugier** ne peut être utilisé à une autre forme que pronominale ; on ne peut **réfugier quelqu'un** ou **réfugier quelque part**.

Les députés ***se sont mépris*** *sur les intentions de leurs adversaires.*

- Voici des verbes qui sont **toujours** à la forme pronominale.

s'abstenir	*s'écrier*	*s'enquérir*	*s'ingénier*	*se parjurer*	*se repentir*
s'adonner	*s'écrouler*	*s'envoler*	*s'ingérer*	*se raviser*	*se soucier*
s'arroger	*s'efforcer*	*s'évader*	*se lamenter*	*se rebeller*	*se souvenir*
se blottir	*s'emparer*	*s'évanouir*	*s'obstiner*	*se réfugier*	
se démener	*s'empresser*	*s'évertuer*	*se méfier*		
se désister	*s'enfuir*	*s'extasier*	*se méprendre*		

L'ACCORD DES VERBES PRONOMINAUX

Comment accorde-t-on les verbes pronominaux ?

- Aux temps simples, les verbes pronominaux s'accordent comme les autres verbes.

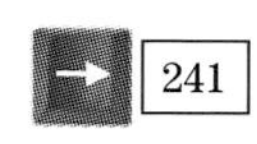
241

- Aux temps composés, le participe passé des verbes pronominaux s'accorde généralement comme le participe passé employé avec **avoir**.

256

Quels sont les groupes de conjugaison?

Le groupe 1 est le groupe des verbes qui se terminent par **-ER**.

*aim***er** *serr***er**
*encercl***er** *cherch***er**

> * Le verbe **aller** se termine par **-er**, mais il fait partie du **Groupe 3**; c'est un verbe irrégulier.

Le groupe 2 est le groupe des verbes qui se terminent par **-IR** et dont le participe présent fait **-issant**.

*fin***ir** (FIN**ISSANT**) *atterr***ir** (ATTERR**ISSANT**)
*alun***ir** (ALUN**ISSANT**) *démol***ir** (DÉMOL**ISSANT**)

Le groupe 3 est le groupe des verbes qui se terminent par **-IR, -RE** et **-OIR**; le participe présent des verbes en **-ir** fait **-ant**.

-IR	-RE	-OIR
*couvr***ir** (COUVR**ANT**)	*di***re** (DIS**ANT**)	*pouv***oir** (POUV**ANT**)
*ten***ir** (TEN**ANT**)	*fai***re** (FAIS**ANT**)	*sav***oir** (SACH**ANT**)
*ven***ir** (VEN**ANT**)	*prend***re** (PREN**ANT**)	*v***oir** (VOY**ANT**)
		*voul***oir** (VOUL**ANT**)

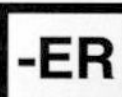

Les verbes qui se terminent par -**ER**

Le verbe ***parler***

*aim**er**, chant**er**, etc.*

On dit aussi que ce sont les verbes du 1er groupe.

Le groupe 1

INDICATIF

	Présent	**Imparfait**	**Futur simple**	**Passé simple**
je	parl **e**	parl **ais**	parl(e) **rai**	parl **ai**
tu	parle **s**	parl **ais**	parl(e) **ras**	parl **as**
il, elle	parl **e**	parl **ait**	parl(e) **ra**	parl **a**
nous	parl **ons**	parl **ions**	parl(e) **rons**	parl **âmes**
vous	parl **ez**	parl **iez**	parl(e) **rez**	parl **âtes**
ils, elles	parl **ent**	parl **aient**	parl(e) **ront**	parl **èrent**

	Passé composé	**Plus-que-parfait**	**Futur antérieur**
j'	ai parl **é**	avais parl **é**	aurai parl **é**
tu	as parl **é**	avais parl **é**	auras parl **é**
il, elle	a parl **é**	avait parl **é**	aura parl **é**
nous	avons parl **é**	avions parl **é**	aurons parl **é**
vous	avez parl **é**	aviez parl **é**	aurez parl **é**
ils, elles	ont parl **é**	avaient parl **é**	auront parl **é**

	Conditionnel présent	**Conditionnel passé**
je, j'	parl(e) **rais**	aurais parl **é**
tu	parl(e) **rais**	aurais parl **é**
il, elle	parl(e) **rait**	aurait parl **é**
nous	parl(e) **rions**	aurions parl **é**
vous	parl(e) **riez**	auriez parl **é**
ils, elles	parl(e) **raient**	auraient parl **é**

SUBJONCTIF

	Présent
que je	parl **e**
que tu	parl **es**
qu'il, qu'elle	parl **e**
que nous	parl **ions**
que vous	parl **iez**
qu'ils, qu'elles	parl **ent**

INFINITIF	**IMPÉRATIF**	**PARTICIPE**	
Présent	**Présent**	**Présent**	**Passé**
parl **er**	parl **e**	parl **ant**	parl **é**
Passé	parl **ons**		parl **ée**
avoir parl **é**	parl **ez**		parl **és**
			parl **ées**

À l'impératif, les verbes en **-er** et quelques verbes en **-ir** (*offrir*, *souffrir*, *ouvrir*, *cueillir* et leurs dérivés) se terminent par **-e** à la 2e personne du singulier.

Attention!

Particularités dans la conjugaison de certains verbes en -ER

- Les verbes en **-cer** prennent une cédille sous le **c** devant **a** et **o**.

▶ *Commen**cer**:* *je commen**ç**ais*
*nous commen**ç**ons*

- Les verbes en **-ger** prennent un **e** muet devant **a** et **o**.

▶ *Man**ger**:* *je mang**e**ais*
*nous mang**e**ons*

- Les verbes en **-eter** et en **-eler** redoublent généralement le **t** ou le **l** devant un **e** muet.

▶ *App**eler**:* *j'appe**ll**e*
*j'appe**ll**erais*
mais *j'appe**l**ais*

▶ *J**eter**:* *je je**tt**e*
*je je**tt**erais*
mais *je je**t**ais*

395

> Cependant, certains verbes en **-eler** et en **-eter** ne suivent pas cette règle ; ils prennent plutôt un accent grave devant un **e** muet. Ils se conjuguent sur le modèle de **acheter** et de **geler.**
>
> | ACHETER | GELER |
> |---|---|
> | *j'ach**è**te* | *je g**è**le* |
> | *tu ach**è**terais* | *tu g**è**lerais* |

- Les verbes en **-ier** conservent le **e** de l'infinitif au futur simple et au conditionnel présent.

futur simple ▶ *il cri**e**ra*
*elles remerci**e**ront*

conditionnel présent ▶ *tu étudi**e**rais*
*nous pri**e**rions*

- Les verbes en **-oyer** et **-uyer** changent le **y** en **i** devant un **e** muet.

▶ *Empl**oyer**:* *j'emplo**i**e* / *ils emplo**i**ent*

▶ *App**uyer**:* *j'appu**i**e* / *elle appu**i**e*

- Les verbes en **-ayer** changent généralement le **y** en **i** devant un **e** muet.

▶ *P**ayer**:* *je pa**i**e* / *ils pa**i**ent*

▶ *Ess**ayer**:* *il essa**i**e* / *elles essa**i**ent*

- Les verbes qui ont un **e** muet à l'avant-dernière syllabe de l'infinitif **-e(-)er** (comme s**e**mer) remplacent ce **e** par **è** devant une syllabe muette.

▶ *L**e**v**er**:* *tu l**è**ves* / mais *nous l**e**vons*

▶ *M**e**n**er**:* *il m**è**nera* / mais *elles m**e**naient*

395

- Les verbes qui ont un **é** à l'avant-dernière syllabe de l'infinitif **-é(-)er** (comme c**é**der) remplacent ce **é** par **è** devant une syllabe muette finale.

▶ *Préf**é**r**er**:* *je préf**è**re* / *elle préf**è**re* / mais *vous préf**é**rez*

▶ *Rép**é**t**er**:* *tu rép**è**tes* / *je rép**è**te* / mais *nous rép**é**tons*

396

- Les verbes en **-éer**, **-ouer** et **-uer** conservent le **e** de l'infinitif au futur simple et au conditionnel présent.

▶ *Cr**é**e**r**:* *il cré**e**ra* / *elles cré**e**raient*

▶ *L**ouer**:* *je lou**e**rai* / *tu lou**e**rais*

▶ *M**uer**:* *sa voix mu**e**ra* / *ils mu**e**raient*

-IR

■ Les verbes qui se terminent par **-IR** et dont le participe présent est en **-issant**

*Fin**ir** (fin**issant**), fourn**ir** (fourn**issant**), etc.* — **MAIS** *offr**ir** (offr**ant**), cour**ir**, ouvr**ir**, souffr**ir*** font partie du groupe 3.

On dit aussi que ce sont les verbes du 2e groupe.

Le verbe *fournir*

Le groupe 2

INDICATIF

	Présent	Imparfait	Futur simple	Passé simple
je	fourni **s**	fourniss **ais**	fourn(i) **rai**	fourn **is**
tu	fourni **s**	fourniss **ais**	fourn(i) **ras**	fourn **is**
il, elle	fourni **t**	fourniss **ait**	fourn(i) **ra**	fourn **it**
nous	fourniss **ons**	fourniss **ions**	fourn(i) **rons**	fourn **îmes**
vous	fourniss **ez**	fourniss **iez**	fourn(i) **rez**	fourn **îtes**
ils, elles	fourniss **ent**	fourniss **aient**	fourn(i) **ront**	fourn **irent**

	Passé composé		Plus-que-parfait		Futur antérieur	
j'	ai	fourn **i**	avais	fourn **i**	aurai	fourn **i**
tu	as	fourn **i**	avais	fourn **i**	auras	fourn **i**
il, elle	a	fourn **i**	avait	fourn **i**	aura	fourn **i**
nous	avons	fourn **i**	avions	fourn **i**	aurons	fourn **i**
vous	avez	fourn **i**	aviez	fourn **i**	aurez	fourn **i**
ils, elles	ont	fourn **i**	avaient	fourn **i**	auront	fourn **i**

	Conditionnel présent	Conditionnel passé	
je, j'	fourn(i) **rais**	aurais	fourn **i**
tu	fourn(i) **rais**	aurais	fourn **i**
il, elle	fourn(i) **rait**	aurait	fourn **i**
nous	fourn(i) **rions**	aurions	fourn **i**
vous	fourn(i) **riez**	auriez	fourn **i**
ils, elles	fourn(i) **raient**	auraient	fourn **i**

SUBJONCTIF

	Présent
que je	fourniss **e**
que tu	fourniss **es**
qu'il, qu'elle	fourniss **e**
que nous	fourniss **ions**
que vous	fourniss **iez**
qu'ils, qu'elles	fourniss **ent**

INFINITIF	IMPÉRATIF	PARTICIPE	
Présent	**Présent**	**Présent**	**Passé**
fourn **ir**	fourni **s**	fourniss **ant**	fourn **i**
Passé	fourniss **ons**		fourn **ie**
avoir fourn **i**	fourniss **ez**		fourn **is**
			fourn **ies**

-IR

Les verbes qui se terminent par -IR et dont le participe présent est en -ant

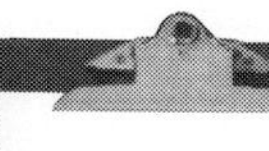

On dit aussi que ce sont les verbes du 3e groupe.

A Le verbe *offrir* (*offrant*)

Le groupe 3

INDICATIF

	Présent	Imparfait	Futur simple	Passé simple
j'	offr **e**	offr **ais**	offri **rai**	offr **is**
tu	offre**s**	offr **ais**	offri **ras**	offr **is**
il, elle	offr **e**	offr **ait**	offri **ra**	offr **it**
nous	offr **ons**	offr **ions**	offri **rons**	offr **îmes**
vous	offr **ez**	offr **iez**	offri **rez**	offr **îtes**
ils, elles	offr **ent**	offr **aient**	offri **ront**	offr **irent**

	Passé composé		Plus-que-parfait		Futur antérieur	
j'	ai	offer **t**	avais	offer **t**	aurai	offer **t**
tu	as	offer **t**	avais	offer **t**	auras	offer **t**
il, elle	a	offer **t**	avait	offer **t**	aura	offer **t**
nous	avons	offer **t**	avions	offer **t**	aurons	offer **t**
vous	avez	offer **t**	aviez	offer **t**	aurez	offer **t**
ils, elles	ont	offer **t**	avaient	offer **t**	auront	offer **t**

	Conditionnel présent	Conditionnel passé	
j'	offri **rais**	aurais	offer **t**
tu	offri **rais**	aurais	offer **t**
il, elle	offri **rait**	aurait	offer **t**
nous	offri **rions**	aurions	offer **t**
vous	offri **riez**	auriez	offer **t**
ils, elles	offri **raient**	auraient	offer **t**

SUBJONCTIF

	Présent
que j'	offr **e**
que tu	offr **es**
qu'il, qu'elle	offr **e**
que nous	offr **ions**
que vous	offr **iez**
qu'ils, qu'elles	offr **ent**

INFINITIF	IMPÉRATIF	PARTICIPE	
Présent	**Présent**	**Présent**	**Passé**
offr **ir**	offr **e**	offr **ant**	offer **t**
Passé	offr **ons**		offer **te**
avoir offer **t**	offr **ez**		offer **ts**
			offer **tes**

Les verbes **couvrir**, **ouvrir** et **souffrir** se conjuguent de la même façon.

B Le verbe *partir*

Le groupe 3

Indicatif

	Présent	Imparfait	Futur simple	Passé simple
je	par **s**	part **ais**	parti **rai**	part **is**
tu	par **s**	part **ais**	parti **ras**	part **is**
il, elle	par **t**	part **ait**	parti **ra**	part **it**
nous	part **ons**	part **ions**	parti **rons**	part **îmes**
vous	part **ez**	part **iez**	parti **rez**	part **îtes**
ils, elles	part **ent**	part **aient**	parti **ront**	part **irent**

	Passé composé		Plus-que-parfait		Futur antérieur	
je, j'	suis	part **i***	étais	part **i***	serai	part **i***
tu	es	part **i**	étais	part **i**	seras	part **i**
il, elle	est	part **i**	était	part **i**	sera	part **i**
nous	sommes	part **is**	étions	part **is**	serons	part **is**
vous	êtes	part **is**	étiez	part **is**	serez	part **is**
ils, elles	sont	part **is**	étaient	part **is**	seront	part **is**

	Conditionnel présent	Conditionnel passé		Subjonctif	Présent
je	parti **rais**	serais	part **i***	que je	part **e**
tu	parti **rais**	serais	part **i**	que tu	part **es**
il, elle	parti **rait**	serait	part **i**	qu'il, qu'elle	part **e**
nous	parti **rions**	serions	part **is**	que nous	part **ions**
vous	parti **riez**	seriez	part **is**	que vous	part **iez**
ils, elles	parti **raient**	seraient	part **is**	qu'ils, qu'elles	part **ent**

Infinitif	Impératif	Participe	
Présent	**Présent**	**Présent**	**Passé**
part **ir**	par **s**	part **ant**	part **i**
Passé	part **ons**		part **ie**
être part **i**	part **ez**		part **is**
être part **ie**			part **ies**
être part **is**			
être part **ies**			

Les verbes **mentir** et **sortir** ainsi que leurs dérivés se conjuguent de la même façon aux temps simples. Le verbe **mentir** se conjugue avec l'auxiliaire **avoir** aux temps composés.

* masculin singulier : **parti**
féminin singulier : **partie**
masculin pluriel : **partis**
féminin pluriel : **parties**

C Le verbe *venir*

Le groupe 3

Indicatif

	Présent	Imparfait	Futur simple	Passé simple
je	vien **s**	ven **ais**	viend **rai**	v **ins**
tu	vien **s**	ven **ais**	viend **ras**	v **ins**
il, elle	vien **t**	ven **ait**	viend **ra**	v **int**
nous	ven **ons**	ven **ions**	viend **rons**	v **înmes**
vous	ven **ez**	ven **iez**	viend **rez**	v **întes**
ils, elles	vienn **ent**	ven **aient**	viend **ront**	v **inrent**

	Passé composé	Plus-que-parfait	Futur antérieur
je, j'	suis ven **u***	étais ven **u***	serai ven **u***
tu	es ven **u**	étais ven **u**	seras ven **u**
il, elle	est ven **u**	était ven **u**	sera ven **u**
nous	sommes ven **us**	étions ven **us**	serons ven **us**
vous	êtes ven **us**	étiez ven **us**	serez ven **us**
ils, elles	sont ven **us**	étaient ven **us**	seront ven **us**

	Conditionnel présent	Conditionnel passé
je	viend **rais**	serais ven **u***
tu	viend **rais**	serais ven **u**
il, elle	viend **rait**	serait ven **u**
nous	viend **rions**	serions ven **us**
vous	viend **riez**	seriez ven **us**
ils, elles	viend **raient**	seraient ven **us**

Subjonctif

	Présent
que je	vienn **e**
que tu	vienn **es**
qu'il, qu'elle	vienn **e**
que nous	ven **ions**
que vous	ven **iez**
qu'ils, qu'elles	vienn **ent**

Infinitif

Présent
ven **ir**

Passé
être ven **u**
être ven **ue**
être ven **us**
être ven **ues**

Impératif

Présent
vien **s**
ven **ons**
ven **ez**

Participe

Présent
ven **ant**

Passé
ven **u**
ven **ue**
ven **us**
ven **ues**

Les verbes **tenir** et **venir** ainsi que leurs dérivés se conjuguent de la même façon aux temps simples. Le verbe **tenir** et ses dérivés se conjuguent avec l'auxiliaire **avoir** aux temps composés.

* masculin singulier : **venu**
féminin singulier : **venue**
masculin pluriel : **venus**
féminin pluriel : **venues**

Les verbes qui se terminent par -RE

D Le verbe *faire*

Le groupe 3

INDICATIF

	Présent	Imparfait	Futur simple	Passé simple
je	fai **s**	fais **ais**	fe **rai**	f **is**
tu	fai **s**	fais **ais**	fe **ras**	f **is**
il, elle	fai **t**	fais **ait**	fe **ra**	f **it**
nous	fais **ons**	fais **ions**	fe **rons**	f **îmes**
vous	fai **tes**	fais **iez**	fe **rez**	f **îtes**
ils, elles	f **ont**	fais **aient**	fe **ront**	f **irent**

	Passé composé		Plus-que-parfait		Futur antérieur	
j'	ai	fai **t**	avais	fai **t**	aurai	fai **t**
tu	as	fai **t**	avais	fai **t**	auras	fai **t**
il, elle	a	fai **t**	avait	fai **t**	aura	fai **t**
nous	avons	fai **t**	avions	fai **t**	aurons	fai **t**
vous	avez	fai **t**	aviez	fai **t**	aurez	fai **t**
ils, elles	ont	fai **t**	avaient	fai **t**	auront	fai **t**

	Conditionnel présent	Conditionnel passé	
je, j'	fe **rais**	aurais	fai **t**
tu	fe **rais**	aurais	fai **t**
il, elle	fe **rait**	aurait	fai **t**
nous	fe **rions**	aurions	fai **t**
vous	fe **riez**	auriez	fai **t**
ils, elles	fe **raient**	auraient	fai **t**

SUBJONCTIF

	Présent
que je	fass **e**
que tu	fass **es**
qu'il, qu'elle	fass **e**
que nous	fass **ions**
que vous	fass **iez**
qu'ils, qu'elles	fass **ent**

INFINITIF	IMPÉRATIF	PARTICIPE	
Présent	**Présent**	**Présent**	**Passé**
fai **re**	fai **s**	fais **ant**	fai **t**
Passé	fais **ons**		fai **te**
avoir fai **t**	fai **tes**		fai **ts**
			fai **tes**

E Le verbe *dire*

Le groupe 3

INDICATIF

	Présent	**Imparfait**	**Futur simple**	**Passé simple**
je	di **s**	dis **ais**	di **rai**	d **is**
tu	di **s**	dis **ais**	di **ras**	d **is**
il, elle	di **t**	dis **ait**	di **ra**	d **it**
nous	dis **ons**	dis **ions**	di **rons**	d **îmes**
vous	di **tes**	dis **iez**	di **rez**	d **îtes**
ils, elles	dis **ent**	dis **aient**	di **ront**	d **irent**

	Passé composé		**Plus-que-parfait**		**Futur antérieur**	
j'	ai	di **t**	avais	di **t**	aurai	di **t**
tu	as	di **t**	avais	di **t**	auras	di **t**
il, elle	a	di **t**	avait	di **t**	aura	di **t**
nous	avons	di **t**	avions	di **t**	aurons	di **t**
vous	avez	di **t**	aviez	di **t**	aurez	di **t**
ils, elles	ont	di **t**	avaient	di **t**	auront	di **t**

	Conditionnel présent	**Conditionnel passé**	
je, j'	di **rais**	aurais	di **t**
tu	di **rais**	aurais	di **t**
il, elle	di **rait**	aurait	di **t**
nous	di **rions**	aurions	di **t**
vous	di **riez**	auriez	di **t**
ils, elles	di **raient**	auraient	di **t**

SUBJONCTIF

	Présent
que je	dis **e**
que tu	dis **es**
qu'il, qu'elle	dis **e**
que nous	dis **ions**
que vous	dis **iez**
qu'ils, qu'elles	dis **ent**

INFINITIF	**IMPÉRATIF**	**PARTICIPE**	
Présent	**Présent**	**Présent**	**Passé**
di **re**	di **s**	dis **ant**	di **t**
Passé	dis **ons**		di **te**
avoir di **t**	di **tes**		di **ts**
			di **tes**

Les verbes **contredire**, **dédire**, **interdire**, **médire** et **prédire** se terminent par **-ez** à la 2e personne du pluriel du présent de l'indicatif et de l'impératif.

*Vous contredis**ez***
*Interdis**ez***

Ⓕ Le verbe *prendre*

Le groupe 3

INDICATIF

	Présent	Imparfait	Futur simple	Passé simple
je	prend **s**	pren **ais**	prend **rai**	pr **is**
tu	prend **s**	pren **ais**	prend **ras**	pr **is**
il, elle	pren **d**	pren **ait**	prend **ra**	pr **it**
nous	pren **ons**	pren **ions**	prend **rons**	pr **îmes**
vous	pren **ez**	pren **iez**	prend **rez**	pr **îtes**
ils, elles	prenn **ent**	pren **aient**	prend **ront**	pr **irent**

	Passé composé		Plus-que-parfait		Futur antérieur	
j'	ai	pri **s**	avais	pri **s**	aurai	pri **s**
tu	as	pri **s**	avais	pri **s**	auras	pri **s**
il, elle	a	pri **s**	avait	pri **s**	aura	pri **s**
nous	avons	pri **s**	avions	pri **s**	aurons	pri **s**
vous	avez	pri **s**	aviez	pri **s**	aurez	pri **s**
ils, elles	ont	pri **s**	avaient	pri **s**	auront	pri **s**

	Conditionnel présent	Conditionnel passé	
je, j'	prend **rais**	aurais	pri **s**
tu	prend **rais**	aurais	pri **s**
il, elle	prend **rait**	aurait	pri **s**
nous	prend **rions**	aurions	pri **s**
vous	prend **riez**	auriez	pri **s**
ils, elles	prend **raient**	auraient	pri **s**

SUBJONCTIF

	Présent
que je	prenn **e**
que tu	prenn **es**
qu'il, qu'elle	prenn **e**
que nous	pren **ions**
que vous	pren **iez**
qu'ils, qu'elles	prenn **ent**

INFINITIF	IMPÉRATIF	PARTICIPE	
Présent	**Présent**	**Présent**	**Passé**
prend **re**	prend **s**	pren **ant**	pri **s**
Passé	pren **ons**		pri **se**
avoir pri **s**	pren **ez**		pri **s**
			pri **ses**

G Le verbe *connaître*

Le groupe 3

Indicatif

	Présent	Imparfait	Futur simple	Passé simple
je	connai **s**	connaiss **ais**	connaît **rai**	conn **us**
tu	connai **s**	connaiss **ais**	connaît **ras**	conn **us**
il, elle	connaî **t**	connaiss **ait**	connaît **ra**	conn **ut**
nous	connaiss **ons**	connaiss **ions**	connaît **rons**	conn **ûmes**
vous	connaiss **ez**	connaiss **iez**	connaît **rez**	conn **ûtes**
ils, elles	connaiss **ent**	connaiss **aient**	connaît **ront**	conn **urent**

	Passé composé	Plus-que-parfait	Futur antérieur
j'	ai conn **u**	avais conn **u**	aurai conn **u**
tu	as conn **u**	avais conn **u**	auras conn **u**
il, elle	a conn **u**	avait conn **u**	aura conn **u**
nous	avons conn **u**	avions conn **u**	aurons conn **u**
vous	avez conn **u**	aviez conn **u**	aurez conn **u**
ils, elles	ont conn **u**	avaient conn **u**	auront conn **u**

	Conditionnel présent	Conditionnel passé
je, j'	connaît **rais**	aurais conn **u**
tu	connaît **rais**	aurais conn **u**
il, elle	connaît **rait**	aurait conn **u**
nous	connaît **rions**	aurions conn **u**
vous	connaît **riez**	auriez conn **u**
ils, elles	connaît **raient**	auraient conn **u**

Subjonctif

	Présent
que je	connaiss **e**
que tu	connaiss **es**
qu'il, qu'elle	connaiss **e**
que nous	connaiss **ions**
que vous	connaiss **iez**
qu'ils, qu'elles	connaiss **ent**

Infinitif	Impératif	Participe	
Présent	**Présent**	**Présent**	**Passé**
connaît **re**	connai **s**	connaiss **ant**	conn **u**
Passé	connaiss **ons**		conn **ue**
avoir conn **u**	connaiss **ez**		conn **us**
			conn **ues**

Les verbes qui se terminent par **-aître** (sauf *naître* et *paître*) se conjuguent de la même façon.

H Le verbe *mettre*

Le groupe 3

Indicatif

	Présent	**Imparfait**	**Futur simple**	**Passé simple**
je	met **s**	mett **ais**	mett **rai**	m **is**
tu	met **s**	mett **ais**	mett **ras**	m **is**
il, elle	me **t**	mett **ait**	mett **ra**	m **it**
nous	mett **ons**	mett **ions**	mett **rons**	m **îmes**
vous	mett **ez**	mett **iez**	mett **rez**	m **îtes**
ils, elles	mett **ent**	mett **aient**	mett **ront**	m **irent**

	Passé composé		**Plus-que-parfait**		**Futur antérieur**	
j'	ai	mi **s**	avais	mi **s**	aurai	mi **s**
tu	as	mi **s**	avais	mi **s**	auras	mi **s**
il, elle	a	mi **s**	avait	mi **s**	aura	mi **s**
nous	avons	mi **s**	avions	mi **s**	aurons	mi **s**
vous	avez	mi **s**	aviez	mi **s**	aurez	mi **s**
ils, elles	ont	mi **s**	avaient	mi **s**	auront	mi **s**

	Conditionnel présent	**Conditionnel passé**	
je, j'	mett **rais**	aurais	mi **s**
tu	mett **rais**	aurais	mi **s**
il, elle	mett **rait**	aurait	mi **s**
nous	mett **rions**	aurions	mi **s**
vous	mett **riez**	auriez	mi **s**
ils, elles	mett **raient**	auraient	mi **s**

Subjonctif

	Présent
que je	mett **e**
que tu	mett **es**
qu'il, qu'elle	mett **e**
que nous	mett **ions**
que vous	mett **iez**
qu'ils, qu'elles	mett **ent**

Infinitif	Impératif	Participe	
Présent	**Présent**	**Présent**	**Passé**
mett **re**	met **s**	mett **ant**	mi **s**
Passé	mett **ons**		mi **se**
avoir mi **s**	mett **ez**		mi **s**
			mi **ses**

Les dérivés de **mettre** se conjuguent de la même façon.

I Le verbe *perdre*

Le groupe 3

Indicatif

	Présent	Imparfait	Futur simple	Passé simple
je	perd **s**	perd **ais**	perd **rai**	perd **is**
tu	perd **s**	perd **ais**	perd **ras**	perd **is**
il, elle	per **d**	perd **ait**	perd **ra**	perd **it**
nous	perd **ons**	perd **ions**	perd **rons**	perd **îmes**
vous	perd **ez**	perd **iez**	perd **rez**	perd **îtes**
ils, elles	perd **ent**	perd **aient**	perd **ront**	perd **irent**

	Passé composé		Plus-que-parfait		Futur antérieur	
j'	ai	perd **u**	avais	perd **u**	aurai	perd **u**
tu	as	perd **u**	avais	perd **u**	auras	perd **u**
il, elle	a	perd **u**	avait	perd **u**	aura	perd **u**
nous	avons	perd **u**	avions	perd **u**	aurons	perd **u**
vous	avez	perd **u**	aviez	perd **u**	aurez	perd **u**
ils, elles	ont	perd **u**	avaient	perd **u**	auront	perd **u**

	Conditionnel présent	Conditionnel passé	
je, j'	perd **rais**	aurais	perd **u**
tu	perd **rais**	aurais	perd **u**
il, elle	perd **rait**	aurait	perd **u**
nous	perd **rions**	aurions	perd **u**
vous	perd **riez**	auriez	perd **u**
ils, elles	perd **raient**	auraient	perd **u**

Subjonctif

	Présent
que je	perd **e**
que tu	perd **es**
qu'il, qu'elle	perd **e**
que nous	perd **ions**
que vous	perd **iez**
qu'ils, qu'elles	perd **ent**

Infinitif	Impératif	Participe	
Présent	**Présent**	**Présent**	**Passé**
perd **re**	perd **s**	perd **ant**	perd **u**
Passé	perd **ons**		perd **ue**
avoir perd **u**	perd **ez**		perd **us**
			perd **ues**

Les verbes **vendre**, **répandre**, **fondre**, **rompre**, **corrompre**, **interrompre** et leurs dérivés se conjuguent de la même façon.

J Le verbe *pouvoir*

Le groupe 3

INDICATIF

	Présent	Imparfait	Futur simple	Passé simple
je	peu **x**	pouv **ais**	pour **rai**	p **us**
tu	peu **x**	pouv **ais**	pour **ras**	p **us**
il, elle	peu **t**	pouv **ait**	pour **ra**	p **ut**
nous	pouv **ons**	pouv **ions**	pour **rons**	p **ûmes**
vous	pouv **ez**	pouv **iez**	pour **rez**	p **ûtes**
ils, elles	peuv **ent**	pouv **aient**	pour **ront**	p **urent**

	Passé composé		Plus-que-parfait		Futur antérieur	
j'	ai	p **u**	avais	p **u**	aurai	p **u**
tu	as	p **u**	avais	p **u**	auras	p **u**
il, elle	a	p **u**	avait	p **u**	aura	p **u**
nous	avons	p **u**	avions	p **u**	aurons	p **u**
vous	avez	p **u**	aviez	p **u**	aurez	p **u**
ils, elles	ont	p **u**	avaient	p **u**	auront	p **u**

	Conditionnel présent	Conditionnel passé	
je, j'	pour **rais**	aurais	p **u**
tu	pour **rais**	aurais	p **u**
il, elle	pour **rait**	aurait	p **u**
nous	pour **rions**	aurions	p **u**
vous	pour **riez**	auriez	p **u**
ils, elles	pour **raient**	auraient	p **u**

SUBJONCTIF

	Présent
que je	puiss **e**
que tu	puiss **es**
qu'il, qu'elle	puiss **e**
que nous	puiss **ions**
que vous	puiss **iez**
qu'ils, qu'elles	puiss **ent**

INFINITIF	IMPÉRATIF	PARTICIPE	
Présent	**Présent**	**Présent**	**Passé**
pouv **oir**	(inusité)	pouv **ant**	p **u** (invariable)
Passé			
avoir p**u**			

■ Les verbes qui se terminent par -OIR

K Le verbe *savoir*

Le groupe 3

INDICATIF

	Présent	**Imparfait**	**Futur simple**	**Passé simple**
je	sai **s**	sav **ais**	sau **rai**	s **us**
tu	sai **s**	sav **ais**	sau **ras**	s **us**
il, elle	sai **t**	sav **ait**	sau **ra**	s **ut**
nous	sav **ons**	sav **ions**	sau **rons**	s **ûmes**
vous	sav **ez**	sav **iez**	sau **rez**	s **ûtes**
ils, elles	sav **ent**	sav **aient**	sau **ront**	s **urent**

	Passé composé	**Plus-que-parfait**	**Futur antérieur**
j'	ai s **u**	avais s **u**	aurai s **u**
tu	as s **u**	avais s **u**	auras s **u**
il, elle	a s **u**	avait s **u**	aura s **u**
nous	avons s **u**	avions s **u**	aurons s **u**
vous	avez s **u**	aviez s **u**	aurez s **u**
ils, elles	ont s **u**	avaient s **u**	auront s **u**

	Conditionnel présent	**Conditionnel passé**
je, j'	sau **rais**	aurais s **u**
tu	sau **rais**	aurais s **u**
il, elle	sau **rait**	aurait s **u**
nous	sau **rions**	aurions s **u**
vous	sau **riez**	auriez s **u**
ils, elles	sau **raient**	auraient s **u**

SUBJONCTIF

	Présent
que je	sach **e**
que tu	sach **es**
qu'il, qu'elle	sach **e**
que nous	sach **ions**
que vous	sach **iez**
qu'ils, qu'elles	sach **ent**

INFINITIF	**IMPÉRATIF**	**PARTICIPE**	
Présent	**Présent**	**Présent**	**Passé**
sav **oir**	sach **e**	sach **ant**	s **u**
Passé	sach **ons**		s **ue**
avoir s **u**	sach **ez**		s **us**
			s **ues**

L Le verbe *voir*

Le groupe 3

INDICATIF

	Présent	Imparfait	Futur simple	Passé simple
je	voi **s**	voy **ais**	ver **rai**	v **is**
tu	voi **s**	voy **ais**	ver **ras**	v **is**
il, elle	voi **t**	voy **ait**	ver **ra**	v **it**
nous	voy **ons**	voy **ions**	ver **rons**	v **îmes**
vous	voy **ez**	voy **iez**	ver **rez**	v **îtes**
ils, elles	voi **ent**	voy **aient**	ver **ront**	v **irent**

	Passé composé	Plus-que-parfait	Futur antérieur
j'	ai v **u**	avais v **u**	aurai v **u**
tu	as v **u**	avais v **u**	auras v **u**
il, elle	a v **u**	avait v **u**	aura v **u**
nous	avons v **u**	avions v **u**	aurons v **u**
vous	avez v **u**	aviez v **u**	aurez v **u**
ils, elles	ont v **u**	avaient v **u**	auront v **u**

	Conditionnel présent	Conditionnel passé
je, j'	ver **rais**	aurais v **u**
tu	ver **rais**	aurais v **u**
il, elle	ver **rait**	aurait v **u**
nous	ver **rions**	aurions v **u**
vous	ver **riez**	auriez v **u**
ils, elles	ver **raient**	auraient v **u**

SUBJONCTIF

	Présent
que je	voi **e**
que tu	voi **es**
qu'il, qu'elle	voi **e**
que nous	voy **ions**
que vous	voy **iez**
qu'ils, qu'elles	voi **ent**

INFINITIF	IMPÉRATIF	PARTICIPE Présent	PARTICIPE Passé
Présent	**Présent**	**Présent**	**Passé**
v **oir**	voi **s**	voy **ant**	v **u**
Passé	voy **ons**		v **ue**
avoir v **u**	voy **ez**		v **us**
			v **ues**

Ⓜ Le verbe *vouloir*

Le groupe 3

INDICATIF

	Présent	Imparfait	Futur simple	Passé simple
je	veu **x**	voul **ais**	voud **rai**	voul **us**
tu	veu **x**	voul **ais**	voud **ras**	voul **us**
il, elle	veu **t**	voul **ait**	voud **ra**	voul **ut**
nous	voul **ons**	voul **ions**	voud **rons**	voul **ûmes**
vous	voul **ez**	voul **iez**	voud **rez**	voul **ûtes**
ils, elles	veul **ent**	voul **aient**	voud **ront**	voul **urent**

	Passé composé		Plus-que-parfait		Futur antérieur	
j'	ai	voul **u**	avais	voul **u**	aurai	voul **u**
tu	as	voul **u**	avais	voul **u**	auras	voul **u**
il, elle	a	voul **u**	avait	voul **u**	aura	voul **u**
nous	avons	voul **u**	avions	voul **u**	aurons	voul **u**
vous	avez	voul **u**	aviez	voul **u**	aurez	voul **u**
ils, elles	ont	voul **u**	avaient	voul **u**	auront	voul **u**

	Conditionnel présent	Conditionnel passé	
je, j'	voud **rais**	aurais	voul **u**
tu	voud **rais**	aurais	voul **u**
il, elle	voud **rait**	aurait	voul **u**
nous	voud **rions**	aurions	voul **u**
vous	voud **riez**	auriez	voul **u**
ils, elles	voud **raient**	auraient	voul **u**

SUBJONCTIF

	Présent
que je	veuill **e**
que tu	veuill **es**
qu'il, qu'elle	veuill **e**
que nous	voul **ions**
que vous	voul **iez**
qu'ils, qu'elles	veuill **ent**

INFINITIF	IMPÉRATIF	PARTICIPE	
Présent	**Présent**	**Présent**	**Passé**
voul **oir**	veu **x** (veuille)	voul **ant**	voul **u**
Passé	voul **ons** (veuillons)		voul **ue**
avoir voul **u**	voul **ez** (veuillez)		voul **us**
			voul **ues**

N Le verbe *aller*

Le groupe 3

INDICATIF

	Présent	**Imparfait**	**Futur simple**	**Passé simple**
je, j'	vai **s**	all **ais**	i **rai**	all **ai**
tu	va **s**	all **ais**	i **ras**	all **as**
il, elle	v **a**	all **ait**	i **ra**	all **a**
nous	all **ons**	all **ions**	i **rons**	all **âmes**
vous	all **ez**	all **iez**	i **rez**	all **âtes**
ils, elles	v **ont**	all **aient**	i **ront**	all **èrent**

	Passé composé		**Plus-que-parfait**		**Futur antérieur**	
je, j'	suis	all **é***	étais	all **é***	serai	all **é***
tu	es	all **é**	étais	all **é**	seras	all **é**
il, elle	est	all **é**	était	all **é**	sera	all **é**
nous	sommes	all **és**	étions	all **és**	serons	all **és**
vous	êtes	all **és**	étiez	all **és**	serez	all **és**
ils, elles	sont	all **és**	étaient	all **és**	seront	all **és**

	Conditionnel présent	**Conditionnel passé**		**SUBJONCTIF**	**Présent**
je, j'	i **rais**	serais	all **é***	que j'	aill **e**
tu	i **rais**	serais	all **é**	que tu	aill **es**
il, elle	i **rait**	serait	all **é**	qu'il, qu'elle	aill **e**
nous	i **rions**	serions	all **és**	que nous	all **ions**
vous	i **riez**	seriez	all **és**	que vous	all **iez**
ils, elles	i **raient**	seraient	all **és**	qu'ils, qu'elles	aill **ent**

INFINITIF	**IMPÉRATIF**	**PARTICIPE**	
Présent	**Présent**	**Présent**	**Passé**
all **er**	v **a**	all **ant**	all **é**
Passé	all **ons**		all **ée**
être all **é**	all **ez**		all **és**
être all **ée**			all **ées**
être all **és**			
être all **ées**			

On utilise l'indicatif présent du verbe **aller** pour former le **futur proche** de tous les verbes.

*Je **vais manger** dans une heure.*
*Tu **vas recevoir** un cadeau bientôt.*

* masculin singulier : **allé**
féminin singulier : **allée**
masculin pluriel : **allés**
féminin pluriel : **allées**

194 ←

Les verbes **avoir** et **être**

Les verbes **avoir** et **être** ne font partie d'aucun des trois groupes de conjugaison et ils sont parmi les verbes les plus employés.

Ils sont souvent **auxiliaires**, c'est-à-dire qu'ils servent à former les temps composés ; ils sont également employés seuls et peuvent être conjugués à tous les temps et à tous les modes.

Pour devenir auxiliaires, les verbes **avoir** et **être** doivent s'éloigner de leur sens courant.

Le verbe *avoir*

INDICATIF

	Présent	**Imparfait**	**Futur simple**	**Passé simple**
j'	**ai**	av **ais**	au **rai**	e **us**
tu	a **s**	av **ais**	au **ras**	e **us**
il, elle	**a**	av **ait**	au **ra**	e **ut**
nous	av **ons**	av **ions**	au **rons**	e **ûmes**
vous	av **ez**	av **iez**	au **rez**	e **ûtes**
ils, elles	**ont**	av **aient**	au **ront**	e **urent**

	Passé composé		**Plus-que-parfait**		**Futur antérieur**	
j'	ai	e **u**	avais	e **u**	aurai	e **u**
tu	as	e **u**	avais	e **u**	auras	e **u**
il, elle	a	e **u**	avait	e **u**	aura	e **u**
nous	avons	e **u**	avions	e **u**	aurons	e **u**
vous	avez	e **u**	aviez	e **u**	aurez	e **u**
ils, elles	ont	e **u**	avaient	e **u**	auront	e **u**

	Conditionnel présent	**Conditionnel passé**	
j'	au **rais**	aurais	e **u**
tu	au **rais**	aurais	e **u**
il, elle	au **rait**	aurait	e **u**
nous	au **rions**	aurions	e **u**
vous	au **riez**	auriez	e **u**
ils, elles	au **raient**	auraient	e **u**

SUBJONCTIF

	Présent
que j'	ai **e**
que tu	ai **es**
qu'il, qu'elle	ai **t**
que nous	ay **ons**
que vous	ay **ez**
qu'ils, qu'elles	ai **ent**

INFINITIF	**IMPÉRATIF**	**PARTICIPE**	
Présent	**Présent**	**Présent**	**Passé**
av **oir**	ai **e**	ay **ant**	e **u**
Passé	ay **ons**		e **ue**
avoir e **u**	ay **ez**		e **us**
			e **ues**

Le verbe **être**

INDICATIF

	Présent	**Imparfait**	**Futur simple**	**Passé simple**
je, j'	sui **s**	ét **ais**	se **rai**	f **us**
tu	e **s**	ét **ais**	se **ras**	f **us**
il, elle	es **t**	ét **ait**	se **ra**	f **ut**
nous	som **mes**	ét **ions**	se **rons**	f **ûmes**
vous	ê **tes**	ét **iez**	se **rez**	f **ûtes**
ils, elles	s **ont**	ét **aient**	se **ront**	f **urent**

	Passé composé		**Plus-que-parfait**		**Futur antérieur**	
j'	ai	ét **é**	avais	ét **é**	aurai	ét **é**
tu	as	ét **é**	avais	ét **é**	auras	ét **é**
il, elle	a	ét **é**	avait	ét **é**	aura	ét **é**
nous	avons	ét **é**	avions	ét **é**	aurons	ét **é**
vous	avez	ét **é**	aviez	ét **é**	aurez	ét **é**
ils, elles	ont	ét **é**	avaient	ét **é**	auront	ét **é**

	Conditionnel présent	**Conditionnel passé**	
je, j'	se **rais**	aurais	ét **é**
tu	se **rais**	aurais	ét **é**
il, elle	se **rait**	aurait	ét **é**
nous	se **rions**	aurions	ét **é**
vous	se **riez**	auriez	ét **é**
ils, elles	se **raient**	auraient	ét **é**

SUBJONCTIF

	Présent
que je	soi **s**
que tu	soi **s**
qu'il, qu'elle	soi **t**
que nous	soy **ons**
que vous	soy **ez**
qu'ils, qu'elles	soi **ent**

INFINITIF	**IMPÉRATIF**	**PARTICIPE**	
Présent	**Présent**	**Présent**	**Passé**
êt **re**	soi **s**	ét **ant**	ét **é**
Passé	soy **ons**		(invariable)
avoir ét **é**	soy **ez**		

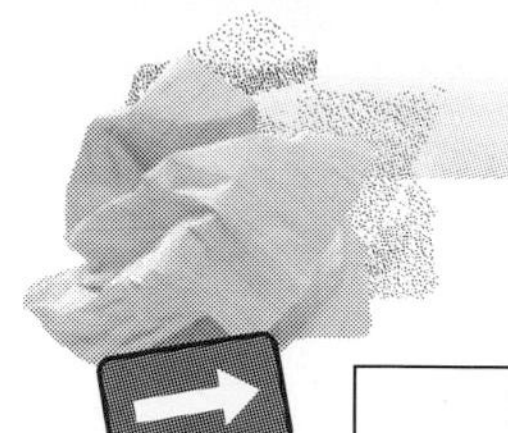

Attention!

Particularités dans la conjugaison de certains verbes irréguliers

- Les verbes qui se terminent par **-dre** conservent le **d** du radical à la 3e personne de l'indicatif présent.

▸ ***Répandre***: *il répan**d***
▸ ***Rendre***: *elle ren**d***
▸ ***Tondre***: *il ton**d***
▸ ***Perdre***: *elle per**d***
▸ ***Coudre***: *il cou**d***
▸ ***Tordre***: *elle tor**d***

- Les verbes qui se terminent par **-indre** et **-soudre** perdent le **d** aux trois personnes du singulier de l'indicatif présent et à la 2e personne du singulier de l'impératif.

▸ ***Craindre***: *je crain**s***
*tu crain**s***
*il crain**t***
*crain**s***

▸ ***Peindre***: *je pein**s***
*tu pein**s***
*elle pein**t***
*pein**s***

▸ ***Joindre***: *je join**s***
*tu join**s***
*il join**t***
*join**s***

▸ ***Résoudre***: *je résou**s***
*tu résou**s***
*il résou**t***
*résou**s***

- Les verbes qui se terminent par **-aître** et **-oître** prennent un accent circonflexe sur le **i** qui est suivi d'un **t**.

▸ ***Connaître***: *elle conna**ît***
*il conna**ît**ra*
mais *je conna**is***

▸ ***Croître***: *il cro**ît***
*elle cro**ît**ra*
mais *tu cro**is***

→

- Les verbes **vaincre** et **convaincre** conserve le **c** du radical à la 3e personne de l'indicatif présent.
  - ***Vaincre***: *il vain**c***
  - ***Convaincre***: *elle convain**c***

- Les verbes **rompre**, **corrompre** et **interrompre** ajoutent un **t** à la consonne finale du radical à la 3e personne du singulier de l'indicatif présent.
  - ***Rompre***: *elle rom**pt***
  - ***Interrompre***: *il interrom**pt***

Qu'est-ce qu'un semi-auxiliaire?

passé récent

- Nous **venons de** voir aux pages 234 et 235 que des verbes qui s'éloignent de leur sens original peuvent jouer le rôle d'auxiliaires. D'autres verbes, en s'éloignant de leur sens original, jouent un rôle similaire; on les appelle des **semi-auxiliaires**.

- Certains semi-auxiliaires présentent un aspect de **temps**.

FUTUR PROCHE ▶ *Je **vais** repartir dans une heure (aller).*

PASSÉ RÉCENT ▶ *Elle **vient de** terminer son travail de recherche (venir de).*

- D'autres semi-auxiliaires présentent un aspect de **mode**.

VRAISEMBLANCE PROBABILITÉ ▶ *Jean-François **doit** être malade (devoir).*

HYPOTHÈSE ▶ *Il **pouvait** être deux heures du matin lorsque l'incendie se déclara (pouvoir).*

ÉVENTUALITÉ ▶ *Elle serait fâchée si elle **venait à** apprendre la vérité (venir à).*

CAUSE ▶ *Cette émission de télévision **a fait** rêver plusieurs personnes (faire).*

402

Les temps et les modes peu fréquents

Nous avons reporté dans la présente section la conjugaison des temps et des modes suivants : le subjonctif imparfait, le subjonctif plus-que-parfait et l'impératif passé, car nous souhaitions présenter les modes et les temps les plus fréquents dans les tableaux de conjugaison.

189 ←

Voici les informations nécessaires pour conjuguer les verbes à ces modes et à ces temps.

L'IMPARFAIT DU SUBJONCTIF

- **L'imparfait du subjonctif** est un temps simple.

Les terminaisons des verbes en **-er** à l'**imparfait du subjonctif** sont les suivantes :	
	-**a**sse
	-**a**sses
	-**â**t
	-**a**ssions
	-**a**ssiez
	-**a**ssent

Les terminaisons des autres verbes (**-ir, -re, -oir**) à l'**imparfait du subjonctif** sont les suivantes :		
	-**i**sse	-**u**sse
	-**i**sses	-**u**sses
	-**î**t	-**û**t
	-**i**ssions	-**u**ssions
	-**i**ssiez	-**u**ssiez
	-**i**ssent	-**u**ssent

EXEMPLES

	Parler	**Fournir**	**Boire**	**Avoir**
que je, que j'	parlasse	fournisse	busse	eusse
que tu	parlasses	fournisses	busses	eusses
qu'il, qu'elle	parlât	fournît	bût	eût
que nous	parlassions	fournissions	bussions	eussions
que vous	parlassiez	fournissiez	bussiez	eussiez
qu'ils, qu'elles	parlassent	fournissent	bussent	eussent

- Le passé simple des verbes modèles peut donner un indice sur la voyelle **a** (*-asse*), **i** (*-isse*) ou **u** (*-usse*) utilisée dans la conjugaison de l'imparfait du subjonctif.

- Les verbes **venir**, **tenir** et leurs dérivés font exception et se conjuguent ainsi : *tinsse, tinsses, tînt, tinssions, tinssiez, tinssent* et *vinsse, vinsses, vînt, vinssions, vinssiez, vinssent.*

LE PLUS-QUE-PARFAIT DU SUBJONCTIF

- Le **plus-que-parfait du subjonctif** est un temps composé.
- Pour former le **plus-que-parfait du subjonctif**, on utilise l'auxiliaire **avoir** (ou, parfois, l'auxiliaire **être**) à l'imparfait du subjonctif suivi du participe passé du verbe concerné.

Exemples								
	Parler		**Fournir**		**Battre**		**Aller**	
que je, que j'	eusse	parlé	eusse	fourni	eusse	battu	fusse	allé*
que tu	eusses	parlé	eusses	fourni	eusses	battu	fusses	allé
qu'il, qu'elle	eût	parlé	eût	fourni	eût	battu	fût	allé
que nous	eussions	parlé	eussions	fourni	eussions	battu	fussions	allés
que vous	eussiez	parlé	eussiez	fourni	eussiez	battu	fussiez	allés
qu'ils, qu'elles	eussent	parlé	eussent	fourni	eussent	battu	fussent	allés

LE PASSÉ DE L'IMPÉRATIF

- Le **passé de l'impératif** est un temps composé.
- Pour former le **passé de l'impératif**, on utilise l'auxiliaire **avoir** (ou, parfois, l'auxiliaire **être**) au présent de l'impératif suivi du participe passé du verbe concerné.

Exemples							
Parler		**Fournir**		**Rendre**		**Aller**	
aie	parlé	aie	fourni	aie	rendu	sois	allé*
ayons	parlé	ayons	fourni	ayons	rendu	soyons	allés
ayez	parlé	ayez	fourni	ayez	rendu	soyez	allés

* Masculin singulier : **allé** ; féminin singulier : **allée** ; masculin pluriel : **allés** ; féminin pluriel : **allées**.

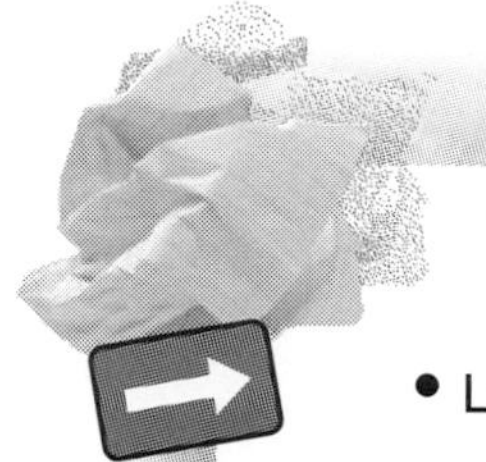

Attention !

- Lorsque deux verbes se suivent, le second est le plus souvent à l'**infinitif**.

- Voici un petit truc qui permet de distinguer les **verbes à l'infinitif** (-er) des **participes passés** (-é, -ée, -és, ées).

  Si on peut remplacer le deuxième verbe par un verbe à l'infinitif comme **bâtir**, on sait qu'il s'agit d'un verbe que l'on doit mettre à l'**infinitif**.

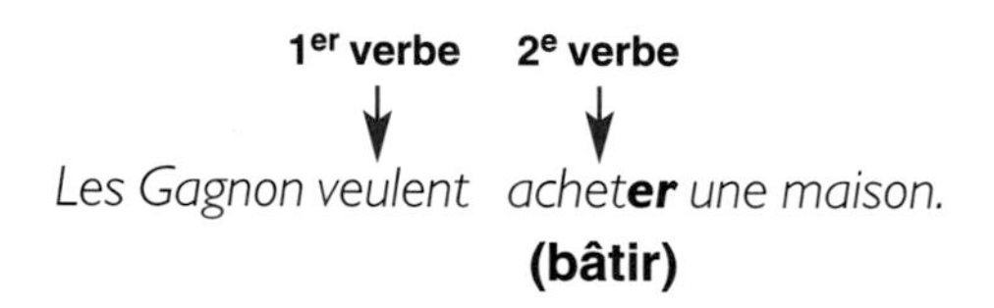

- Lorsque le deuxième verbe est un participe passé employé seul, il est considéré comme un adjectif ; il s'accorde alors en **genre** et en **nombre** avec le nom auquel il se rapporte.

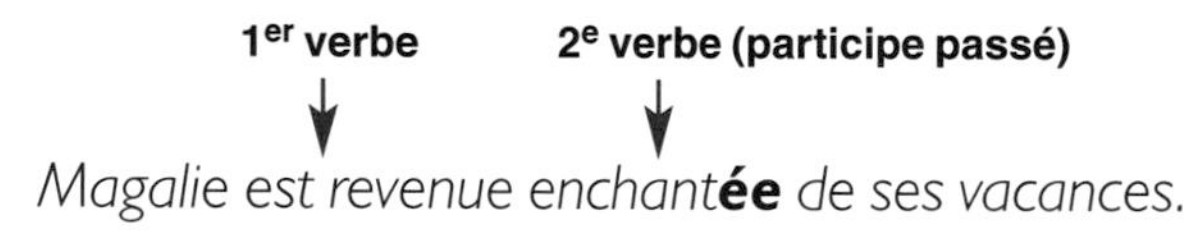

L'accord du verbe

L'accord du participe passé

L'accord du verbe
- avec un sujet
- avec plusieurs sujets
- avec le pronom **on**
- avec un nom collectif
- avec le pronom **qui**
- lorsqu'il y a un écran
- avec certaines locutions de quantité

L'accord du participe passé
- employé seul
- employé avec l'auxiliaire **être**
- employé avec l'auxiliaire **avoir**
- des verbes pronominaux

L'accord du verbe

Comment le verbe s'accorde-t-il?

- Le verbe s'accorde en **nombre** (singulier ou pluriel) et en **personne** (1re, 2e ou 3e) avec le groupe sujet.

Le verbe conjugué doit être au même nombre et à la même personne que le **noyau** du groupe sujet.

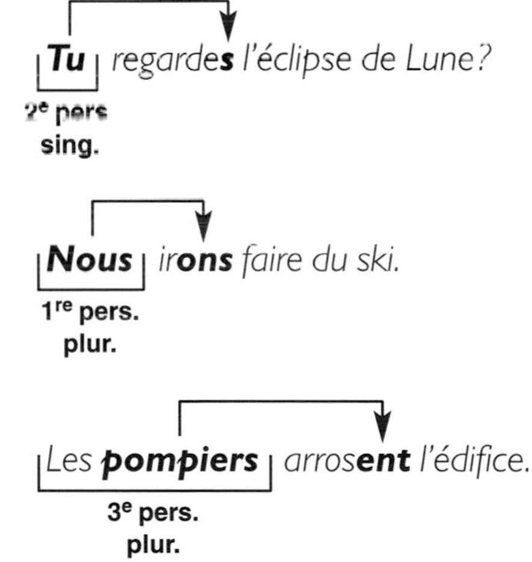

***Josianne** devra attendre son anniversaire pour déballer son cadeau.*
3e pers. sing.

Une procédure pour accorder les verbes

Voici une façon de trouver les verbes et de vérifier s'ils sont bien accordés.

▶ On trouve le verbe conjugué et on l'encadre.	*Les pompiers* *arrosent* *l'édifice.*
▶ On trouve le groupe sujet (GS) en posant la question **Qui est-ce qui ?** ou **Qu'est-ce qui ?** devant le verbe. On encercle le noyau du groupe sujet.	▶ **Qui est-ce qui** «arrose» l'édifice? Les pompiers. **noyau** *Les (pompiers) arrosent l'édifice.*
▶ Pour s'assurer que l'on a bien repéré le GS, on vérifie s'il est possible de l'encadrer par l'expression **C'est... qui** ou **Ce sont... qui**. On peut aussi vérifier s'il est possible de **remplacer** le groupe sujet par un pronom sujet.	**Ce sont** *les pompiers* **qui** *arrosent l'édifice.* **Ils** *Les pompiers arrosent l'édifice.* **R**
▶ Comme c'est le noyau du GS qui donne la **personne** et le **nombre** au verbe, il faut déterminer la **personne** et le **nombre** du mot que l'on a reconnu comme étant le noyau.	**Pompiers** *Pompier***s** se termine par un **s**, affichant ainsi la marque du pluriel. 143 ← Comme ***pompiers*** est un nom, il est à la 3e personne. Le mot ***pompiers*** est donc à la 3e personne du pluriel.
▶ Examinons maintenant si le verbe affiche les **mêmes** caractéristiques que le noyau du groupe sujet.	**Arrosent** La terminaison **-ent** indique que le verbe est à la 3e personne du pluriel. 191 ←

L'accord est correct.

A Le groupe sujet est composé d'un nom et d'un déterminant.

> Un détermi-nant et un nom forment un groupe du nom de base.

- Si le nom est au **singulier**, le verbe se met à la **3e personne du singulier**.

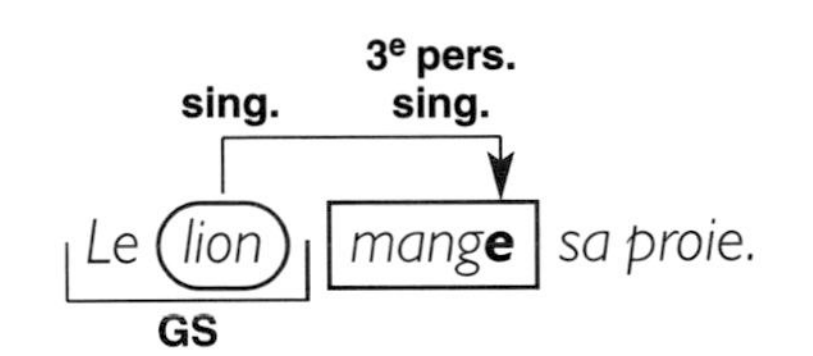

- Si le nom est au **pluriel**, le verbe se met à la **3e personne du pluriel.**

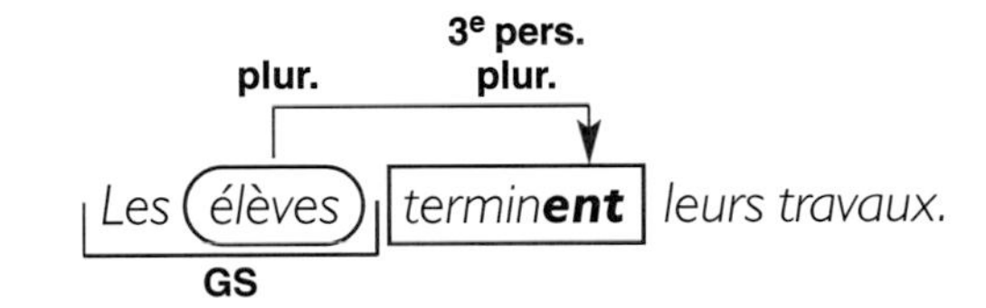

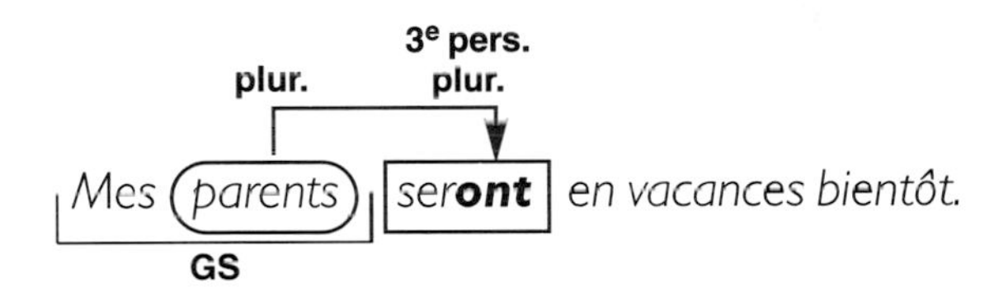

B Le groupe sujet est un pronom.

- Si le pronom est au **singulier**, le verbe se met au **singulier**.

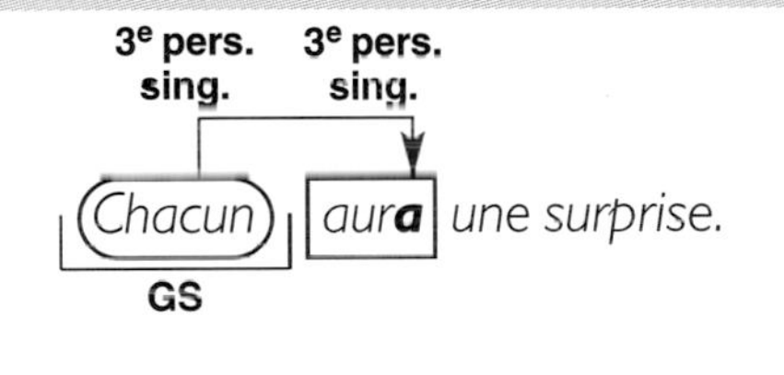

> Le verbe prend aussi la **personne** du pronom.

- Si le pronom est au **pluriel**, le verbe se met au **pluriel**.

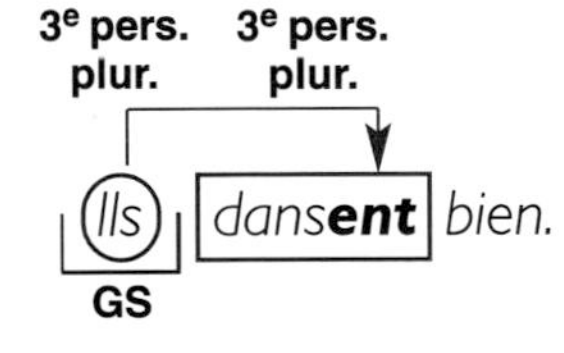

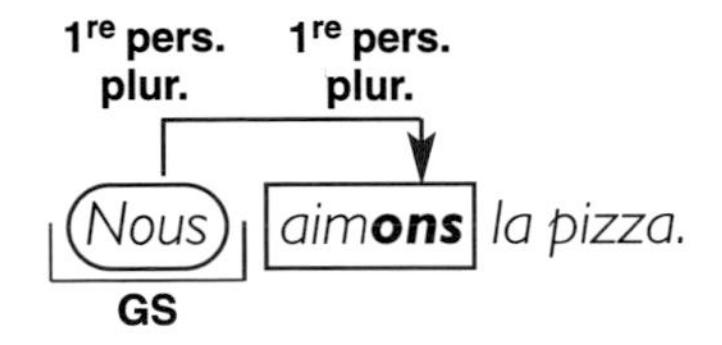

C Le groupe sujet est formé d'un nom accompagné d'un complément.

▶ En général, c'est le nom noyau qui commande l'accord. S'il est au **singulier**, le verbe est au **singulier**.

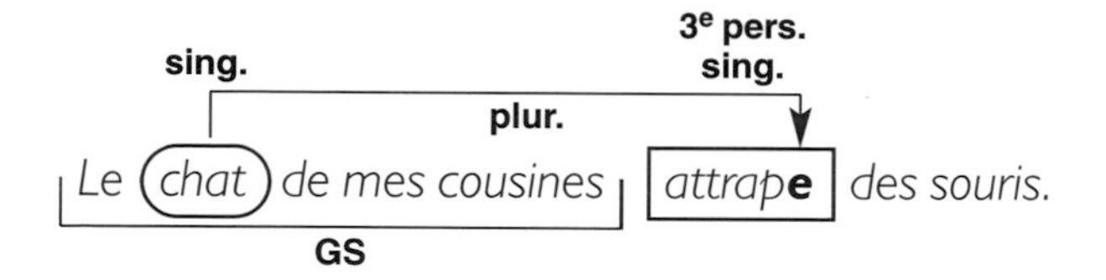

▶ Si le nom noyau est au **pluriel**, le verbe est au **pluriel**.

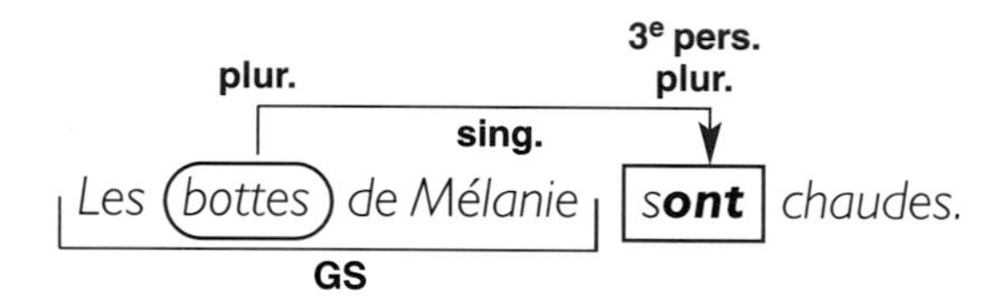

D Le groupe sujet est formé d'un nom suivi d'une subordonnée relative.

▶ C'est le nom noyau qui commande l'accord. S'il est au **singulier**, le verbe principal est au **singulier**.

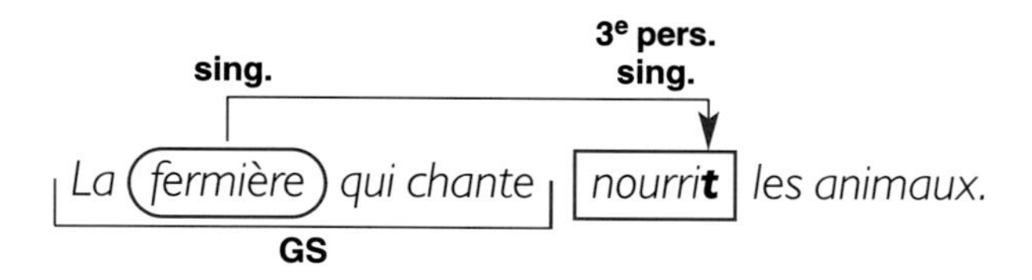

▶ Si le nom noyau est au **pluriel**, le verbe principal se met au **pluriel**.

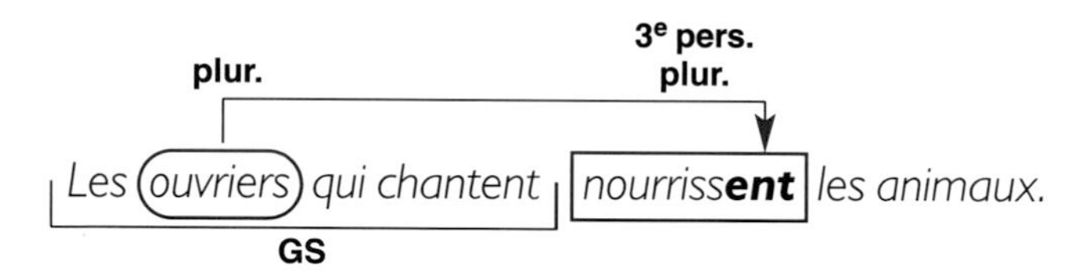

E Le groupe sujet est formé d'un nom propre.

▶ Lorsque le sujet d'un verbe est un nom propre, le verbe se met, en général, au **singulier**.

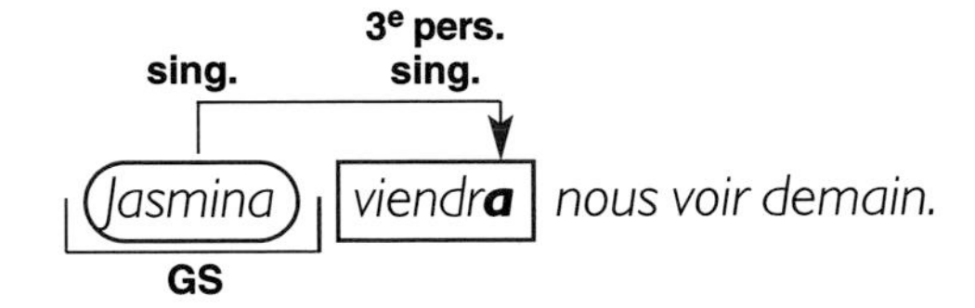

▶ Mais lorsque le nom propre est accompagné d'un déterminant pluriel, le verbe se met au **pluriel**.

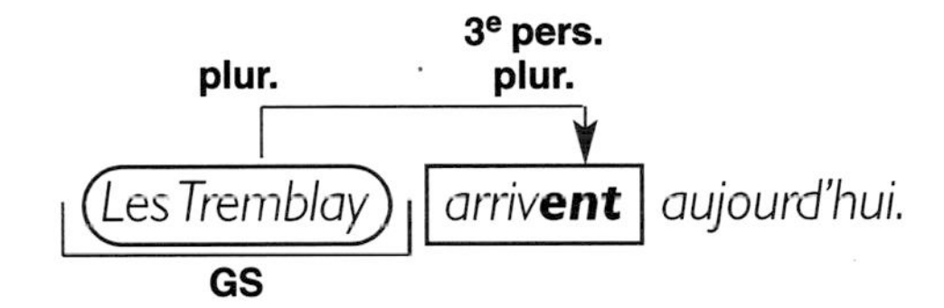

L'ACCORD DU VERBE AVEC UN SUJET CONSTITUÉ DE PLUSIEURS ÉLÉMENTS

F Le groupe sujet est formé de plusieurs noms reliés par *et*.

▶ Que les noms noyaux soient au singulier ou au pluriel, le verbe se met à la **3e personne du pluriel**.

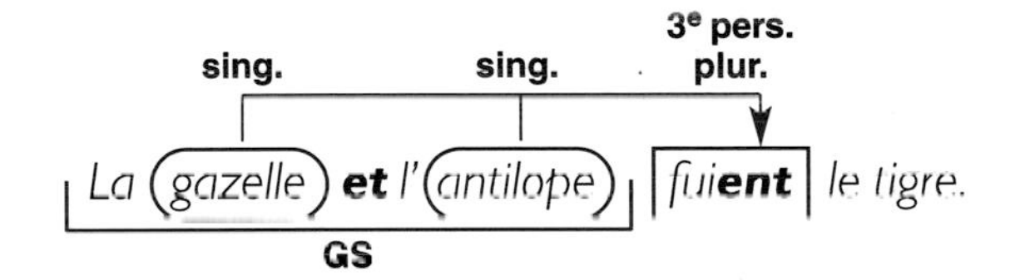

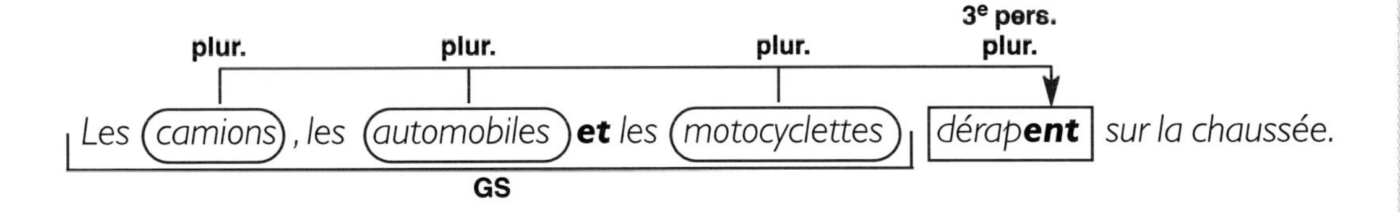

Les coordonnants, tels **comme**, **ainsi que**, lorsqu'ils marquent l'addition, commandent le pluriel.

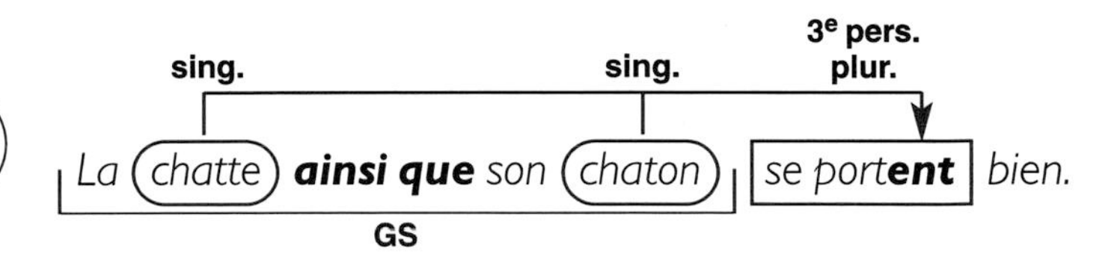

G Le groupe sujet est formé de plusieurs noms reliés par *ou* ou *ni*.

▶ Le verbe se met au **singulier** lorsqu'un seul des sujets (qui sont au singulier) peut faire ou subir l'action (ou l'état) exprimée par le verbe.

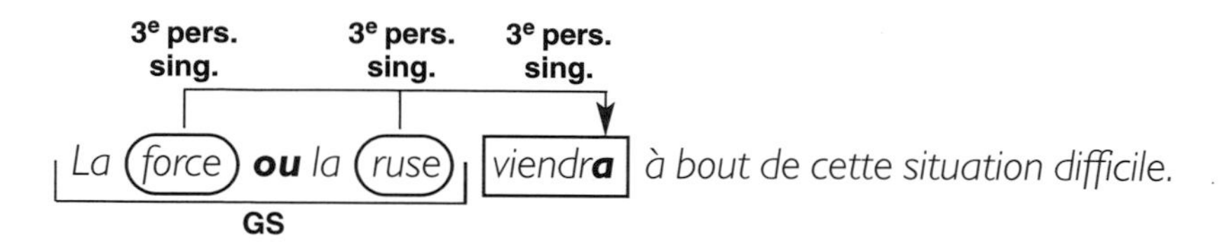

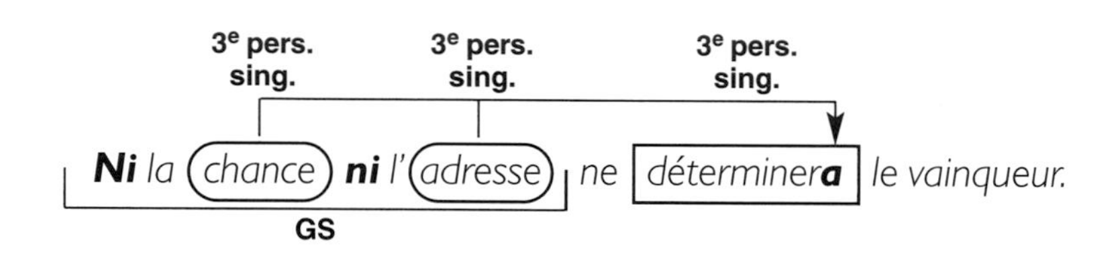

▶ Le verbe se met au **pluriel** lorsque chaque sujet peut faire ou subir l'action (ou l'état) exprimée par le verbe.

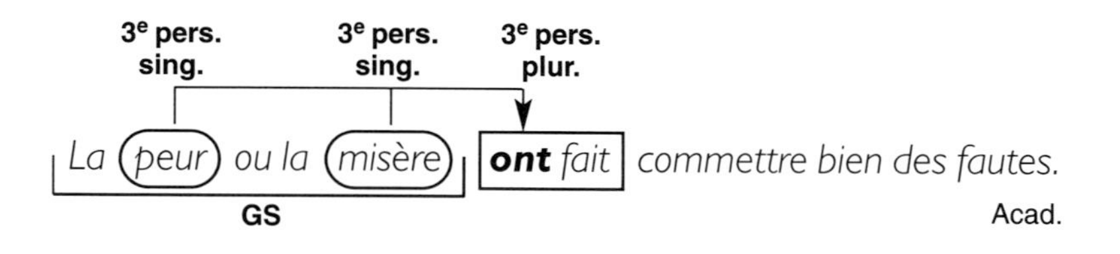

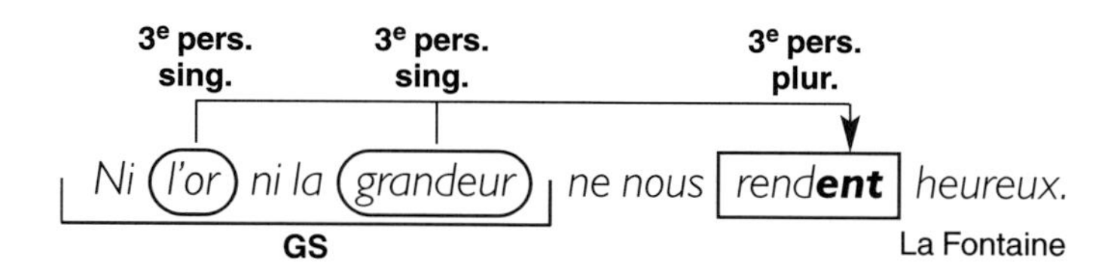

H Le groupe sujet est formé de plusieurs pronoms.

▶ Que les pronoms soient au singulier ou au pluriel, le verbe se met au **pluriel**, à la personne qui a la priorité.

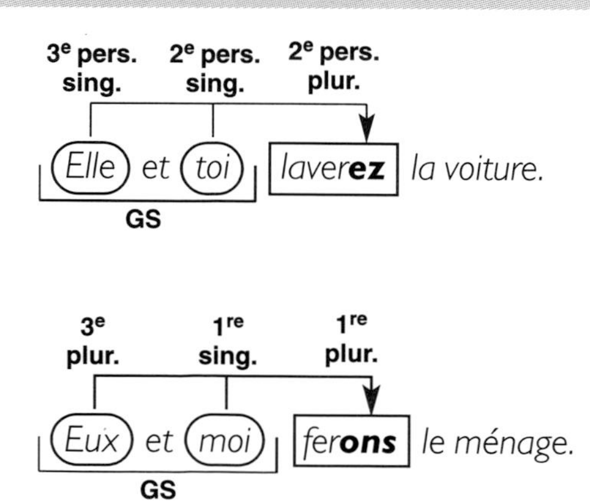

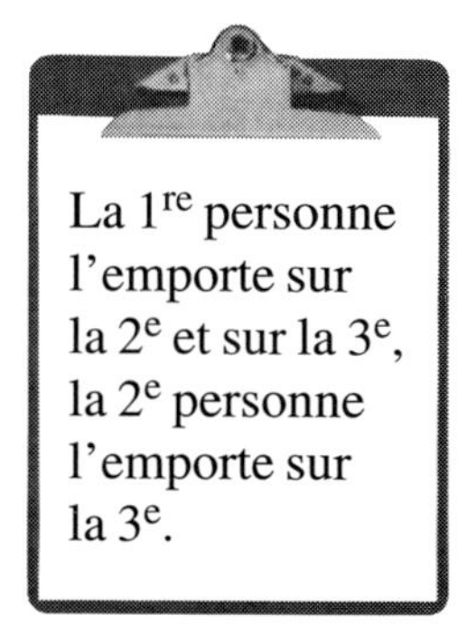

La 1re personne l'emporte sur la 2e et sur la 3e, la 2e personne l'emporte sur la 3e.

I Le groupe sujet est formé d'un ou de plusieurs noms et d'un ou de plusieurs pronoms.

► Que les noms ou les pronoms soient au singulier ou au pluriel, le verbe se met au **pluriel**, à la personne qui a la priorité.

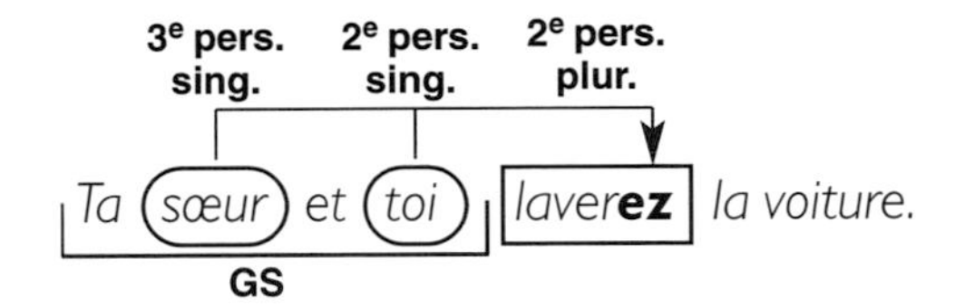

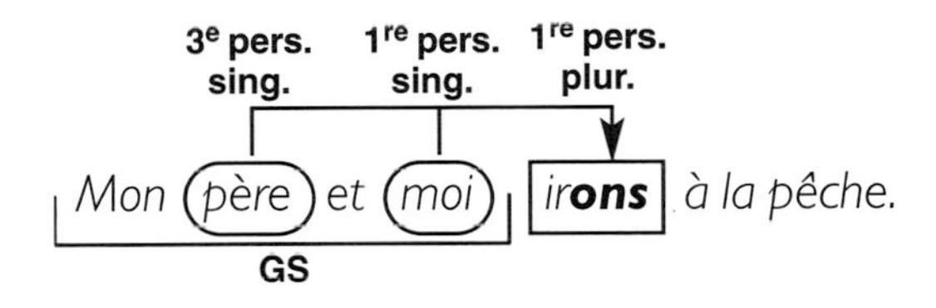

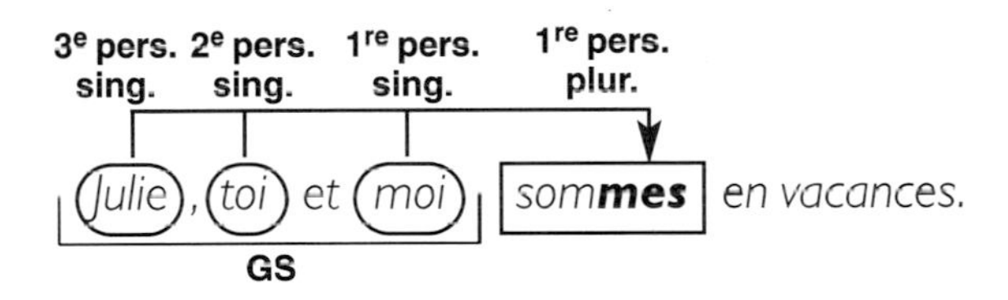

J Le groupe sujet est formé de deux noms propres reliés par un coordonnant.

► Le verbe se met au **pluriel**.

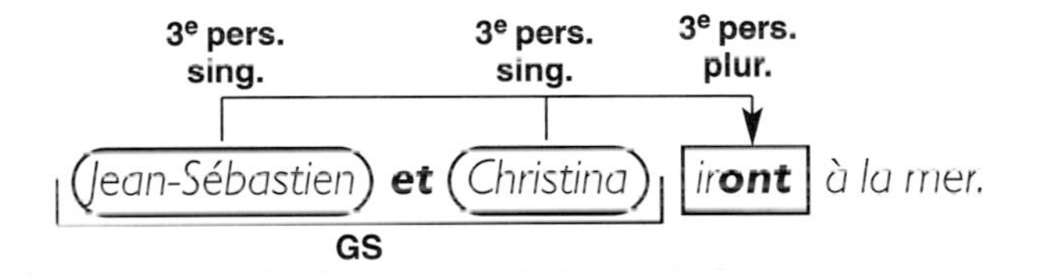

► Le verbe se met au **singulier** lorsqu'un seul des sujets (qui sont au singulier) peut faire ou subir l'action (ou l'état) exprimée par le verbe.

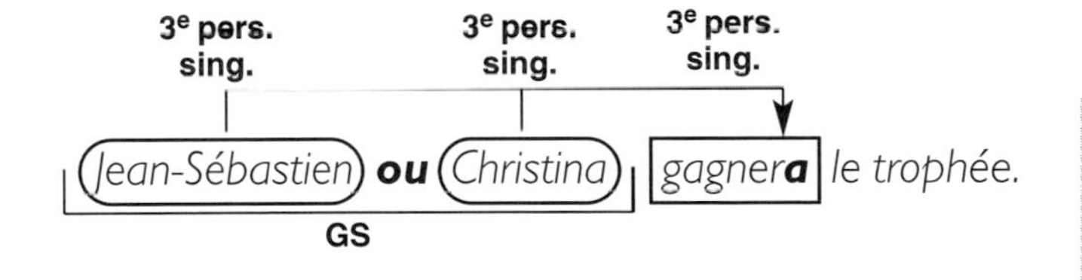

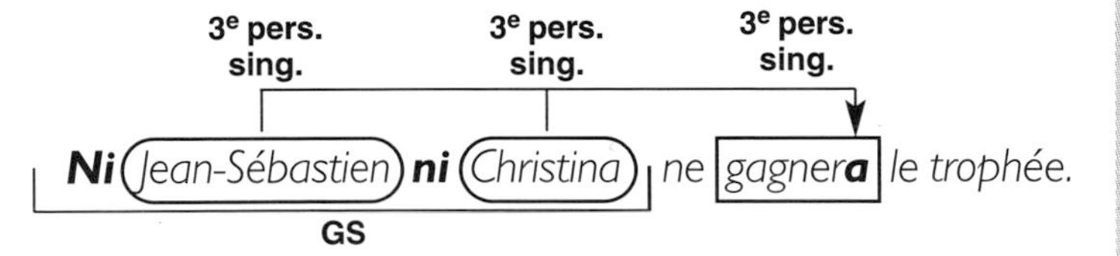

Si chacun des sujets est au pluriel, le verbe se met au pluriel.

▶ **Mais** le verbe se met au **pluriel** lorsque chaque sujet peut faire ou subir l'action (ou l'état) exprimée par le verbe.

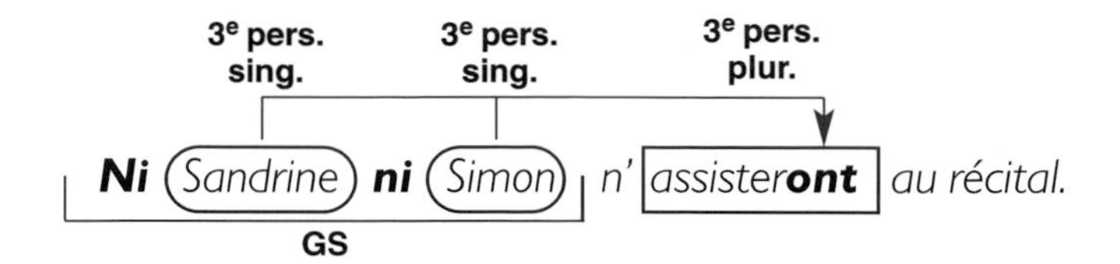

L'ACCORD DU VERBE AVEC LE PRONOM **ON**

▶ Le verbe se met au **singulier**, même si le pronom **on** a le sens de plusieurs.

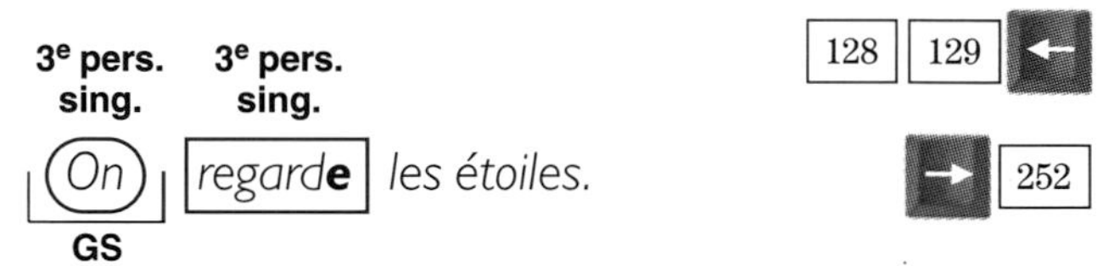

L'ACCORD DU VERBE AVEC UN NOM COLLECTIF

▶ Le verbe se met au **singulier**, même si le nom collectif désigne un ensemble de personnes, d'animaux ou de choses.

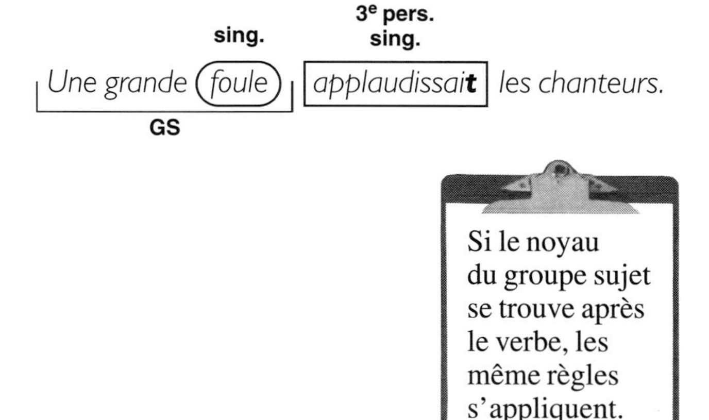

▶ Lorsque le nom collectif est précédé du déterminant **le** ou **la** ou d'un **déterminant démonstratif** et suivi d'un **complément du nom**, le verbe s'accorde généralement avec le nom collectif et se met au **singulier**.

▶ Lorsque le nom collectif est précédé du déterminant **un** ou **une** et suivi d'un **complément du nom**, le verbe s'accorde généralement avec le complément du nom.

L'ACCORD DU VERBE AVEC LE PRONOM SUJET QUI

▶ Dans ce cas, le verbe de la relative prend le **nombre** (singulier ou pluriel) et la **personne** (1re, 2e ou 3e) de l'antécédent.

L'antécédent est, en général, le groupe du nom qui est représenté par le pronom **qui**.

Voici une façon de procéder pour faire l'accord du verbe avec le pronom sujet **qui**.

– On souligne le pronom sujet **qui** et on encadre le verbe conjugué qui l'accompagne.

– On trouve l'antécédent du pronom sujet **qui** et on indique au-dessus le nombre et la personne de cet antécédent.

– On met le verbe à la même personne et au même nombre que l'antécédent.

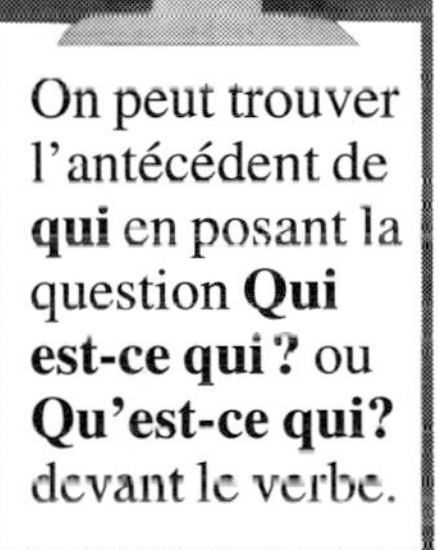

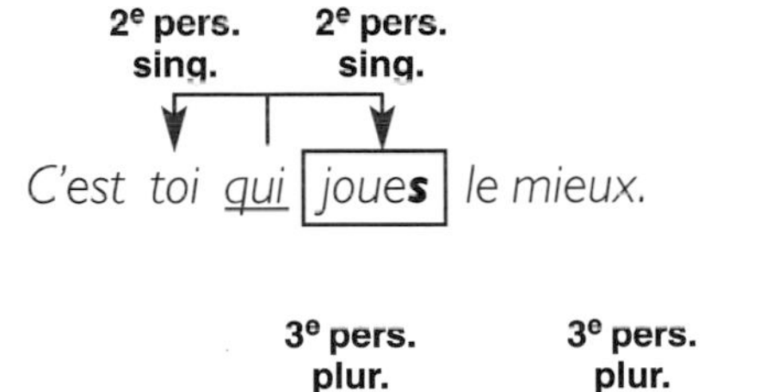

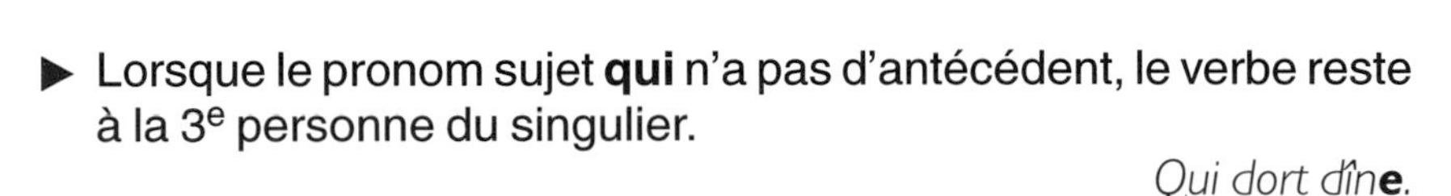

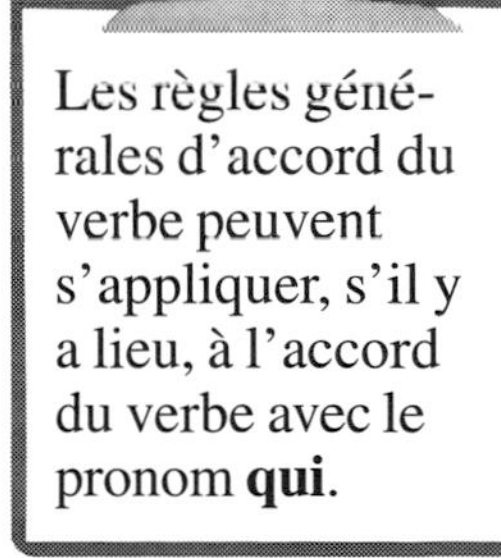

▶ Lorsque le pronom sujet **qui** n'a pas d'antécédent, le verbe reste à la 3e personne du singulier.

*Qui dort dîn**e**.*

L'ACCORD DU VERBE SÉPARÉ DU SUJET PAR UN ÉCRAN

▶ Le nom ou le pronom noyau du groupe sujet est parfois séparé du verbe par un **complément**, une **subordonnée** ou un **pronom**.

Même lorsqu'il est ainsi séparé du verbe, le noyau du groupe sujet commande l'accord.

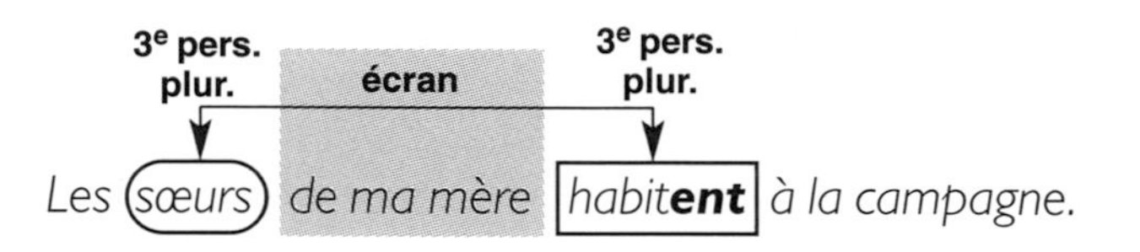

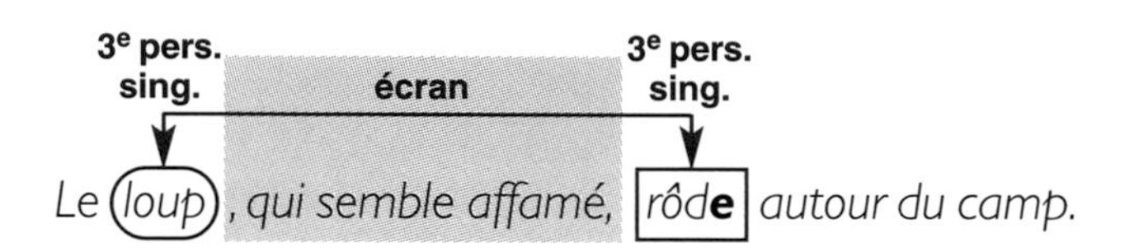

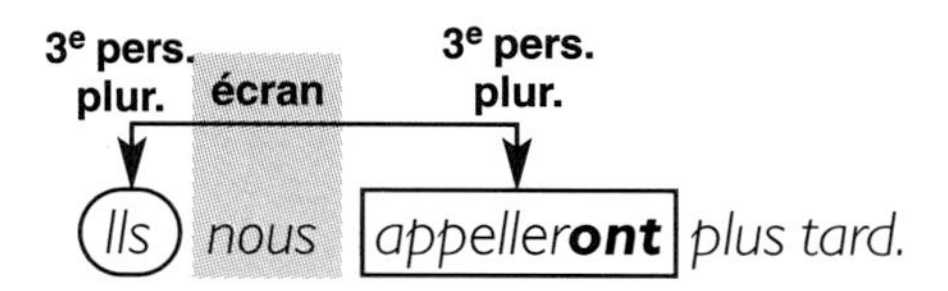

L'ACCORD DU VERBE AVEC CERTAINES LOCUTIONS DE QUANTITÉ

la plupart des	peu de	plus d'un	moins de deux

▶ Le verbe s'accorde généralement avec le nom ou le pronom qui suit **la plupart des**.

plur. plur.

*[**La plupart** des spectateurs]$_{GS}$ applaudissai**ent** le lanceur.*

▶ Avec **peu de** ou **trop de** suivi d'un nom ou d'un pronom, l'accord du verbe se fait généralement avec le nom ou le pronom.

plur. plur.

*[**Peu d'**élèves]$_{GS}$ **ont** échoué à leur examen.*

plur. plur.

*[**Trop d'**accidents]$_{GS}$ se **sont** produits cette année.*

▶ Avec **plus d'un** suivi d'un nom, le verbe se met généralement au **singulier**.

sing.

Plus d'un** comédien* ***a *le trac avant d'entrer en scène.*

GS

▶ Avec **moins de deux** suivi d'un nom, le verbe se met généralement au **pluriel**.

plur.

Moins de** deux semaines* ***se sont écoulées *depuis le départ de Kevin pour l'Alaska.*

GS

L'accord du participe passé

L'ACCORD DU PARTICIPE PASSÉ EMPLOYÉ SEUL

▶ Le participe passé **employé seul** fonctionne comme un adjectif et il s'accorde en **genre** (masculin ou féminin) et en **nombre** (singulier ou pluriel) avec le mot ou les mots qu'il complète.

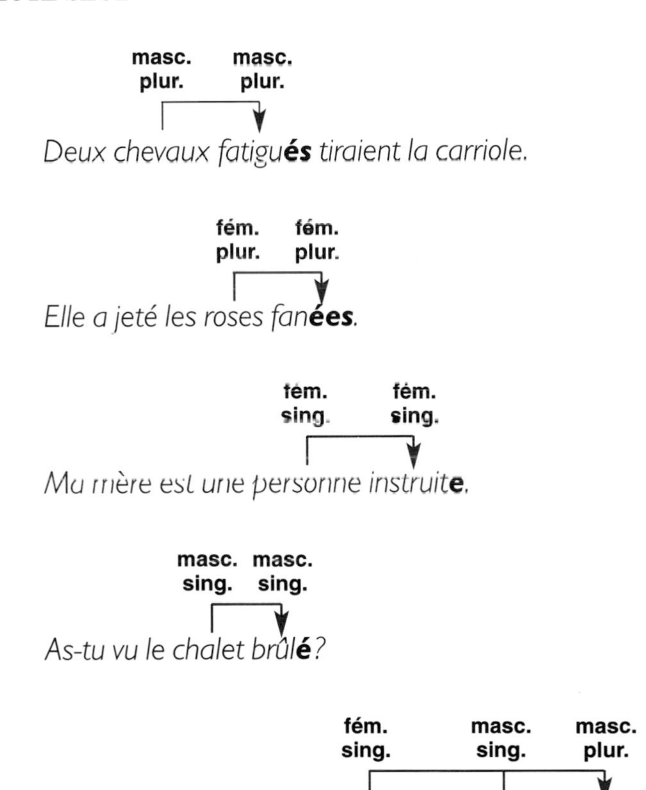

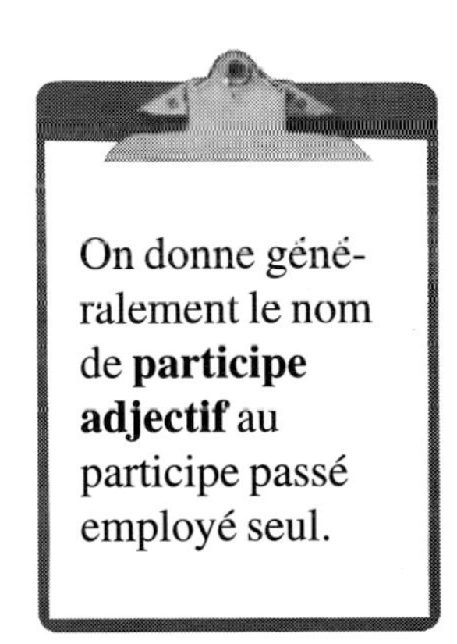

209

L'ACCORD DU PARTICIPE PASSÉ EMPLOYÉ AVEC L'AUXILIAIRE **ÊTRE**

▶ Le participe passé employé avec l'auxiliaire **être** s'accorde en **genre** (masculin ou féminin) et en **nombre** (singulier ou pluriel) avec le **noyau du groupe sujet**.

Voici une façon de procéder pour accorder le participe passé employé avec l'auxiliaire **être**.

- On trouve l'auxiliaire **être** et on souligne le participe passé qui le suit.
- On encadre le noyau du groupe sujet.
- On relie celui-ci au participe passé, puis on fait l'accord en **genre** et en **nombre**.

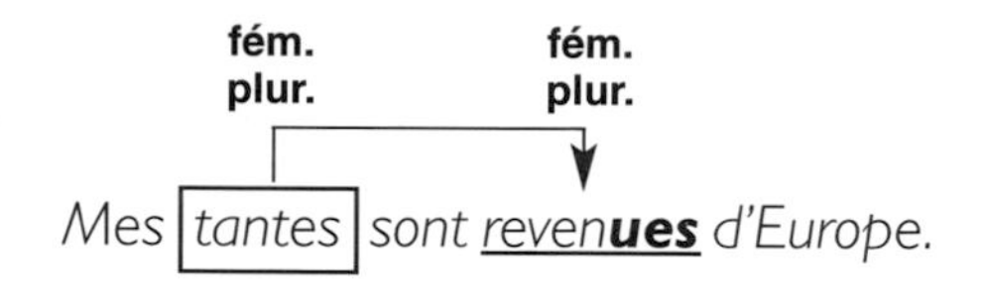

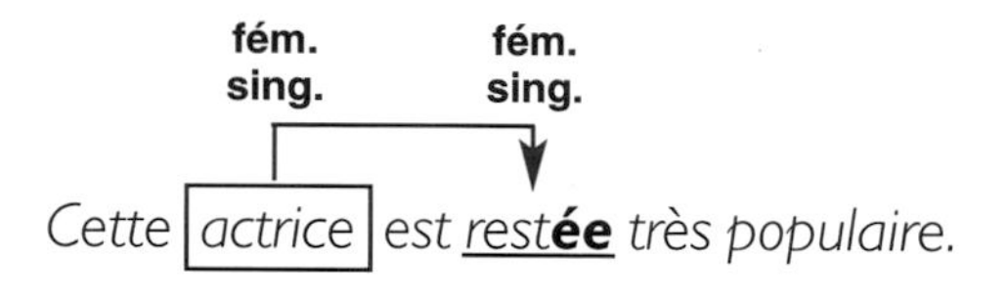

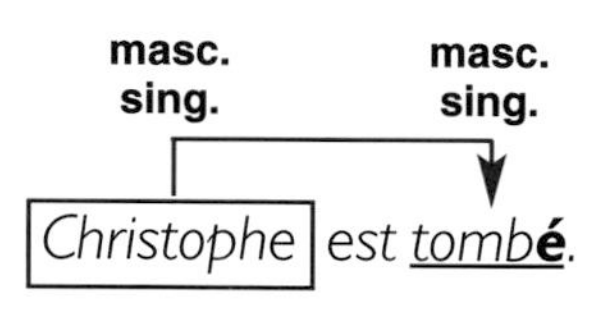

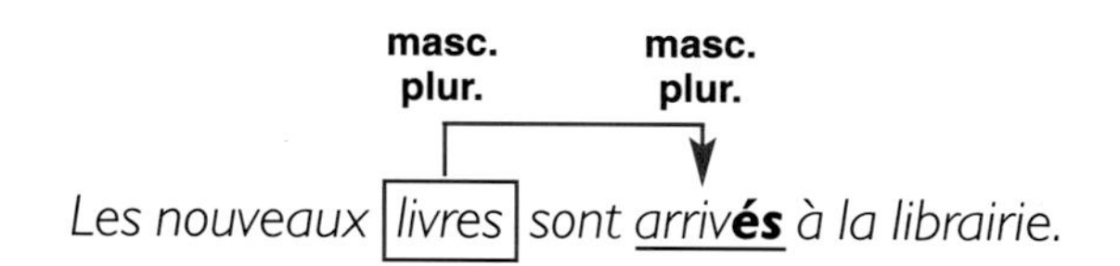

Attention !

Lorsque le pronom **on** est employé avec un verbe attributif, celui-ci est au **singulier**, mais le participe passé varie selon l'intention de la personne qui parle ou qui écrit.

*On était perd**us** dans la forêt.*	*On était perd**ues** dans la forêt.*
Le masculin **perdus** réfère à des personnes de sexe masculin ou encore à des personnes de sexe masculin et féminin.	Le féminin **perdues** réfère à des personnes de sexe féminin.

128 129 248

▶ Le participe passé employé avec l'auxiliaire **avoir** reste **invariable** quand le complément direct est placé **après** le verbe conjugué ou qu'il n'y a pas de complément direct.

*Nous **avons** bien **dormi**.*

CD

*Nicolas **a invité** ses camarades de classe.*

96 ←

▶ Par contre, le participe passé employé avec l'auxiliaire **avoir** prend le **genre** (masculin ou féminin) et le **nombre** (singulier ou pluriel) du complément direct :

– quand le complément direct est placé **avant** le verbe conjugué ;

CD — part. passé

*Quels romans as-tu l**us**?*

masc. plur. — masc. plur.

– quand le complément direct placé devant le verbe conjugué est un **pronom** ; le participe passé s'accorde alors avec l'**antécédent** de ce pronom.

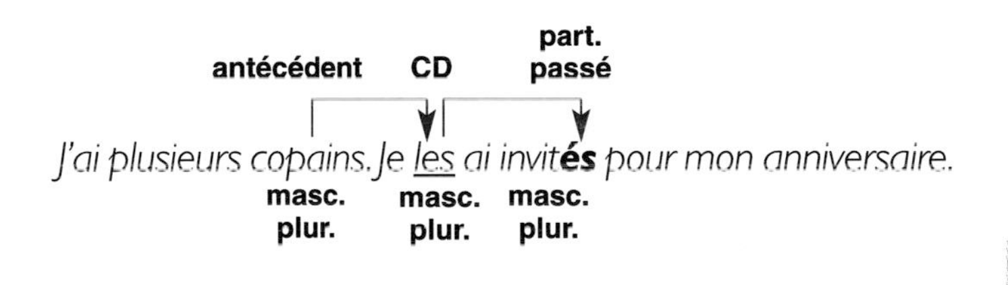

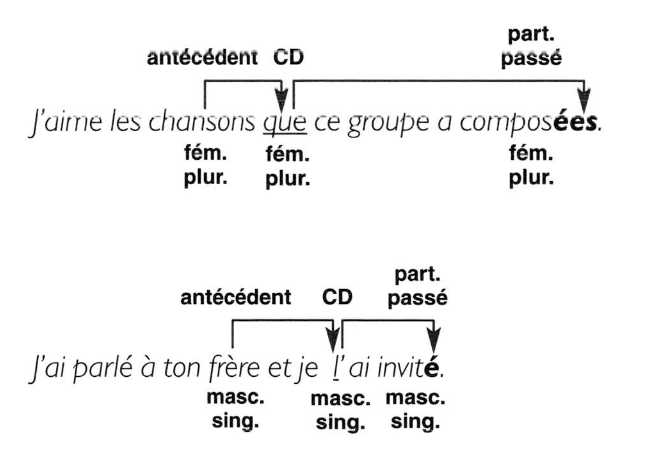

Dans les cas où le complément direct est un **pronom**, il faut déterminer avec précision l'**antécédent** de ce pronom afin d'effectuer les bons accords.

▶ Voici une façon de procéder pour accorder le participe passé employé avec l'auxiliaire **avoir**.

– On trouve l'auxiliaire **avoir** et on souligne le participe passé qui l'accompagne.

– On vérifie s'il y a un complément direct **avant** le verbe, en posant la question **quoi ?** ou **qui ?** après le participe passé. 99

– S'il y a un complément direct avant le verbe, on trouve le **genre** (masculin ou féminin) et le **nombre** (singulier ou pluriel) de ce complément direct ou de l'antécédent si le complément direct est un pronom.

– On accorde le participe passé en **genre** et en **nombre** avec ce complément direct ou l'antécédent si le complément direct est un pronom.

CD après — **CD avant**

*J'avais fait des erreurs. Érica les a trouv**ées**.*

fém. plur. — **fém. plur.**

Lorsque le complément direct est **avant** le verbe, le participe passé est généralement **variable**.

Lorsqu'il n'y a pas de complément direct, le participe passé est **invariable**.

Attention !

Voici quelques cas particuliers.

- Certains verbes **intransitifs** se construisent avec des compléments de mesure, de durée, de prix, de poids, etc., qu'il ne faut pas confondre avec des compléments directs ; dans ces cas, le participe passé employé avec **avoir** est **invariable**.

coûté
pesé
valu
couru
dormi
régné
vécu

*Les deux kilomètres qu'il a **couru** l'ont beaucoup fatigué.*

Les deux kilomètres n'est pas un complément direct, mais un complément de **mesure**.

*Ce chandail ne vaut pas les vingt dollars qu'il a **coûté**.*

Lorsque ces mêmes verbes sont **transitifs directs**, leur participe passé employé avec **avoir** est **variable**.

On ne peut oublier <u>*les dangers*</u> *qu'ils ont* ***courus*** *durant l'incendie.*

Dangers est un complément direct.

- Lorsque le complément direct d'un verbe employé avec l'auxiliaire **avoir** est **le (l')**, le participe passé est **invariable** si **le** signifie **cela** et représente une phrase ou une subordonnée.

Cette compétition a été plus difficile que je ne ***l'****avais* ***cru****.*

L' remplace la subordonnée (... que je n'avais cru **qu'elle était difficile**).
la compétition

- Lorsque le complément direct d'un verbe employé avec l'auxiliaire **avoir** est le pronom personnel **en**, le participe passé est généralement **invariable**.

Mes parents ont acheté des fraises au marché; ma sœur ***en*** *a mangé beaucoup.*

- Le participe passé d'un verbe **impersonnel** employé avec l'auxiliaire **avoir** est **invariable**.

Il a ***plu*** *durant toute la semaine.*
Que d'arguments il a ***fallu*** *fournir pour les convaincre!*

- Lorsque le participe passé d'un verbe employé avec l'auxiliaire **avoir** est suivi d'un **infinitif**, il s'accorde à deux conditions: le pronom complément direct est **avant** le verbe et il pourrait servir de sujet à l'infinitif.

Les comédiennes ***que*** *j'ai* ***vues*** *jouer étaient surprenantes.*

J'ai vu **quoi**? J'ai vu **que**, c'est-à-dire **les comédiennes qui jouaient**.
On remplace alors l'infinitif par une subordonnée relative.
Le complément direct est, d'une certaine façon le sujet de l'infinitif.

Dans les autres cas, le participe passé demeure **invariable**.

La pièce de théâtre ***que*** *j'ai* ***vu*** *jouer est très moderne.*

L'ACCORD DU PARTICIPE PASSÉ DES VERBES PRONOMINAUX

- Le participe passé des verbes pronominaux est **invariable** lorsque le pronom réfléchi est **complément indirect**.

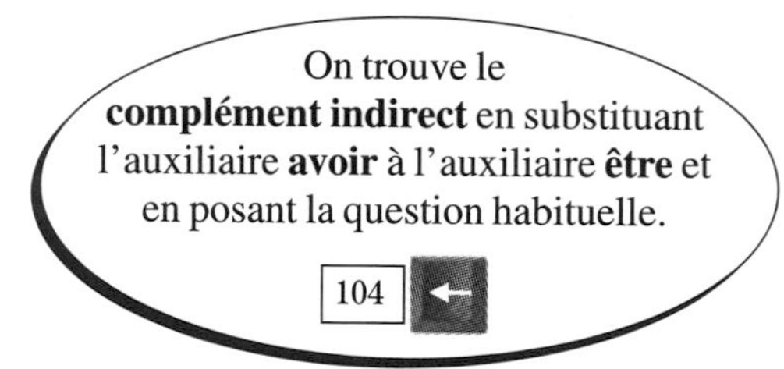

Elles [se] *sont* ***lavé*** *les mains.*
CI

Ils [se] *sont* ***donné*** *l'accolade.*
CI

Elles **ont** lavé les mains... **à qui ?**
À **elles** (se) ; le pronom réfléchi est CI.

- Le participe passé des verbes pronominaux est **variable** lorsque le pronom réfléchi est **complément direct** ; le participe passé prend alors le **genre** et le **nombre** du noyau du groupe sujet.

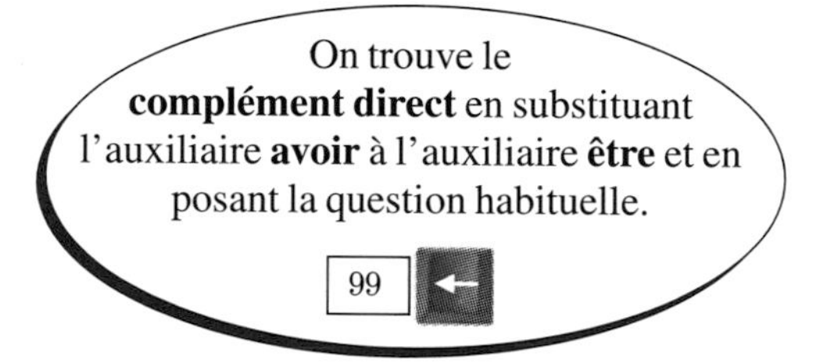

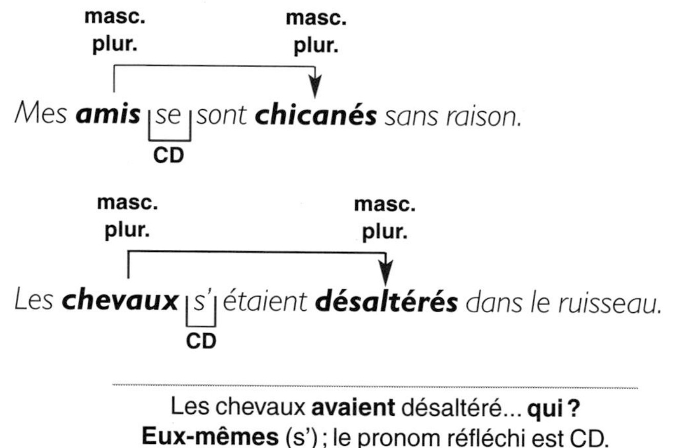

- Le participe passé de certains verbes pronominaux est **variable** lorsqu'on ne peut déterminer si le pronom est complément direct ou indirect ; le participe passé prend alors le **genre** et le **nombre** du noyau du groupe sujet.

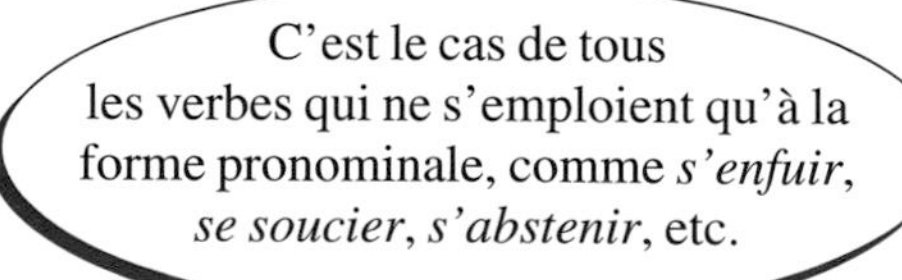

masc. plur. — masc. plur.

Ils *se sont* ***souvenus*** *de ses bons conseils.*

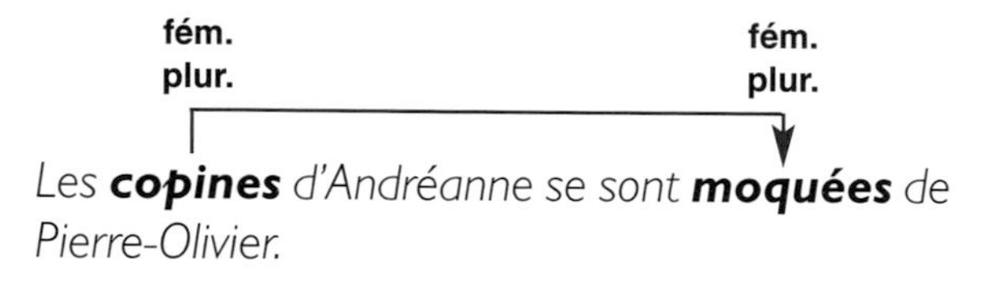

Le pronom

Les caractéristiques du pronom
- sa définition
- son antécédent
- ses fonctions
- ses compléments

Le pronom personnel
Le pronom démonstratif
Le pronom possessif
Le pronom relatif
Le pronom interrogatif
Le pronom indéfini

Les caractéristiques du pronom

Qu'est-ce qu'un pronom?

- Un pronom est un mot qui remplace généralement un nom. On dit alors qu'il est un représentant ou un mot de substitution. Dans ces cas, qui sont les plus fréquents, le pronom a un **antécédent**.

*As-tu vu ma sœur Nathalie? **Elle** était à bicyclette.*
antécédent (Nathalie)

*Magalie et Carolyne sont malades. **Elles** ont la grippe.*
antécédent (Magalie) **antécédent** (Carolyne)

- Certains pronoms n'ont aucun antécédent dans la phrase (**rien**, **on**, etc.). On les appelle des nominaux*.

***On** a organisé une fête surprise pour Stéphane.*
***Rien** n'a pu décider Louis à sortir.*

Plusieurs personnes donnent le nom de **pronom de reprise** aux pronoms qui ont un antécédent.

* Un nominal est un mot qui a valeur de nom, qui équivaut à un nom.

Qu'est-ce que l'antécédent d'un pronom?

- On appelle **antécédent** le mot ou les mots que le pronom remplace.

- Le pronom remplace généralement un nom ou un pronom ; il peut aussi remplacer un adjectif, un verbe, un adverbe ou une phrase.

NOM COMMUN ▶ *– As-tu rencontré mes **parents**?*
*– Non, mais j'ai vu **ceux** de Linda.*

NOM PROPRE ▶ *– As-tu rencontré **Kevin**?*
*– Oui, je **l'**ai aperçu hier.*

PRONOM ▶ ***Lui**, nous devons **le** protéger.*

ADJECTIF ▶ *Elle est **épuisée**. Moi aussi, je **le** suis.*

VERBE ▶ *– Est-ce que tu sais **nager**?*
*– Oui, je **le** sais.*

ADVERBE ▶ *– Reviens-tu de **là-bas**?*
*– Oui, j'**en** reviens.*

PHRASE ▶ ***Nadine est satisfaite de ses résultats**; je te **l'**affirme.*

- C'est l'antécédent qui fait varier le pronom en **nombre** (singulier ou pluriel), en **genre** (masculin ou féminin) ou en **personne** (1re, 2e ou 3e).

3e pers. fém. sing. + **3e pers. fém. sing.** … **3e pers. fém. plur.**

[Magalie et Carolyne] sont malades. [Elles] ont la grippe.

L'antécédent du pronom

Quelles sont les fonctions d'un pronom ?

- Le pronom peut souvent constituer le noyau d'un groupe du nom.

  À ce titre, il remplit généralement les mêmes fonctions qu'un nom : **sujet**, **attribut**, **complément**.

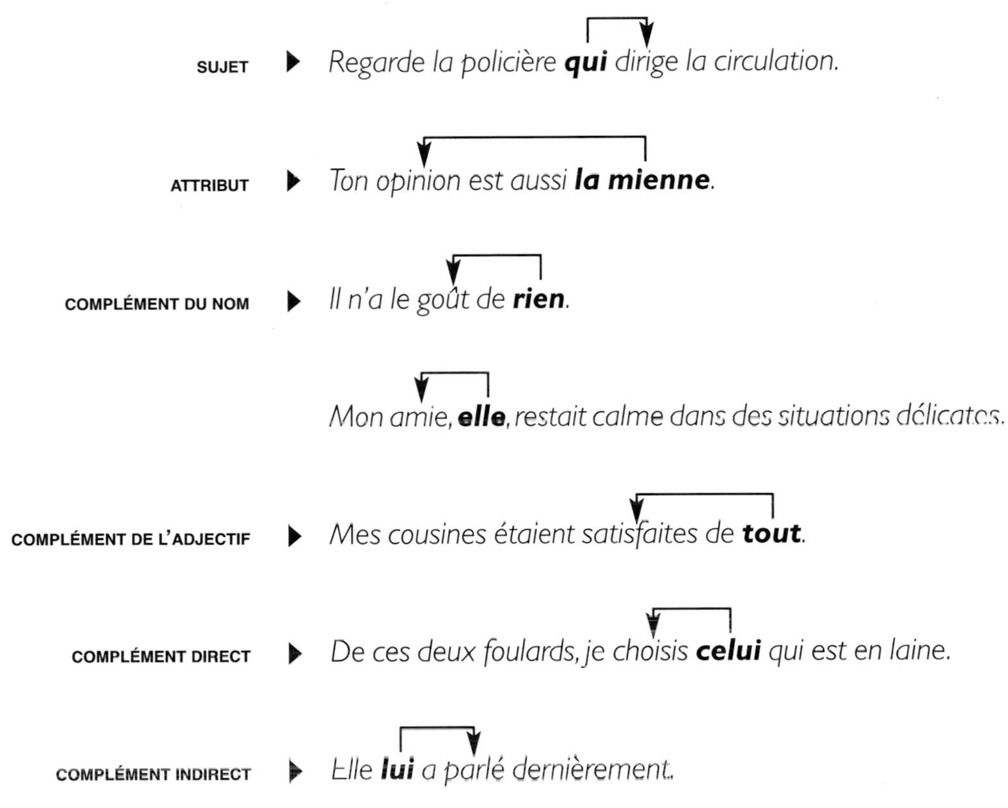

À ce titre aussi, c'est lui qui donne le **genre**, le **nombre** ou la **personne** aux mots qui l'accompagnent.

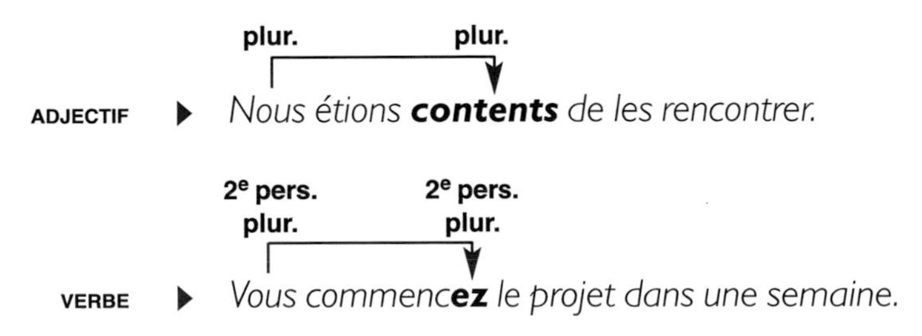

Quels sont les compléments du pronom?

- Le pronom peut avoir différents compléments.

As-tu rencontré mes parents? Non, mais j'ai vu ceux de Linda.
(de Linda : **groupe prépositionnel**)

De ces deux chandails, je prends celui qui est le plus chaud.
(qui est le plus chaud : **subordonnée relative**)

Certains de ces garçons jouaient au soccer.
(de ces garçons : **groupe prépositionnel**)

Celle-ci, heureuse, nous a remerciés chaudement.
(, heureuse, : **G Adj.**)

- On peut vérifier si les compléments sont **obligatoires** ou **facultatifs** en utilisant l'**effacement**.

OBLIGATOIRE
- *As-tu rencontré mes parents? Non, mais j'ai vu ceux* ***de Linda****.*
- *As-tu rencontré mes parents? Non, mais j'ai vu ceux...*
  phrase incomplète

FACULTATIF
- *Certains* ***de ces garçons*** *jouaient au soccer.*
- *Certains jouaient au soccer.*
  phrase correcte

Quelles sont les sortes de pronoms?

Il y a :
- le pronom personnel;
- le pronom démonstratif;
- le pronom possessif;
- le pronom relatif;
- le pronom interrogatif;
- le pronom indéfini.

Qu'est-ce qu'un pronom personnel?

- Un pronom personnel est un mot qui accompagne un verbe et qui joue généralement deux rôles. Son premier rôle est de **représenter** d'autres mots; son second rôle est d'indiquer la personne grammaticale. Lorsqu'il désigne des êtres, ce pronom peut être à la 1re, à la 2e ou à la 3e personne.

  Quand il désigne des choses, il est à la 3e personne.

3e
Daniel a eu de bonnes notes et ***il*** *est content.*

3e
J'ai reçu une montre en cadeau; ***elle*** *est à l'épreuve de l'eau.*

2e
Madame Delisle, ***vous*** *êtes très gentille.*

1re
Moi? ***Je*** *suis heureuse.*

180 

- Les pronoms personnels sont parfois utilisés **sans antécédent**; on les appelle alors des **nominaux**. Les pronoms personnels nominaux ne représentent pas d'autres mots du texte, mais désignent des personnes qui ne sont pas déjà nommées dans le texte.

Je *dors beaucoup en ce moment.*
Tu *le remercieras pour son aide.*

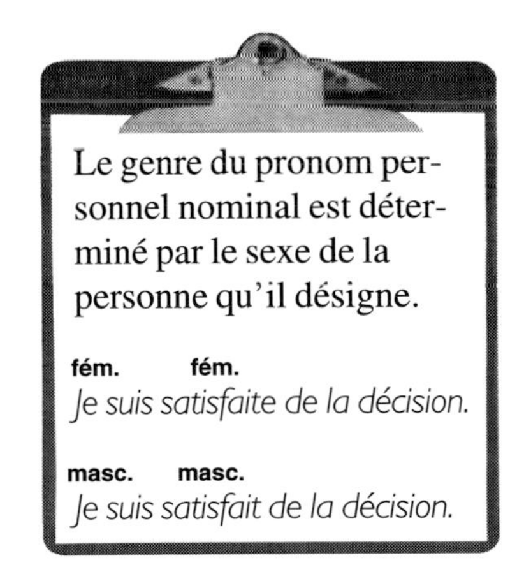

Le genre du pronom personnel nominal est déterminé par le sexe de la personne qu'il désigne.

fém. **fém.**
Je suis satisfaite de la décision.

masc. **masc.**
Je suis satisfait de la décision.

On dit aussi que ce sont des pronoms de conjugaison.

Quels groupes de mots peuvent être antécédents du pronom personnel ?

- Un pronom personnel peut remplacer :
  – un groupe du nom ;
  – un autre pronom ;
  – un adjectif ;
  – une phrase ou une subordonnée.

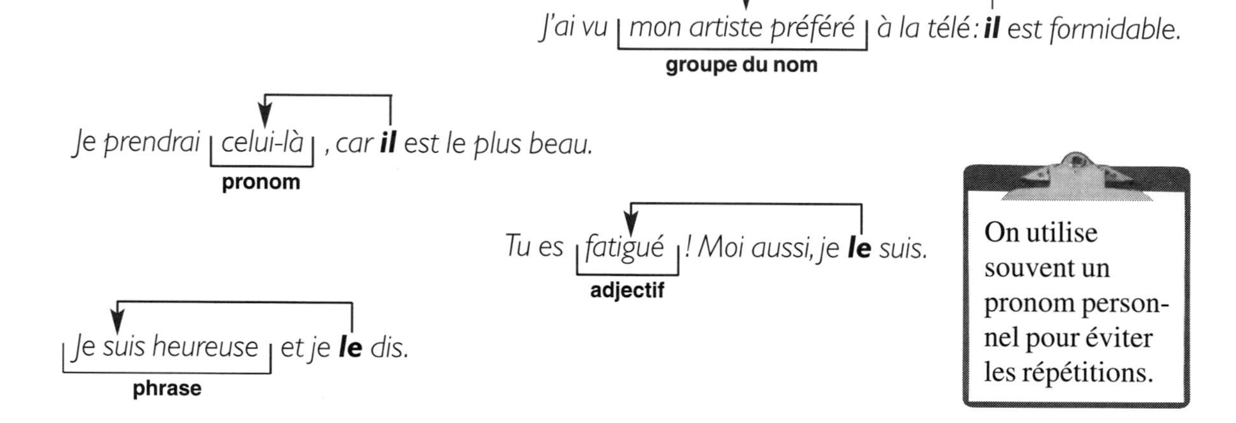

On utilise souvent un pronom personnel pour éviter les répétitions.

Quelles sont les formes du pronom personnel ?

- Le pronom personnel varie en **nombre** (singulier ou pluriel) et en **personne** (1re, 2e ou 3e) ainsi que selon sa fonction ; il varie aussi en **genre** à la 3e personne.

PERSONNES	PRONOMS SUJETS	PRONOMS COMPLÉMENTS
1re du singulier	*je*	*me, moi*
2e du singulier	*tu*	*te, toi*
3e du singulier	*il, elle, on*	*se, soi, elle, le, la, lui, en, y*
1re du pluriel	*nous*	*nous*
2e du pluriel	*vous*	*vous*
3e du pluriel	*ils, elles*	*se, soi, elles, les, eux, leur, en, y*

On considère le pronom **on** comme un pronom personnel indéfini.

277

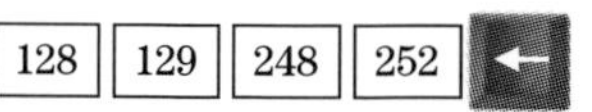
128 129 248 252

Quelles sont les fonctions du pronom personnel?

- Comme le pronom personnel peut constituer le noyau d'un groupe du nom, il remplit les mêmes fonctions que ce groupe. Voici les principales.

SUJET ▶ *Annie a fait plusieurs voyages;* ***elle*** *en a rapporté plusieurs souvenirs.*

ATTRIBUT ▶ *– Es-tu sportif?*

– Oui, je ***le*** *suis.*

COMPLÉMENT DU NOM ▶ *La maîtrise de* ***soi*** *est une grande qualité.*

COMPLÉMENT DE L'ADJECTIF ▶ *Ils sont satisfaits de* ***toi****.*

COMPLÉMENT DIRECT ▶ *Il* ***l'****a rencontrée au dépanneur.*

COMPLÉMENT INDIRECT ▶ *Je* ***lui*** *ai parlé de notre projet.*

Attention!

- Les pronoms compléments *me*, *te*, *nous*, *vous*, *lui*, *se* peuvent être des compléments indirects, même s'il n'y a aucune préposition **visible** qui les introduit.

- Cette notion est importante pour l'accord du participe passé employé avec **avoir**.

253

Quand fait-on l'élision du pronom personnel?

Lorsque les pronoms personnels **je**, **me**, **te**, **se**, **le**, **la** se trouvent devant un verbe qui commence par une **voyelle** ou un **h** muet, le phénomène de l'élision se produit, c'est-à-dire qu'on remplace le **e** ou le **a** par une apostrophe.

__J'__offre mes services.
Il __m'__accompagne à vélo.
Elle __t'__ouvre la porte.
Je __m'__habille en vitesse.
Ils __s'__échappent.
Tu __l'__as vu hier, n'est-ce pas?

391

- La 1re personne désigne le locuteur (**je**) ou les locuteurs (**nous**).

  La 2e personne désigne l'interlocuteur (**tu**) ou les interlocuteurs (**vous**).

  La 3e personne représente l'être ou la chose (**il**, **elle**), les êtres ou les choses (**ils**, **elles**) dont on parle.

- Même si le pronom **on** est nominal, il peut avoir plusieurs sens.

l'ensemble des êtres humains ▶	***On** est mortel.*
une personne en particulier ▶	***On** m'a dit que tu partais bientôt en vacances.*
en remplacement de *nous* ▶	*«N'ayez pas peur, cria l'un des pompiers, **on** va vous sortir de là.»*
un groupe ▶	***On** se prépara et **l'on** partit pour notre voyage de pêche annuel.*

- Il arrive fréquemment que l'on utilise **l'on** au lieu de **on**; il faut éviter, cependant, d'utiliser **l'on** devant des mots qui commencent par **l**.

*Il arrive fréquemment que **l'on** utilise **l'on** au lieu de **on**.*

Ne pas confondre

LA

- est un pronom personnel;
- remplace un nom féminin.
- ne peut être suivi du mot **toujours**.

*La clôture? Je **la** (~~toujours~~) peins dès demain.*

La peut être aussi un «déterminant article».

156

L'A

- est composé du pronom personnel **l'** (*le, la*) et du verbe ou de l'auxiliaire **avoir** à la 3e personne du singulier de l'indicatif présent;
- peut être remplacé par **l'avait**.

*Cette chanson **l'a** (l'avait) enchanté.*

LÀ

- est un adverbe de lieu;
- suit souvent un verbe;
- peut être remplacé par son contraire **ici**.

*Crois-tu que ton oncle est **là** (ici)?*

Là fait partie de plusieurs locutions: *là-bas, là-haut, là-dedans, là-dessus, là-dessous*.

Ne pas confondre

SE

- est un pronom personnel de la 3e personne du singulier ou du pluriel;
- précède un verbe;
- suit généralement un nom ou un des pronoms suivants: **il**, **ils**, **elle**, **elles**, **on**;
- peut être remplacé par **me**.

CE

- est un pronom démonstratif;
- précède un verbe;
- ne peut être remplacé par **me**.

Ce *(~~me~~) sont de bons joueurs.*

Ce peut aussi être un déterminant démonstratif.

165

Qu'est-ce qu'un pronom démonstratif?

- Un pronom démonstratif est d'abord un mot qui remplace un ou plusieurs autres mots; il sert aussi à montrer (par le geste ou le contexte) les êtres ou les choses qu'il représente.

De ces deux chandails, je prends ***celui*** *qui est le plus chaud.*
Tu es malade? J'espère que ***ce*** *n'est pas grave.*
Il y a deux routes; qu'est-ce que je fais? Je prends ***celle-ci****!*

- Les pronoms démonstratifs sont parfois utilisés **sans antécédent**; on les appelle alors des nominaux. Les pronoms démonstratifs nominaux ne représentent pas d'autres mots du texte, mais désignent des personnes dont l'identité est inconnue.

Celui *qui parle trop ne peut pas écouter.*

- Le pronom démonstratif constitue un groupe du nom et il peut faire partie d'un groupe prépositionnel.

Je possède plusieurs livres, mais je préfère [***celui-ci***]GN.
Le président du jury a remis la coupe [*à* ***ceux*** *qui l'ont méritée*]G Prép.

Quelles sont les formes du pronom démonstratif?

TOUJOURS SINGULIER	SINGULIER		PLURIEL	
NEUTRE*	**MASCULIN**	**FÉMININ**	**MASCULIN**	**FÉMININ**
ce (c') ceci cela ça	celui celui-ci celui-là	celle celle-ci celle-là	ceux ceux-ci ceux-là	celles celles-ci celles-là

* *Ils ont gagné,* ***cela*** *est certain.* L'accord se fait au masculin singulier.

• Les pronoms **celui-ci, celle-ci, ceux-ci, celles-ci, ceci** s'emploient généralement pour désigner des êtres ou des objets proches ou dont on vient de parler.

Il y a deux routes : qu'est-ce que je fais?
*Je prends **celle-ci**!* [proche]

• Les pronoms **celui-là, celle-là, ceux-là, celles-là, cela** (**ça**) s'emploient généralement pour désigner des êtres ou des objets éloignés ou dont on a parlé.

Je ne sais plus quel sapin choisir;
*je crois que je vais prendre **celui-là**.* [éloigné]

• Le pronom démonstratif varie selon son antécédent, mais sa forme dépend souvent aussi de l'intention de la personne qui parle ou qui écrit.

Voici trois possibilités.

▸ Le pronom démonstratif prend le **genre** (masculin ou féminin) et le **nombre** (singulier ou pluriel) de son antécédent.

masc. plur. **masc. plur.**
*Ces **melons** sont **ceux** que je préfère.*

fém. sing. **fém. sing.**
***Celle-ci** est l'**auto** de mon père.*

▸ Le pronom démonstratif prend le **genre** (masculin ou féminin) de son antécédent, mais son **nombre** (singulier ou pluriel) varie selon l'intention de la personne qui parle ou qui écrit.

masc. plur. **masc. sing.**
*Je possède plusieurs **livres**, mais je préfère **celui-ci**.*

▸ Lorsque le pronom démonstratif n'a pas d'antécédent, son **genre** et son **nombre** dépendent des besoins de la communication.

*Je ne connais pas **celui** qui a commis ce vol.*
*Je ne connais pas **ceux** qui ont commis ce vol.*

Quelles sont les fonctions du pronom démonstratif?

Comme le pronom démonstratif peut constituer le noyau d'un groupe du nom, il remplit les mêmes fonctions que ce groupe.

Voici les principales.

SUJET ▶ *Tu es blessé? J'espère que* ***ce*** *n'est pas douloureux.*

ATTRIBUT ▶ *Ces melons sont* ***ceux*** *que je préfère.*

COMPLÉMENT DU NOM ▶ *Il ne faut pas sous-estimer la chance de* ***ceux*** *qui ont participé au tirage.*

COMPLÉMENT DIRECT ▶ *De ces deux chemises, je prends* ***celle*** *qui est la plus colorée.*

COMPLÉMENT INDIRECT ▶ *Le président du jury a remis les médailles à* ***ceux*** *qui les ont méritées.*

Ne pas confondre

Attention!

Voici quelques emplois du pronom démonstratif **ce**.

- **Ce** précède une subordonnée relative.

Il faut faire ***ce*** *qu'on aime.*

- **Ce** forme avec **que** ou **qui** une locution interrogative dans l'interrogation indirecte.

Je me demande bien ***ce qu'****elle souhaite.*

- **Ce** entre dans la construction de certaines locutions interrogatives.

*Qui est-****ce*** *qui sonne à la porte?*
*Qu'est-****ce*** *qui t'arrive?*

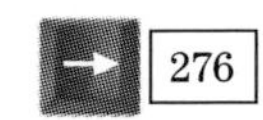

Le pronom possessif

Qu'est-ce qu'un pronom possessif ?

- Le pronom possessif est un mot qui remplace généralement un nom. Il marque aussi la possession ou l'appartenance d'un être, d'un objet.

Ton frère est plus jeune que ***le mien****.*
Prête-moi ta balle. J'ai perdu ***la mienne****.*
Ton village est plus petit que ***le mien****.*

Certains pronoms possessifs sont parfois utilisés **sans antécédent** exprimé dans le texte.

Soyez des ***nôtres*** *au prochain repas communautaire.*

Quelles sont les formes du pronom possessif ?

Pronoms possessifs	Personnes	Genre et nombre	Exemples	
le mien le tien le sien	1re 2e 3e	masculin singulier	*Mon frère est malade et* ***le sien*** *aussi.*	Un possesseur
la mienne la tienne la sienne	1re 2e 3e	féminin singulier	*Où est ta maison ?* ***La mienne*** *est ici.*	Un possesseur
les miens les tiens les siens	1re 2e 3e	masculin pluriel	*Est-ce que ces livres sont* ***les tiens*** *?*	Un possesseur
les miennes les tiennes les siennes	1re 2e 3e	féminin pluriel	*Mes espadrilles sont rouges,* ***les siennes*** *sont bleues.*	Un possesseur
le nôtre le vôtre le leur	1re 2e 3e	masculin singulier	*Mon chien et* ***le vôtre*** *sont des épagneuls.*	Plusieurs possesseurs
la nôtre la vôtre la leur	1re 2e 3e	féminin singulier	*Cette maison blanche, c'est* ***la nôtre****.*	Plusieurs possesseurs
les nôtres les vôtres les leurs	1re 2e 3e	féminin ou masculin pluriel	*Ces idées sont bien* ***les vôtres****.* **fém.** *Ces crayons sont* ***les nôtres****.* **masc.**	Plusieurs possesseurs

- Le pronom possessif constitue un groupe du nom et il peut faire partie d'un groupe prépositionnel.

Il faut que je termine mon devoir pour mardi; est-ce que tu as terminé ***le tien*** *?* (GN)

La ferme située au sud du rang Croche est la propriété de la famille de mon amie; celle située au nord appartient ***à la mienne****.* (G Prép.)

- Le pronom possessif varie généralement en **genre** (masculin ou féminin), en **nombre** (singulier ou pluriel) et en **personne** (1re, 2e ou 3e).

- Le pronom possessif varie selon son antécédent, mais sa forme dépend souvent aussi de l'intention de la personne qui parle ou qui écrit.

Voici deux possibilités.

▸ Le pronom possessif prend le **genre** (masculin ou féminin) et le **nombre** (singulier ou pluriel) de son antécédent. La **personne** du pronom dépend des besoins de la communication.

As-tu fini de lire ton livre (masc. sing.) sur les planètes? Je suis en train de lire ***le mien*** (masc. sing.) *sur les animaux.*

Il faut que je termine mon dessin (masc. sing.) pour lundi. Est-ce que tu as terminé ***le tien*** (masc. sing.)*?*

▸ Le pronom possessif prend le **genre** (masculin ou féminin) de son antécédent, mais son **nombre** (singulier ou pluriel) et sa **personne** (1re, 2e ou 3e) varient selon l'intention de la personne qui parle ou qui écrit.

J'aime beaucoup ces dessins (masc. plur.), mais je préfère ***le tien*** (masc. sing.)*.*

Il y a plusieurs belles maisons (fém. plur.) dans la rue, mais je préfère ***la nôtre*** (fém. sing.)*.*

Quelles sont les fonctions du pronom possessif ?

Comme le pronom possessif peut constituer le noyau d'un groupe du nom, il remplit les mêmes fonctions que ce groupe.

Voici les principales fonctions du pronom possessif.

SUJET ▶ *Où est ta bicyclette ? **La mienne** est ici.*

ATTRIBUT ▶ *Est-ce que ces patins sont **les tiens** ?*

COMPLÉMENT DIRECT ▶ *Prête-moi ton ballon. J'ai perdu **le mien**.*

COMPLÉMENT INDIRECT ▶ *La ferme située au sud du rang Croche est la propriété de la famille de mon amie ; celle située au nord appartient **à la mienne**.*

Attention !

Miens, **tiens** et **siens** sont des noms lorsqu'ils désignent des parents ou des amis.

*Je prends toujours soin des **miens**.*

Qu'est-ce qu'un pronom relatif ?

- Un pronom relatif est un mot qui remplace généralement un nom ou un pronom et qui permet de joindre à ce nom ou à ce pronom une subordonnée qui le complète.

Une subordonnée qui commence par un pronom relatif est une **subordonnée relative**. Plusieurs personnes donnent le nom de **subordonnant** au pronom relatif.

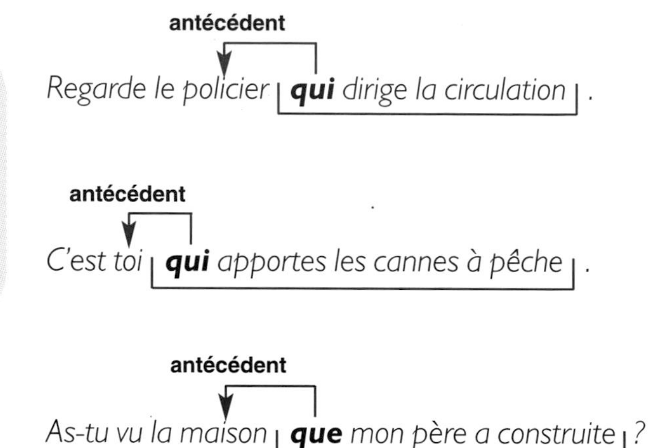

- Le pronom relatif peut aussi remplacer un **adjectif** ou un **adverbe**.

Aussi assoiffé **que** *tu sois, prends ton temps pour boire l'eau glacée de ta gourde.*

Là **où** *vous irez, j'irai.*

- Les pronoms relatifs sont parfois utilisés **sans antécédent** ; on les appelle alors des **nominaux**. Les pronoms relatifs nominaux ne représentent pas d'autres mots du texte, mais désignent des personnes dont l'identité est inconnue.

J'inviterai **qui** *je veux à ma soirée.*

Qui *veut peut.*

Quelles sont les fonctions du pronom relatif dans la subordonnée qu'il introduit ?

- Le pronom relatif peut avoir une fonction de **sujet**, d'**attribut** ou de **complément** dans la phrase qui le contient. Voici les principaux cas.

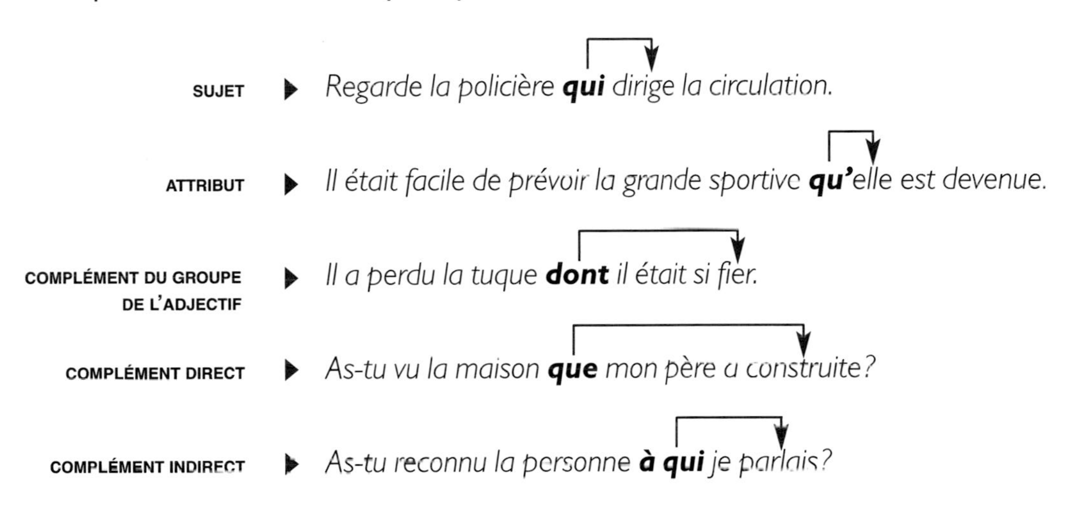

Quelles sont les formes du pronom relatif ?

- Le pronom relatif a des **formes simples** et des **formes composées.**

FORMES SIMPLES

qui

que (qu')

quoi

dont

où

FORMES COMPOSÉES		
	MASCULIN	**FÉMININ**
singulier	lequel duquel auquel	laquelle de laquelle à laquelle
pluriel	lesquels desquels auxquels	lesquelles desquelles auxquelles

- La forme du pronom relatif **composé** varie selon le **genre** (masculin ou féminin) et le **nombre** (singulier ou pluriel) de son antécédent.

- Même si sa forme ne change pas, le pronom relatif **simple** (*qui*, *que*, *quoi*, *dont*, *où*) prend le **genre**, le **nombre** et la **personne** de son antécédent.

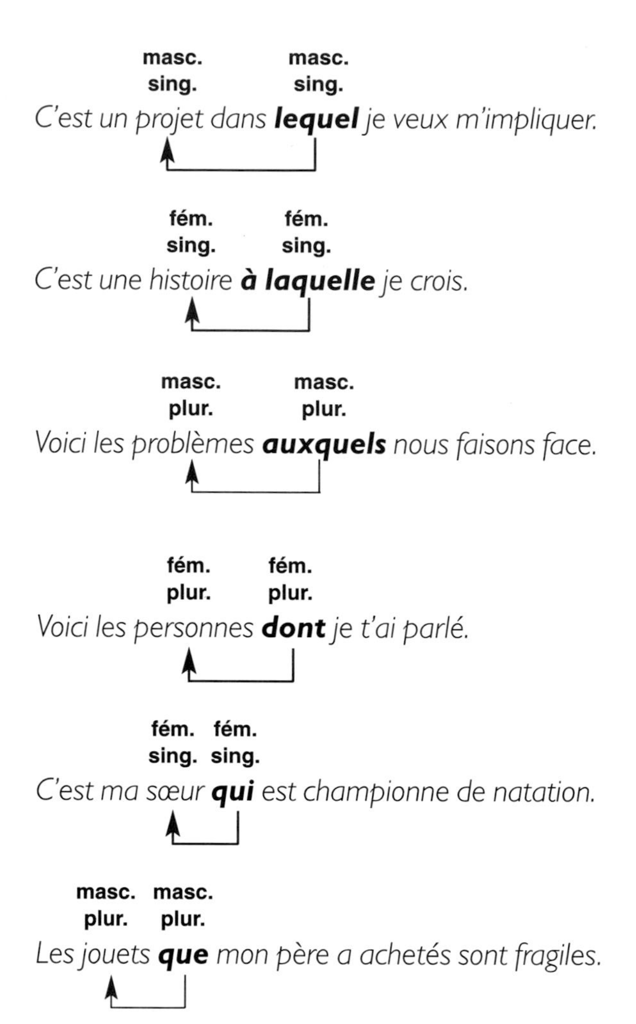

Ne pas confondre

OÙ

- est un pronom relatif ou un adverbe interrogatif ;
- remplace un nom, un pronom ou un adverbe lorsqu'il est pronom ;
- précède généralement un verbe lorsqu'il est adverbe interrogatif ;
- ne peut être remplacé par **ou bien**.

~~ou bien~~

C'est un endroit ***où*** *je n'irai jamais.*

~~ou bien~~

Où *veux-tu aller?*

OU

- est un mot de relation (conjonction) ;
- unit deux mots de même classe ;
- peut être remplacé par **ou bien**.

ou bien

Caroline aimerait avoir un chien ***ou*** *un chat en cadeau pour sa fête.*

Qu'est-ce qu'un pronom interrogatif?

- Un pronom interrogatif est un mot qui remplace généralement un nom. Il sert à poser des questions à propos des êtres ou des choses.

__Qui__ es-tu?

__Que__ veux-tu?

Voici deux foulards; __lequel__ désires-tu?

__Qui__ veut de la crème glacée?

Quelles sont les formes du pronom interrogatif?

FORMES SIMPLES
qui
que (qu')
quoi

FORMES COMPOSÉES		
	MASCULIN	FÉMININ
singulier	lequel duquel auquel	laquelle de laquelle à laquelle
pluriel	lesquels desquels auxquels	lesquelles desquelles auxquelles

- Le pronom interrogatif varie selon son antécédent, mais sa forme dépend souvent aussi de l'intention de la personne qui parle ou qui écrit.

  Voici trois possibilités.

  - Le pronom interrogatif prend le **genre** (masculin ou féminin) et le **nombre** (singulier ou pluriel) de son antécédent.

__Un ami__ (masc. sing.) est venu te voir. __Lequel__ (masc. sing.)?

__Des amis__ (masc. plur.) sont venus te voir. __Lesquels__ (masc. plur.)?

▶ Le pronom interrogatif prend le **genre** (masculin ou féminin) de son antécédent, mais son **nombre** (singulier ou pluriel) varie selon l'intention de la personne qui parle ou qui écrit.

masc. plur. **masc. sing.**

*Voici **deux foulards**; **lequel** préfères-tu?*

fém. plur. **fém. sing.**

***Des amies** qui sont venues te voir, **laquelle** préfères-tu?*

▶ Lorsque le pronom interrogatif n'a pas d'antécédent – généralement un pronom de forme simple – son **genre** et son **nombre** dépendent des besoins de la communication.

***Que** veux-tu?*

***Qui** est si heureux?*

***Qui** sont-elles?*

- Les pronoms interrogatifs **qui** et **que** forment avec les expressions **est-ce qui** et **est-ce que** des locutions d'interrogation.

***Qui est-ce qui** sonne à la porte?*

***Qu'est-ce qui** t'arrive?*

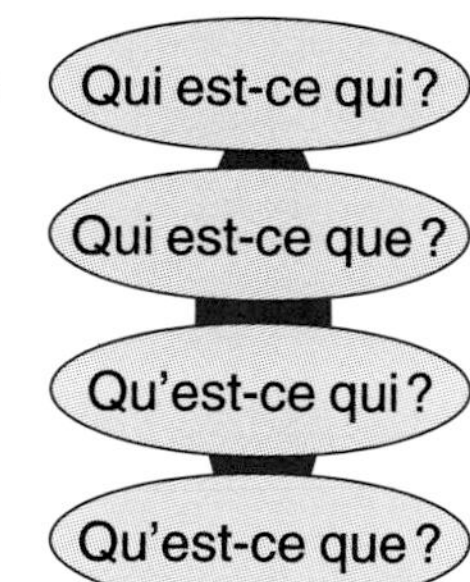

- **Combien**, qui est un adverbe, peut aussi jouer le rôle d'un pronom interrogatif.

*Parmi ces bicyclettes, **combien** sont vendues à un prix abordable?*

- Les pronoms interrogatifs de forme simple sont généralement des pronoms nominaux, c'est-à-dire **sans antécédent** dans le texte.

  Les pronoms de forme composée ont généralement un antécédent et remplissent une fonction de représentants.

Qu'est-ce qu'un pronom indéfini ?

- Un pronom indéfini est un mot qui désigne de façon imprécise une quantité ou une identité.

- Les pronoms indéfinis sont généralement employés sans antécédent ; ce sont alors des pronoms nominaux.

__Certains__ prétendent que l'argent ne fait pas le bonheur.
Attends ! je vois __quelqu'un__ qui s'en vient.

- Lorsque le pronom indéfini n'a pas d'antécédent, il est le plus souvent au masculin (singulier ou pluriel) ; si le contexte précise un **genre** et un **nombre**, on doit en tenir compte.

__Certains__ prétendent que l'argent ne fait pas le bonheur.
__Personne__ n'est allé à la boutique d'art.
La décision du tribunal n'a pas plu à __certaines__, plus militantes.

- Lorsque le pronom indéfini variable a un antécédent, il a le même **genre** que celui-ci. Mais c'est la situation de communication qui en détermine le **nombre**.

masc. plur. (Certains) … **masc. plur.** (garçons)
__Certains__ de ces garçons jouaient au soccer.

fém. sing. (Une) … **fém. plur.** (amies)
__Une__ de mes amies a la fibrose kystique.

Quels sont les principaux pronoms indéfinis ?

Pronoms VARIABLES	Pronoms INVARIABLES
aucun	autrui
autre	on
certains	personne
chacun	plusieurs
même	rien
nul	
quelqu'un	
un	
tel	
tout	

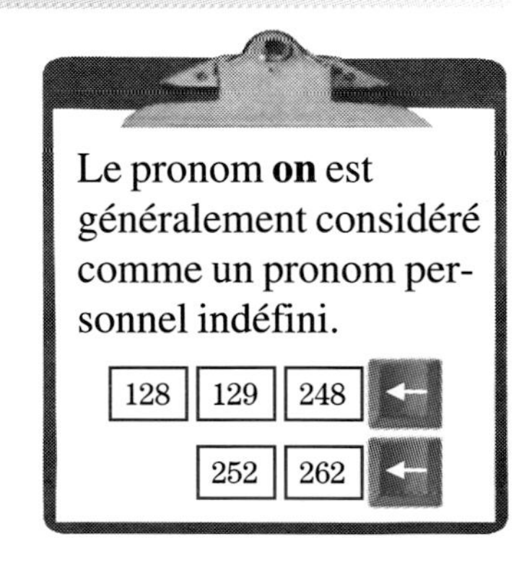
Le pronom **on** est généralement considéré comme un pronom personnel indéfini.

128 129 248
252 262

Quelles sont les formes du pronom indéfini ?

- Les pronoms indéfinis **invariables** ne changent jamais de forme : **autrui**, **on**, **personne**, **plusieurs**, **rien**...
- Voici les principales formes des pronoms indéfinis **variables**.

aucun	▶ **aucune** (féminin singulier) *J'ai invité des amis à une fête, mais **aucun** n'est venu.* *J'ai invité des amies, mais **aucune** ne viendra à la fête.*
autre	▶ **autres** (masculin ou féminin pluriel) *Il se prend pour un **autre**.* *Elles se prennent pour d'**autres**.*
certains	▶ **certaines** (féminin pluriel) ***Certains** de mes amis jouent au soccer.* ***Certaines** de mes amies jouent au handball.*
chacun	▶ **chacune** (féminin singulier) ***Chacun** choisit ses vêtements selon son goût.* ***Chacune** des comédiennes est venue saluer les spectateurs.*
le même	▶ **la même** (féminin singulier) ▶ **les mêmes** (masculin ou féminin pluriel) *La chance sourit souvent aux **mêmes**.*
nul	▶ **nulle** (féminin singulier) ***Nul** ne doit ignorer la loi.*

→

quelqu'un	▶ **quelques-uns** (masculin pluriel) ▶ **quelques-unes** (féminin pluriel) ***Quelqu'un*** *sonne à la porte.* *J'ai vu* ***quelques-uns*** *de mes films préférés à la télé.*
tel	▶ **telle** (féminin singulier) ▶ **tels** (masculin pluriel) ***Tel*** *est pris qui croyait prendre.*
tout	▶ **tous** (masculin pluriel) ▶ **toutes** (féminin pluriel) ***Tout*** *est bien qui finit bien.* *Pour aider les sinistrés, on fit un appel à* ***tous****.*
un (l'un)	▶ **une, l'une** (féminin singulier) ▶ **les uns** (masculin pluriel) ▶ **les unes** (féminin pluriel) ***L'une*** *de vous deux arrivera première.* ***L'un*** *de vous deux arrivera premier.* ***Les uns*** *comme les autres firent des efforts considérables.*

- D'autres expressions peuvent jouer le rôle d'un pronom indéfini.

L'adverbe

Une définition

Qu'est-ce qu'un adverbe ?

- Un adverbe est un mot qui complète généralement le sens d'un **verbe**, d'un **adjectif** ou d'un autre **adverbe**.

VERBE ▶ *Mon frère mange **vite**.*

ADJECTIF ▶ *Elle a été **bien** malade la semaine dernière.*

ADJECTIF ▶ *Ce spectacle **très** intéressant commence la semaine prochaine.*

ADVERBE ▶ *Le jaguar court **très** rapidement.*

Il peut, mais moins fréquemment, compléter le sens d'une **préposition** ou d'un **pronom**.

PRÉPOSITION ▶ *J'étais debout **bien** avant l'aube.*

PRONOM ▶ *C'est **surtout** lui qui nous intimidait.*

Enfin, il peut être aussi **complément de phrase**.

COMPL. DE PHRASE ▶ ***Demain**, nous jouerons contre nos adversaires les plus coriaces.*

Même si l'adverbe est souvent seul, c'est-à-dire **sans expansion**, plusieurs personnes lui donnent le nom **de groupe de l'adverbe : G Adv**.

L'adverbe remplit généralement la fonction de modificateur.

• Une locution adverbiale est un groupe de mots qui joue le rôle d'un adverbe.

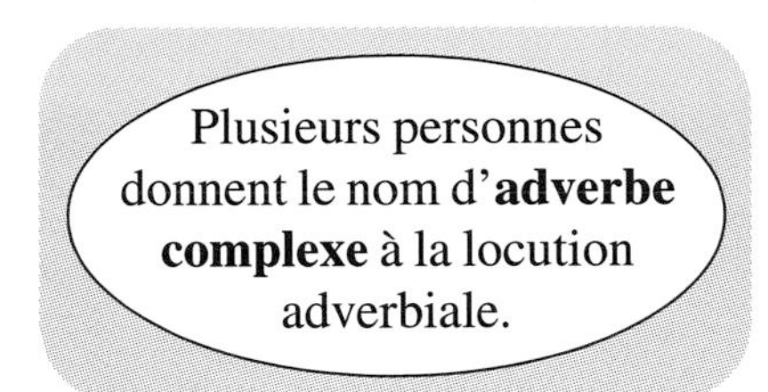

Il ne faut pas prendre cette décision ***à la légère****.*
Ma tante est venue à la maison ***avant-hier****.*
Ta grand-mère est ***tout à fait*** *rétablie de son opération.*

• L'adverbe (ou groupe de l'adverbe) fait généralement partie du **groupe du verbe**, mais il peut aussi faire partie du **groupe sujet** ou constituer un **groupe complément de phrase**.

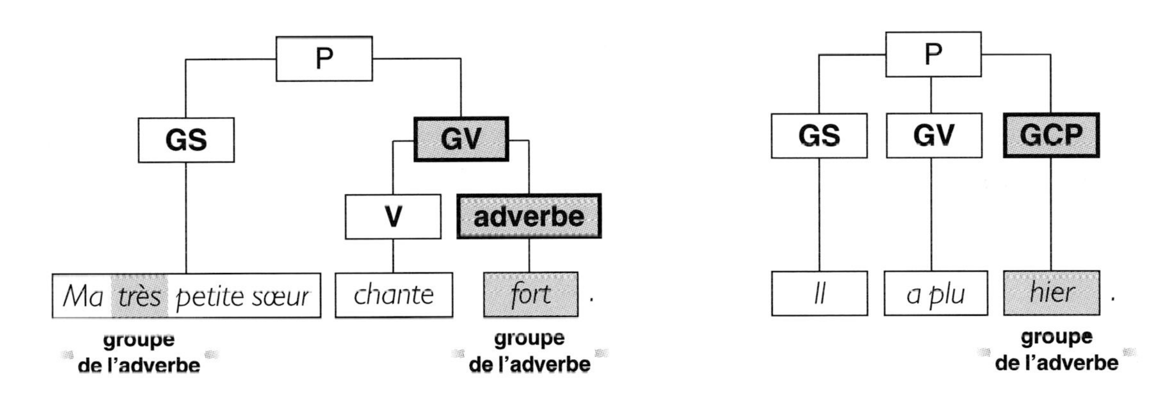

La composition du groupe de l'adverbe

Quelle est la composition d'un groupe de l'adverbe ?

• Un groupe de l'adverbe est un groupe de mots dont le noyau est un adverbe.

• Voici quelques constructions du groupe de l'adverbe.

Comment classe-t-on les adverbes ?

- On regroupe les adverbes selon le type de précision qu'ils apportent au mot qu'ils accompagnent.

Plusieurs adjectifs peuvent jouer aussi le rôle d'un adverbe.

*Cet avion vole **haut**!*
*Cette histoire est **fort** intéressante.*

SORTES	ADVERBES	EXEMPLES
Adverbes de **manière** :	*ainsi*, *bien*, *debout*, *ensemble*, *en vain*, *gratis*, *incognito*, *mal*, *mieux*, *par hasard*, *plutôt*, *vite*, etc. et la plupart des adverbes en **-ment**	*Il ne faut pas conduire **vite** sur une route glacée.*
Adverbes de **quantité** ou de **degré** :	*à demi*, *à peu près*, *assez*, *aussi*, *autant*, *beaucoup*, *davantage*, *moins*, *pas du tout*, *peu*, *plus*, *tout à fait*, *très*, *trop*, etc.	*Sandra est revenue de voyage **très** fatiguée.*
Adverbes de **temps** :	*aujourd'hui*, *auparavant*, *aussitôt*, *autrefois*, *avant*, *bientôt*, *déjà*, *demain*, *encore*, *enfin*, *ensuite*, *hier*, *longtemps*, *maintenant*, *parfois*, *soudain*, *souvent*, *tard*, *tôt*, *toujours*, etc.	*Je te rencontrerai **bientôt**.*
Adverbes de **lieu** :	*à droite*, *à gauche*, *ailleurs*, *alentour*, *autour*, *dedans*, *dehors*, *en arrière*, *en avant*, *en bas*, *en haut*, *ici*, *là*, *là-bas*, *loin*, *partout*, *près*, etc.	*Plusieurs déchets jonchaient le sol **ici** et **là**.*
Adverbes d'**affirmation** :	*assurément*, *certainement*, *certes*, *oui*, *vraiment*, etc.	*Le chauffeur était **certainement** trop distrait pour éviter le camion.*

→

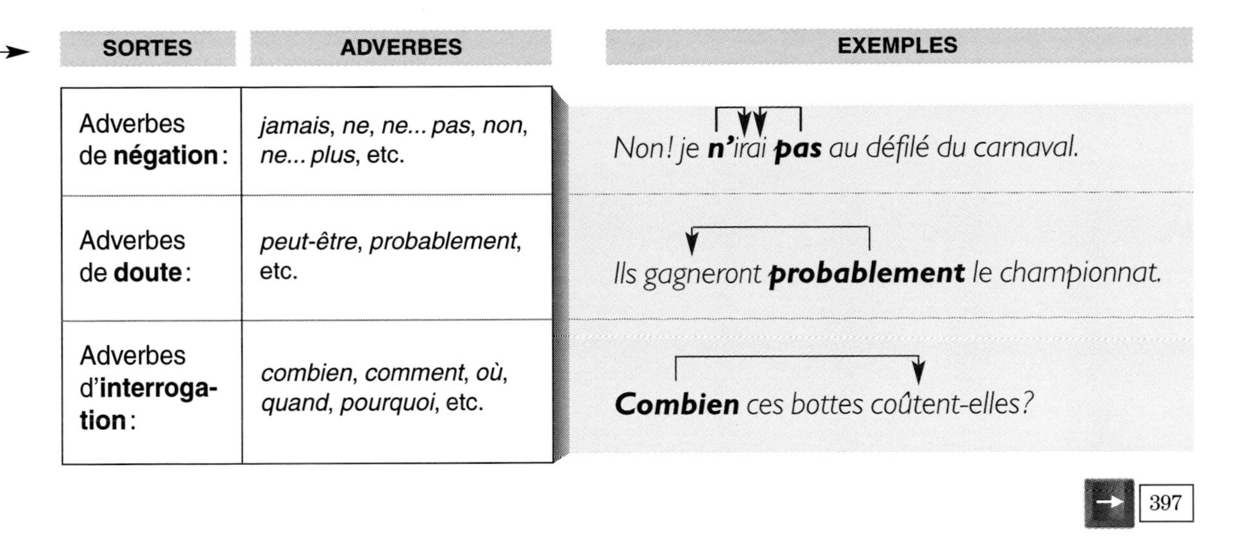

SORTES	ADVERBES	EXEMPLES
Adverbes de **négation** :	*jamais*, *ne*, *ne... pas*, *non*, *ne... plus*, etc.	*Non! je* ***n'****irai* ***pas*** *au défilé du carnaval.*
Adverbes de **doute** :	*peut-être*, *probablement*, etc.	*Ils gagneront* ***probablement*** *le championnat.*
Adverbes d'**interrogation** :	*combien*, *comment*, *où*, *quand*, *pourquoi*, etc.	***Combien*** *ces bottes coûtent-elles?*

→ 397

- Certains adverbes facilitent la transition entre les phrases et assurent la progression du texte en établissant des liens avec ce qui précède. Ces adverbes jouent le rôle d'**organisateurs textuels**.

Voici quelques exemples.

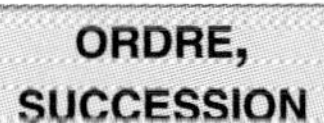

ORDRE, SUCCESSION

deuxièmement, secundo
enfin, finalement
ensuite
premièrement, d'abord
puis

OPPOSITION, CONSÉQUENCE

donc
pourtant

RAISON, EXPLICATION

en effet, effectivement
par exemple

LIEU

à droite
à gauche
en avant
en arrière
en bas
en haut
ici
là-bas

TEMPS

aujourd'hui
autrefois
demain
hier
jadis
maintenant
tout à l'heure

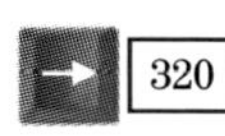
320

Les adverbes en *-ment*

Comment forme-t-on les adverbes en *-ment*?

- Les adverbes en **-ment** sont généralement formés à partir d'un adjectif féminin.

ADJECTIF MASCULIN	ADJECTIF FÉMININ	ADVERBE
Lent	*Lent***e**	*Lente***ment**
Grand	*Grand***e**	*Grande***ment**

- Les adjectifs en **-ant** forment généralement des adverbes en **-amment**.

*sav***ant** → *sav***amment**
*puiss***ant** → *puiss***amment**

- Les adjectifs en **-ent** forment généralement des adverbes en **-emment**.

*viol***ent** → *viol***emment**
*prud***ent** → *prud***emment**

L'accord des adverbes

Accorde-t-on les adverbes?

Les adverbes sont **invariables.**

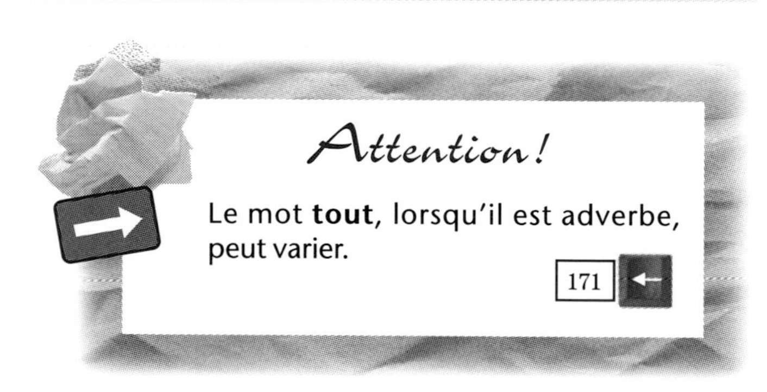

Ne pas confondre

PEU

- est un adverbe;
- accompagne un adjectif, un verbe ou un adverbe;
- peut être remplacé par son contraire **beaucoup** ou **très**.

très

J'ai un chien ***peu*** *obéissant.*

Peu fait partie de plusieurs locutions: *peu à peu, à peu près, un peu de, sous peu, peu importe, un peu.*

PEUX/PEUT

- est le verbe **pouvoir** à la 1re, 2e ou 3e personne du singulier de l'indicatif présent;
- est généralement précédé d'un nom ou d'un pronom;
- peut être remplacé par **pouvait** (ou **pouvais**).

pouvait

Mon chien ***peut*** *aboyer pendant des heures.*

Ne pas confondre

PLUTÔT

- s'écrit en un mot;
- est un adverbe;
- signifie «de préférence».

Nous aimons l'Italie, mais nous choisirons ***plutôt*** *la France pour nos vacances.*

(de préférence)

PLUS TÔT

- s'écrit en deux mots;
- est une locution adverbiale;
- est le contraire de **plus tard**.

plus tard

Nous sommes arrivés ***plus tôt*** *que prévu.*

Le coordonnant et le subordonnant

La conjonction

Le coordonnant

Qu'est-ce qu'un coordonnant?

- On appelle généralement **coordonnant** une conjonction ou une locution conjonctive de coordination.
- Le **coordonnant** est un marqueur de relation qui peut servir à unir deux mots, deux groupes de mots ou deux subordonnées. Il peut aussi unir deux phrases.

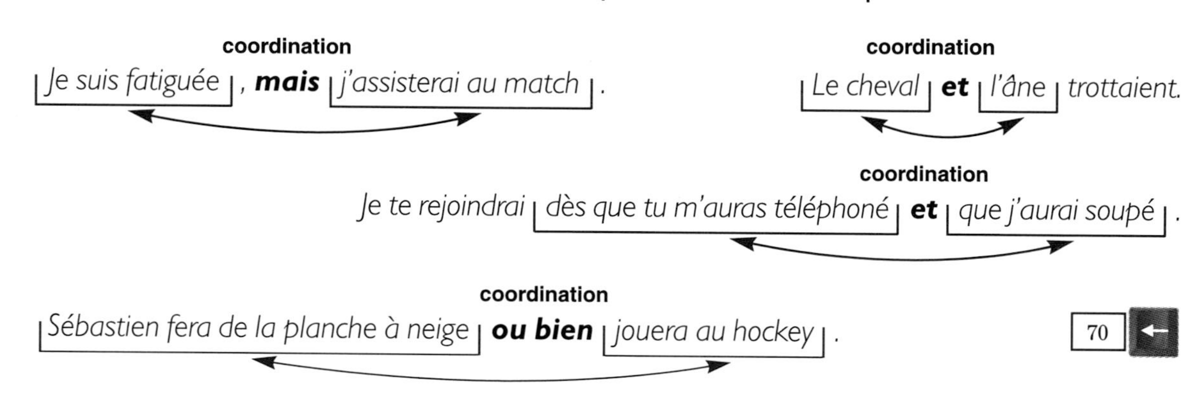

70

Quels sont les principaux coordonnants?

UN MOT

aussi (conséquence)
car (cause)
donc (conséquence)
et (addition)
mais (restriction, opposition)
néanmoins (opposition)
ni... ni (négation)
or (transition)
ou (alternative)
sinon (condition)

PLUSIEURS MOTS

ainsi que (addition)
c'est-à-dire (explication)
c'est pourquoi (explication)
ou bien (alternative)
soit... soit (alternative)

398

Attention !

Plusieurs adverbes peuvent jouer le rôle de coordonnants :

ainsi (conclusion)	*d'ailleurs* (transition)	*enfin* (conclusion)	*pourtant* (opposition)
cependant (opposition)	*en effet* (explication)	*ensuite* (succession)	*puis* (succession)

Accorde-t-on les coordonnants ?

Les coordonnants sont toujours **invariables**.

Ne pas confondre

MAIS

- est une conjonction de coordination ;
- peut être remplacé par **cependant**.

cependant

*François irait jouer au ballon, **mais** il pleut.*

MES

- est un déterminant possessif.
- Pour le différencier de **mais**, on peut mettre le déterminant et le nom au singulier.

mon patin

*As-tu vu **mes** patins ?*

METS

- est un nom commun qui signifie « plat ».

*Les **mets** chinois sont délicieux.*

METS/MET

- est le verbe **mettre** à la 1re, 2e ou 3e personne du singulier de l'indicatif présent ;
- peut être remplacé par **mettais** (ou **mettait**).

mettais

*Tu **mets** tes souliers.*

mettait

*Il **met** ses souliers.*

Ne pas confondre

Qu'est-ce qu'un subordonnant ?

- On appelle généralement **subordonnant** une conjonction ou une locution conjonctive de subordination.

- Le subordonnant est un marqueur de relation qui indique un rapport de subordination, c'est-à-dire de dépendance entre une **phrase matrice** et une **subordonnée**.

17

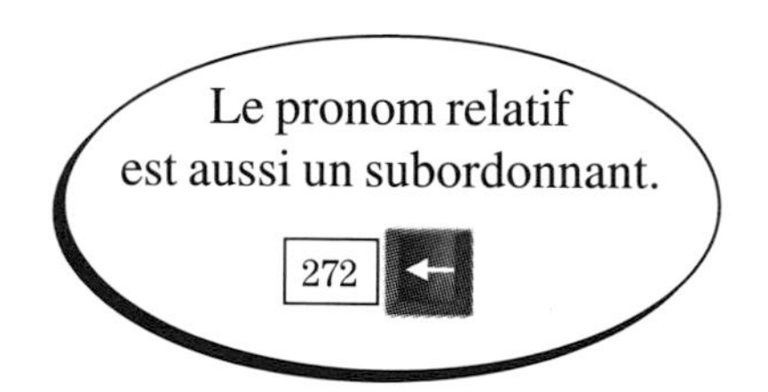

Il aime ***que*** *je lui chante une chanson.*

Elle était contente ***qu'****on lui apporte de l'aide.*

Le chat ***qui*** *est tombé de l'arbre ne s'est pas blessé.*

Il préparait le petit déjeuner ***pendant que*** *tu t'habillais.*

- Le **subordonnant** peut introduire plusieurs sortes de subordonnées.

SUBORDONNÉE RELATIVE	▶ *Elle aime les films* ***qui racontent des histoires vraies****.*
SUBORDONNÉE COMPLÉTIVE	▶ *Je pense* ***qu'elle est prudente****.*
SUBORDONNÉE CIRCONSTANCIELLE	▶ ***Dès que tu arrives****, nous partons.*
SUBORDONNÉE CORRÉLATIVE	▶ *Cette solution est* ***plus*** *satisfaisante* ***qu'on ne le croyait****.*
SUBORDONNÉE SUJET	▶ ***Qu'il ait pris le temps de t'écouter*** *ne m'a pas étonné.*

Attention !

- Plusieurs personnes donnent le nom de **phrase matrice** à la phrase qui accueille, qui reçoit, qui intègre, qui enchâsse une **subordonnée**.
- La **subordonnée** est la phrase qui s'insère, qui s'intègre, qui s'enchâsse dans une **phrase matrice**. 17
- On donne le nom de **verbe principal** au verbe de la **phrase matrice**.

Il aime | *que je lui chante une chanson*.
phrase matrice | **phrase subordonnée**

Elle était contente | *qu'on lui apporte de l'aide*.
phrase matrice | **phrase subordonnée**

- Le subordonnant se trouve généralement **au début** de la subordonnée.

Quels sont les principaux subordonnants ?

UN MOT

comme (comparaison)
lorsque (temps)
puisque (cause)
quand (temps, opposition)
que
quoique (concession)
si (condition)

PLUSIEURS MOTS

à condition que (condition)
à moins que (condition)
afin que (but)
ainsi que (comparaison)
alors que (temps, opposition)
après que (temps)
attendu que (cause)
aussitôt que (temps)
avant que (temps)
bien que (concession)
de crainte que (but)
de façon que (conséquence)
de manière que (conséquence)
de peur que (but)
de sorte que (conséquence)
depuis que (temps)
dès que (temps)
en attendant que (temps)
jusqu'à ce que (temps)
malgré que (concession)
parce que (cause)
pendant que (temps)
pour que (but)
pourvu que (condition)
tandis que (temps, opposition)
vu que (cause)

398

Accorde-t-on les subordonnants ?

Les subordonnants sont toujours **invariables**.

La préposition

- **Une définition**
- **Le groupe prépositionnel**
  - sa composition
  - ses fonctions
- **Les principales prépositions**
- **L'accord**

Une définition

Qu'est-ce qu'une préposition simple ou complexe?

- Une **préposition simple** est un mot de relation qui sert à établir un lien de dépendance entre des mots ou des groupes de mots d'une phrase.

Le frère ***de*** *Valérie.*

Il parle ***durant*** *son sommeil.*

Les policiers étaient prêts ***à*** *intervenir.*

Il était content qu'on pense ***à*** *lui.*

- Une **préposition complexe** est un groupe de mots qui joue le rôle d'une préposition simple.

Il y a beaucoup de déchets ***le long de*** *la rue.*

Un avion est passé ***au-dessus de*** *la maison.*

Le groupe prépositionnel

Qu'est-ce qu'un groupe prépositionnel (G Prép.)?

- Un groupe prépositionnel est un groupe de mots introduit par une préposition **simple** ou **complexe**.

- On ne peut utiliser une préposition toute seule; on doit la compléter par un **complément** pour former un **groupe prépositionnel** (G Prép.).

• Le groupe prépositionnel peut faire partie d'un groupe sujet, d'un groupe du verbe ou d'un groupe complément de phrase.

*Le chat **de Jade** dort.* (GS)

*Je remets les clés **à mon père**.* (GV)

***Grâce à mon amie**, j'ai réussi à mon examen.* (GCP)

LA COMPOSITION D'UN GROUPE PRÉPOSITIONNEL

Quelle est la composition d'un groupe prépositionnel (G Prép.) ?

À PARTIR D'UN NOM COMMUN

Un groupe prépositionnel est souvent composé d'une **préposition**, d'un **déterminant** et d'un **nom commun**.

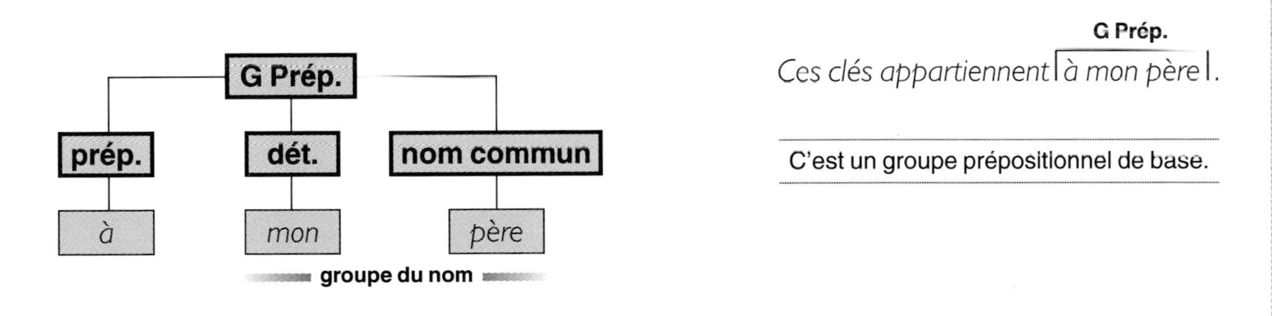

LE NOM COMMUN S'EMPLOIE PARFOIS **SANS DÉTERMINANT**. ▸ *Elle est trop souvent à couteaux tirés avec son amie.*

\+

On peut ajouter un **adjectif** au groupe prépositionnel de base.

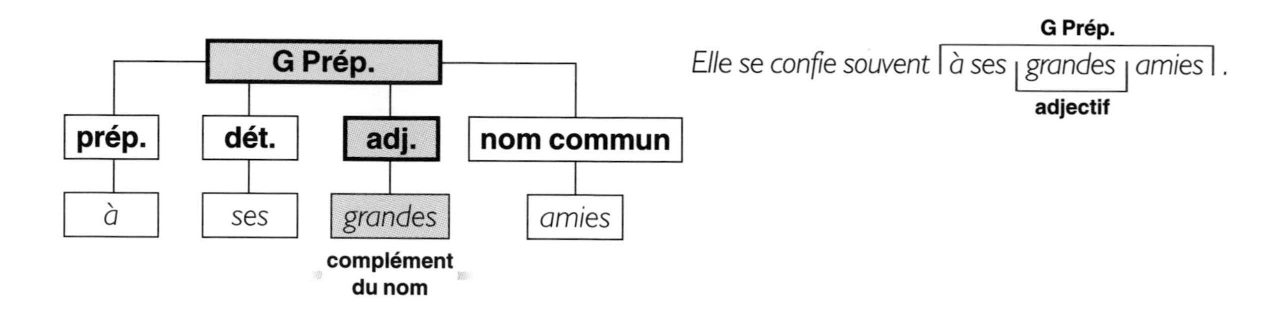

\+

On peut ajouter un **groupe prépositionnel** (complément du nom) au groupe prépositionnel de base.

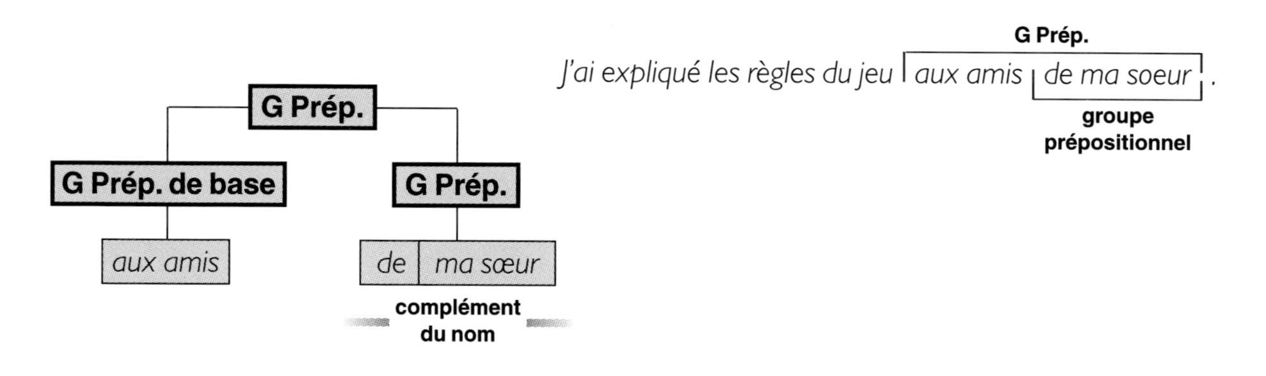

\+

On peut aussi ajouter une **subordonnée relative** (complément du nom) au groupe prépositionnel de base.

Le clown a lancé son chapeau à la foule bruyante qui l'applaudissait.

G Prép. — subordonnée relative

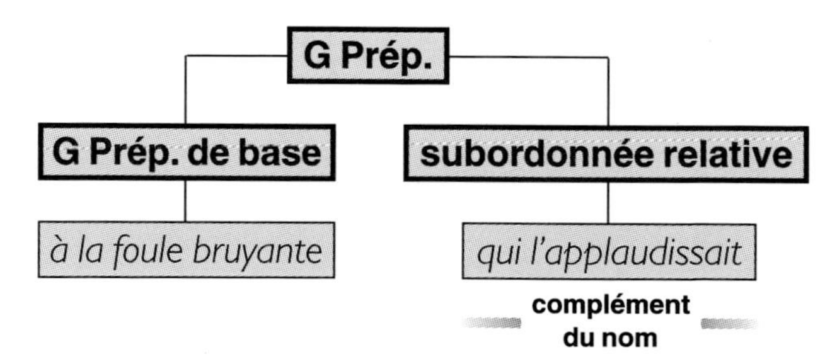

À PARTIR D'UN NOM PROPRE

Une préposition suivie d'un nom propre constitue un groupe prépositionnel.

G Prép.
prép. — nom propre
à — Chloé
groupe du nom

Nous avons parlé [*à Chloé*]G Prép. *hier.*

L'expansion d'un groupe prépositionnel à partir d'un nom propre s'apparente généralement à l'expansion que l'on peut réaliser à partir d'un nom commun.

À PARTIR D'UN PRONOM

Une préposition suivie d'un pronom constitue un groupe prépositionnel.

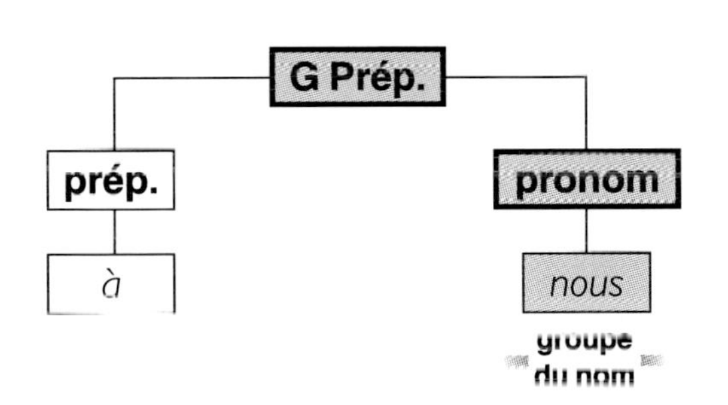

Pensez [*à nous*]G Prép.*.*

L'expansion d'un groupe prépositionnel à partir d'un pronom s'apparente généralement à l'expansion que l'on peut réaliser à partir d'un nom commun.

Attention !

Le groupe prépositionnel peut aussi être construit avec un **infinitif**, un autre **groupe prépositionnel**, un **adverbe** ou une **subordonnée**.

*Il ramassa toutes les feuilles du terrain afin de l'****aider****.*
J'ai pris la route qui passe devant ***chez nous****.*
À ***quand*** *nos retrouvailles?*
Nous remettrons ce prix à ***qui l'aura mérité****.*

Quelles sont les fonctions d'un groupe prépositionnel (G Prép.) ?

Voici les fonctions que peut remplir un groupe prépositionnel.

COMPLÉMENT DU NOM

As-tu bien lu ton ***contrat*** *d'assurance ?* (*d'assurance* : groupe prépositionnel)

65 ←

COMPLÉMENT DU PRONOM

Ce chandail est ***celui*** *de Chantal.* (*de Chantal* : groupe prépositionnel)

260 ←

COMPLÉMENT DE L'ADJECTIF

Notre enseignante est ***amicale*** *avec tous les élèves.* (*avec tous les élèves* : groupe prépositionnel)

125 ←

COMPLÉMENT INDIRECT

Alain ***a participé*** *à une compétition de ski.* (*à une compétition de ski* : groupe prépositionnel)

100 ←

COMPLÉMENT DE L'ADVERBE

Mon oncle a construit sa maison ***conformément*** *au plan de l'architecte.* (*au plan de l'architecte* : groupe prépositionnel)

281 ←

COMPLÉMENT DE PHRASE

Le chien aboie beaucoup *en ce beau matin.* (*en ce beau matin* : groupe prépositionnel)

112 ←

ATTRIBUT DU SUJET

L'enseignante *était de bonne humeur.* (*de bonne humeur* : groupe prépositionnel)

107 ←

ATTRIBUT DU COMPLÉMENT DIRECT

J'étais content de ***la*** *voir en pleine forme.* (*en pleine forme* : groupe prépositionnel)

110 ←

COMPLÉMENT DU VERBE PASSIF

L'incendie ***a été éteint*** *par les pompiers.* (*par les pompiers* : groupe prépositionnel)

12 ←

Plusieurs groupes prépositionnels jouent le rôle d'organisateurs textuels.

De prime abord...
À première vue...
Dans un premier temps...
À la fin de la soirée...

Quelles sont les principales prépositions ?

Prépositions simples

à, *après*, *avant*, *avec*, *chez*, *contre*, *dans*, *de*, *depuis*, *derrière*, *dès*, *devant*, *durant*, *en*, *entre*, *envers*, *excepté*, *jusque*, *malgré*, *outre*, *par*, *parmi*, *pendant*, *pour*, *sans*, *selon*, *sous*, *sur*, *vers*, *vu*

Prépositions complexes

à cause de, *à côté de*, *à force de*, *à la place de*, *à l'occasion de*, *à travers*, *afin de*, *au-dessus de*, *au moyen de*, *auprès de*, *autour de*, *d'après*, *en face de*, *grâce à*, *jusqu'à*, *le long de*, *par-dessus*, *près de*, *proche de*, *quant à*, *vis-à-vis de*

Les prépositions complexes sont aussi appelées **locutions prépositives**.

LES DIFFÉRENTES VALEURS DES PRÉPOSITIONS

- Les prépositions expriment divers rapports entre les mots. Voici les plus fréquents.

addition, agent, but, cause, lieu, manière, moyen, opposition, ordre, rang, origine, possession, temps

→

• Certaines prépositions expriment différents rapports selon le contexte. Tel est le cas des prépositions **à** et **de**. À titre d'exemple, voici différents rapports que la préposition **de** peut établir.

ORIGINE	▸ *Elle vient* **de** *Belgique.*
	▸ *C'est un vin* **d'***Alsace.*
POSSESSION	▸ *Aimes-tu la nouvelle voiture* **de** *mon père?*
CAUSE	▸ *Il est inacceptable que des personnes meurent* **de** *faim.*
LIEU	▸ *Il est parti* **de** *Chicoutimi à 8 h 30.*
MATIÈRE	▸ *Cynthia préfère les chaussettes* **de** *laine.*
INSTRUMENT	▸ *Le joueur de hockey a reçu un coup* **de** *bâton.*
MANIÈRE	▸ *Pierre-Olivier a réagi* **de** *façon spontanée.*

- **À l'occasion**, certaines prépositions, telles **à** et **de**, sont dites **explétives**, c'est-à-dire qu'elles ne sont pas utiles pour le sens ou la structure d'une phrase.

  Mes cousins demeurent dans la ville ***de*** *Québec.*

  Ils méritent ***de*** *réussir.*

  Nous aimons ***à*** *croire qu'ils nous rembourseront le prix des billets.*

- Certaines prépositions dont **à**, **de** et **en** se répètent devant chaque complément qui les accompagne.

  Olivier a dû demander la permission ***à*** *son enseignante et* ***à*** *la directrice.*

  Sylvia a hérité des qualités athlétiques ***de*** *son père et* ***de*** *sa mère.*

  Les jeunes gens se déplaçaient ***en*** *motoneige et* ***en*** *raquettes.*

- Comme nous l'avons vu, la préposition peut introduire un **nom**, un **pronom**, un **verbe à l'infinitif**, un **participe présent**.

  Il est important de bien choisir la préposition qui les relie au mot dont ils sont compléments.

  NOM ▶ *Les ouvriers sont* ***sans*** *travail.*

  PRONOM ▶ *Pensez* ***à*** *nous lorsque vous serez en vacances.*

  VERBE À L'INFINITIF ▶ *Steve a le goût* ***de*** *poursuivre ses études.*

  PARTICIPE PRÉSENT ▶ *Elle étudie* ***en*** *chantant.*

- Les prépositions font aussi partie de **suites lexicales**.

*une histoire **d'**amour*
*confiant **en** l'avenir*
*en avoir **pour** son argent*
***par** habitude*
*la course **à** pied*
*la télévision **par** câble*
*être **sur** les dents*

374

Consulter le dictionnaire est une bonne habitude à développer pour le choix des prépositions.

L'accord des prépositions

Accorde-t-on les prépositions ?

Les prépositions simples et complexes sont **invariables**.

Ne pas confondre

À	A
▶ est une préposition ; ▶ ne peut être remplacé par **avait**. ~~avait~~ *L'avion est arrivé **à** huit heures.*	▶ est le verbe ou l'auxiliaire **avoir** à la 3e personne du singulier de l'indicatif présent ; ▶ peut être remplacé par **avait**. avait *Elle **a** mangé des cerises.*

On utilise des **groupes prépositionnels** pour préciser ou enrichir les différentes informations d'un texte ; on s'en sert également pour varier les structures utilisées.

Les groupes prépositionnels peuvent remplacer des **subordonnées relatives** ou des **subordonnées circonstancielles**.

SUBORDONNÉE DE TEMPS	*Je me suis couché* ***après que tu es parti****.*
GROUPE PRÉPOSITIONNEL	*Je me suis couché* ***après ton départ****.*
SUBORDONNÉE DE CAUSE	*Ils ont gagné le match de soccer* ***parce qu'ils sont habiles****.*
GROUPE PRÉPOSITIONNEL	*Ils ont gagné le match de soccer* ***grâce à leur habileté****.*
SUBORDONNÉE DE CONCESSION	*Christian est allé chasser dans un domaine privé* ***malgré qu'il ait été averti à plusieurs reprises****.*
GROUPE PRÉPOSITIONNEL	*Christian est allé chasser dans un domaine privé* ***malgré des avertissements répétés****.*
SUBORDONNÉE DU BUT	***Pour que tu arrives sain et sauf à destination****, il faut que tu conduises prudemment.*
GROUPE PRÉPOSITIONNEL	***Afin d'arriver sain et sauf à destination****, il faut que tu conduises prudemment.*
SUBORDONNÉE RELATIVE	*Un troupeau* ***qui comprend deux cents têtes*** *est un troupeau de bonne taille.*
GROUPE PRÉPOSITIONNEL	*Un troupeau* ***de deux cents têtes*** *est un troupeau de bonne taille.*
SUBORDONNÉE RELATIVE	*Notre voisine a acheté une plante* ***qui a des feuilles odoriférantes****.*
GROUPE PRÉPOSITIONNEL	*Notre voisine a acheté une plante* ***aux feuilles odoriférantes****.*
SUBORDONNÉE RELATIVE	*Ce malade,* ***qui ne court plus de danger****, est courageux.*
GROUPE PRÉPOSITIONNEL	*Ce malade,* ***hors de danger****, est courageux.*

L'interjection

Une définition
Quelques interjections
L'accord des interjections

Une définition

Qu'est-ce qu'une interjection ?

- Une interjection est un mot invariable que l'on utilise dans une phrase pour exprimer vivement un cri, un état d'esprit, un avertissement, un appel.

Aïe ! *ça fait mal !* ***Oh !*** *une auto !*
Hum ! *j'en doute !* ***Allô !*** *comment ça va ?*

- L'interjection est habituellement suivie d'un **point d'exclamation**.
- L'interjection sert souvent de phrase ; on l'appelle alors un **mot-phrase**.

Allô ! *Bravo !* *Zut !*

Quelques interjections et locutions interjectives

Des interjections			
Adieu (!)	Chut !	Heu !	Patience !
Ah !	Eh !	Ho !	Pif !
Aïe !	Flûte !	Hum !	Pouah !
Allô (!)	Ha !	Oh !	Pouf !
Attention !	Halte !	Ouf !	Psstt !
Bah !	Hé !	Ouille !	Zut !
Bof !	Hein !	Ouste !	
Bravo !	Hélas !	Paf !	

Des locutions interjectives	
Ah bon !	Eh bien !
Ah non !	Eh oui !
Ah oui !	Ha ! ha ! ha !
Ah zut !	Ho ! ho ! ho !

L'accord des interjections

Accorde-t-on les interjections ?

Les interjections sont **invariables**.

La majuscule

Au premier mot d'une phrase
Après un point
Au premier mot d'une phrase qui fait partie d'une citation
Aux noms propres

La majuscule est une lettre plus grande que les autres. On l'appelle aussi **capitale**. Elle sert principalement à indiquer le début d'une phrase et à distinguer les noms propres des noms communs.

Voici ses emplois les plus fréquents.

Au premier mot d'une phrase

On met une majuscule au début d'une phrase, que celle-ci soit déclarative, impérative, exclamative ou interrogative.

__L__a pompière a sauvé le jeune enfant.

__A__llez, saute!

__L__e ciel est tellement beau!

__E__st-ce que le pompier a sauvé le jeune enfant?

On met aussi une majuscule au premier mot d'un paragraphe ou d'un titre.

Après un point

On met une majuscule après un point final. On le met aussi après un point d'interrogation ou un point d'exclamation lorsque ce point termine la phrase.

La pompière a sauvé le jeune enfant. __B__ravo!

Est-ce que tu viens? __O__ui, j'arrive.

Oh! que c'est joli! __Q__u'en dis-tu?

Au premier mot d'une phrase qui fait partie d'une citation

Martine s'écria: «__J__e suis tellement heureuse!»

«__F__ais attention!», lui dit-il.

Aux noms propres

On met une majuscule aux noms propres, notamment aux noms :

– qui désignent des **lieux** : une ville, un pays, un cours d'eau, une région, une montagne, un parc, etc. ;	***T**oronto* *la **F**rance* *le fleuve **S**aint-**L**aurent*	*le parc **L**aval* *le **S**aguenay* *le mont **R**oyal*
– qui désignent des **personnes** ou des **familles** ;	***J**acques **L**avallée* *les **P**rovost*	***J**ane **F**iset*
– qui désignent les **habitants** de certains lieux (pays, provinces, régions, villes, etc.) ;	*une **Q**uébécoise* *une **C**anadienne*	*un **O**ntarien* *un **M**exicain*
– qui désignent des **astres** ;	*la **L**une** *la planète **M**ars* *la **T**erre**	***J**upiter* *le **S**oleil**
– qui désignent des **époques** ;	*le **M**oyen **Â**ge* *l'**A**ntiquité* *la **R**enaissance*	*la **P**remière **G**uerre mondiale* *la **R**évolution française*
 – qui désignent des **fêtes** ;	*le jour de l'**A**n* *la fête des **P**ères*	*la fête du **T**ravail*
– qui désignent des **événements**.	*les **J**eux olympiques* *les **J**eux du Québec*	*le **S**alon de l'automobile*

398

* Dans les textes courants, **lune**, **terre** et **soleil** ne prennent pas de majuscule.

La ponctuation

Le point
Le point-virgule
La virgule
Le deux-points
Le point d'interrogation
Le point d'exclamation
Les points de suspension
Les guillemets
Le tiret
Les parenthèses
Les crochets

Lorsqu'on écrit un texte, on doit séparer les différentes phrases et marquer des pauses, des arrêts à l'intérieur des phrases. Pour cela, on doit employer des **signes de ponctuation.**

Le point

Le point indique la fin d'une phrase.

Papa est allé à la pêche hier.

On utilise aussi le point pour abréger les mots.

C. Dion *adj.*
etc. *hist.*

Le point-virgule

- Le point-virgule sépare deux phrases qui sont liées par le sens.

Le médecin a établi un diagnostic; il a donné des médicaments à Joanne.

- On peut aussi utiliser des points-virgules pour séparer les éléments d'une énumération.

On emploie généralement le subjonctif lorsque le verbe principal:
– exprime une négation;
– exprime une volonté ou un doute;
– exprime un sentiment;
– exprime la nécessité;
– exprime un refus ou un empêchement;
– est un verbe de forme impersonnelle.

La virgule

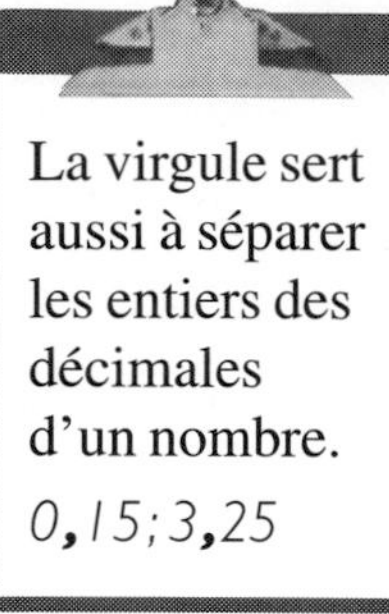

- La virgule sépare des mots de même classe et de même fonction : des **noms**, des **verbes** ou des **adjectifs**.

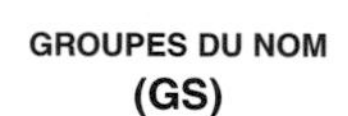

GROUPES DU NOM (GS) ▶ ***Pierre, Jean*** *et Cynthia sont allés au cirque.*

GROUPES DU NOM (CD) ▶ *Le clown attrapait* ***des ballons, des balles, des quilles,*** *enfin tout ce qu'on lui lançait.*

NOMS (G PRÉP.) ▶ *Les félicitations* ***de ses compagnons de travail, de ses patrons, de ses parents*** *lui firent chaud au cœur.*

PHRASES ▶ *Dans le parc, les enfants* ***courent, jouent, se balancent*** *et se baignent.*

GROUPES DE L'ADJECTIF (ATTRIBUT) ▶ *Le ballon est* ***rouge, jaune, bleu*** *et mauve.*

- La virgule permet de séparer le **groupe complément de phrase** du reste de la phrase.

*Rapidement**,** le chat s'est approché de l'invité.*
*Hier soir**,** nous sommes allés au cinéma.*
*Après avoir ramassé les feuilles**,** Steve fit un grand feu.*
*Le chien**,** aussitôt**,** s'est approché du foyer.*

Elle peut aussi séparer des **groupes compléments de phrase juxtaposés**.

*Devant la caisse populaire**,** à 18 h**,** ils attendaient leurs parents.*

- La virgule sert à mettre **en apostrophe** le nom de la personne à qui l'on s'adresse.

*Marc**,** quel est ton chanteur préféré?*

- La virgule isole un mot ou un groupe de mots (complément du nom) qui précisent ou qualifient un nom.

*Frederick Banting**,** un médecin canadien**,** a découvert l'insuline.*

- On utilise généralement une virgule devant des coordonnants autres que **et**, **ou** et **ni**.

*Je suis fatiguée**,** mais j'assisterai au match.*

- La **subordonnée relative explicative** est généralement encadrée par des virgules.

*Mon chien**,** qui ne me quitte jamais**,** est affectueux.*

20

- Dans une lettre, on place une virgule entre le nom du **lieu** et la **date**.

*Saint-Jérôme**,** le 24 janvier 2000*
*Toronto**,** le 13 mars 2001*
*Paris**,** le 14 juillet 2002*

Le deux-points

Le deux-points se place devant une **énumération**, une **citation,** une **explication**.

ÉNUMÉRATION ▶ *Il a acheté beaucoup de légumes au marché**:** des carottes, des betteraves, des choux et des brocolis.*

CITATION ▶ *Il y avait un grand monsieur au coin de la rue qui criait**:** «Qui veut de beaux ballons?»*

EXPLICATION, CONSÉQUENCE, CONCLUSION ▶ *Elle s'est fait voler sa bicyclette**:** elle est très en colère.*

Le point d'interrogation

- Le point d'interrogation se place **à la fin** d'une phrase interrogative.

*Pourquoi pleures-tu**?***
*Aimes-tu jouer aux échecs**?***

- Le point d'interrogation peut se placer aussi à la fin d'une phrase déclarative ; celle-ci devient alors une phrase interrogative.

*Tu aimes la musique**?***

- Lorsqu'une phrase interrogative est suivie d'une **incise**, on place le point d'interrogation à la fin de la phrase interrogative.

«Est-ce que tu vas à l'école aujourd'hui?» lui demanda-t-elle.

- Certaines **phrases non verbales** appellent un point d'interrogation.

Au téléphone	*Allô?*
Au cours d'une conversation	*Pourquoi? Quand?*

! Le point d'exclamation

- Le point d'exclamation se place **à la fin** d'une **phrase exclamative**.

Comme c'est excitant!
Que c'est beau!

- Le point d'exclamation peut se placer **à la fin** de certaines **phrases impératives**.

Viens ici!
Apporte-moi le tuyau d'arrosage!

- Le point d'exclamation se place aussi **à la fin** de certaines **phrases déclaratives**; celles-ci deviennent alors des phrases exclamatives.

J'adore les sports!
C'est un projet fantastique!
J'ai peur!

- On place un point d'exclamation **après** une **interjection** ou une **locution interjective**.

Oh! comme c'est beau!
Eh bien! que fait-on maintenant?

- Lorsqu'une phrase exclamative est suivie d'une **incise**, le point d'exclamation se place à la fin de la phrase exclamative.

«Viens ici!» lui dit-il en serrant les dents.

57

330

Les points de suspension

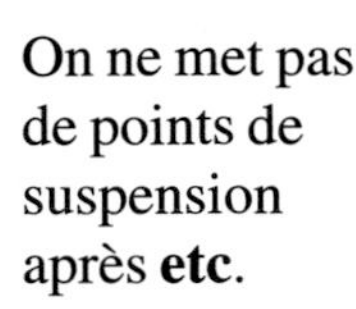

On ne met pas de points de suspension après **etc**.

Les points de suspension indiquent que la phrase reste inachevée, est laissée en suspens.

Si je le pouvais, je te dirais que Stéphanie...

Les guillemets

- Les guillemets se placent **avant** et **après** des mots, des groupes de mots ou des phrases prononcés ou écrits par une personne.

Jean de La Fontaine a écrit : **«** *Rien ne sert de courir, il faut partir à point.* **»**
Ma mère me dit souvent : **«** *Prends bien soin de tes patins.* **»**

- Certaines personnes utilisent les guillemets au lieu de l'italique pour souligner un **mot étranger**, un **néologisme** ou **mettre en évidence** un mot ou une expression.

Moi, je suis **«** *pour* **»** *; quelle est votre opinion ?*
Avez-vous craint le **«** *bogue de l'an 2000* **»** *?*

Attention !

« » sont des guillemets français.

“ ” sont des guillemets anglais.

Le tiret

- Dans un dialogue, le tiret indique un **changement** d'interlocuteur ou d'interlocutrice.

Le petit lapin était en colère contre la grosse poule :
— *C'est toi qui as mangé mes carottes ?*
— *Mais non, c'est le chien de la basse-cour !*

- On utilise des tirets pour **mettre en évidence** des groupes de mots dans la phrase.

Cette vieille dame — la plus charmante que j'aie rencontrée — habite tout près d'ici.

Les parenthèses

Les parenthèses sont employées pour insérer dans une phrase des **explications supplémentaires**.

Je vais aller chez Isabelle **(***elle demeure au coin de la rue***)** *et je lui emprunterai son séchoir à cheveux.*

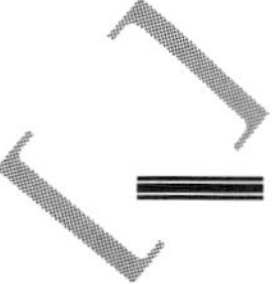

Les crochets

- Comme les parenthèses, les crochets sont employés dans une phrase pour apporter des **explications** qui semblent être absentes du texte.

Pour les finales de la coupe Stanley, les deux équipes **[***Montréal et New York***]** *ont élaboré plusieurs stratégies.*

- Dans les dictionnaires, les crochets sont utilisés pour encadrer la **prononciation** des mots.

[ɔrtɔgraf]	[frɑz]
orthographe	phrase

Attention !

Les signes de ponctuation sont très utiles pour aérer le texte et mieux faire comprendre les idées, mais il faut éviter d'en abuser, particulièrement de la virgule.

Un bon scripteur Une bonne scriptrice

Que faut-il faire pour devenir un bon scripteur ou une bonne scriptrice?

Pour devenir un bon scripteur ou une bonne scriptrice, il faut respecter certaines règles.

INTENTION D'ÉCRITURE
- Il faut savoir pourquoi on écrit; autrement dit, il faut bien cerner son intention d'écriture.

RECHERCHE D'IDÉES
- Il faut aussi déterminer ce qu'on va écrire en fonction de son intention.

CHOIX DES IDÉES
- Il faut savoir à qui on écrit, car on doit choisir ses idées en fonction de ses destinataires.

REGROUPEMENT DES IDÉES
- En plus de choisir ses idées, il faut les ordonner.

CHOIX ET ÉLABORATION D'UN PLAN
- Enfin, il faut savoir aussi comment choisir et élaborer un plan.

Avant l'écriture

À quoi doit-on réfléchir avant d'écrire?

- Lorsque nous écrivons un message, il est probable que la personne à qui nous le destinons ne le lira pas en notre présence. Voilà pourquoi il est important d'exprimer clairement nos idées, si nous voulons que notre pensée soit bien comprise.
- Pour qu'un message soit bien rédigé, il est toujours utile de se poser les questions suivantes avant de l'écrire.

1 Pourquoi est-ce que j'écris?

2 Qu'est-ce que je vais écrire en fonction de mon intention et du sujet?

3 À qui est-ce que j'écris?

4 Que dois-je faire pour tenir compte de mes destinataires?

Que doit-on écrire en fonction de son intention d'écriture ?

Si on veut **informer** ou **expliquer**, on fournit...	• des renseignements, des explications, des comparaisons, des faits, des exemples, des détails, des précisions, ou encore une suite ordonnée d'événements.
Si on veut **convaincre**, on donne...	• son opinion, des arguments, c'est-à-dire ses raisons, ainsi que des exemples, et ce, dans le but de faire prendre une décision ou de faire changer d'idée.
Si on veut **faire agir**, on donne...	• des instructions (selon un ordre précis) afin de bien faire comprendre ce qu'il faut faire ; • des conseils.
Si on veut **exprimer ses sentiments** ou **son opinion**, on livre...	• ses états d'âme en expliquant ce qu'on ressent ; • des appréciations, des souhaits, ses goûts ; • des anecdotes ; • des commentaires, des critiques.
Si on veut **amuser** ou **faire rire**, on invente...	• des devinettes, des charades, des blagues ; • des situations cocasses, humoristiques, farfelues.
Si on veut **raconter une histoire**, on crée...	• un conte, une légende, une fable, un récit ; • des personnages, des indications de temps et de lieu, un problème, des péripéties ou des tentatives de solution et une situation finale.
Si on veut **écrire un poème** ou **jouer avec les mots**, on utilise...	• des mots qui font image, qui riment ou qui émerveillent ; • des faits irréels, fantaisistes, imaginaires ; • des messages poétiques qui viennent du cœur.

Comment doit-on tenir compte de ses destinataires?

Voici quelques suggestions.

Si on écrit...	
à une personne qu'on connaît:	• On écrit un message plus familier. – On salue la personne amicalement. – On la nomme par son prénom. – On la tutoie. – On termine en signant son prénom.
à une personne qu'on ne connaît pas ou qui a un statut spécial:	• On écrit un message moins familier. – On salue la personne de façon conventionnelle. – On la nomme Monsieur ou Madame et on se présente. – On la vouvoie. – On termine en signant son nom au complet.
à une personne qui connaît le sujet dont on veut lui parler:	• On donne tous les renseignements nécessaires pour bien se faire comprendre.
à une personne qui ne connaît pas le sujet dont on veut lui parler:	• On donne tous les renseignements nécessaires pour bien se faire comprendre. • On donne aussi des précisions, des exemples, des explications, des détails et on joint des illustrations, s'il y a lieu.
à une personne qui ne connaît pas notre opinion sur le sujet dont on veut lui parler:	• On émet notre opinion et on l'appuie sur des arguments convaincants, accompagnés d'exemples et de comparaisons.
à une personne dont on connaît l'opinion sur le sujet:	• On signale à la personne qu'on connaît son opinion. • On exprime notre opinion.

Comment peut-on trouver des idées ?

Voici une façon d'y arriver, mais ce n'est pas la seule.

En premier, on peut s'imaginer en train de parler à la personne à qui on écrit.

- Qu'est-ce qu'on veut lui dire d'important :
  - pour expliquer le sujet ?
  - pour que ce soit intéressant ?
  - pour que le sujet soit bien compris ?

- D'abord, on note ses idées pêle-mêle, comme elles arrivent; plus tard, on pourra faire le ménage... et les mettre en ordre.

MODÈLE

- Ensuite, on consulte des livres sur le sujet pour trouver d'autres idées.

- Enfin, on parle de son projet d'écriture avec d'autres personnes. On note leurs suggestions.

Le choix des idées

Comment sélectionner les meilleures idées?

- Relire les idées que l'on a notées.
  - Qu'est-ce qui est le plus important à dire?
  - Sur quelles idées faut-il insister?
- Biffer les idées qui ne conviennent pas.
- Ajouter d'autres idées importantes qui ont été oubliées.
- Clarifier les idées imprécises.

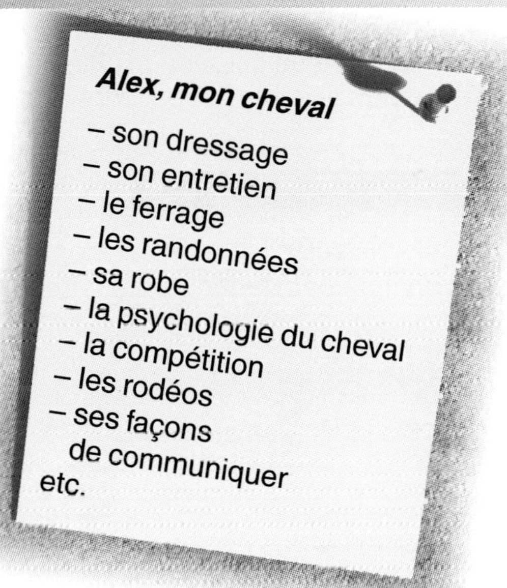

Le regroupement des idées

Comment regrouper les idées?

- Encercler les idées qui touchent au même aspect.

  Faire un ensemble avec ces mots.
- Faire des ensembles avec les idées qui touchent à d'autres aspects.
- Choisir un plan qui convient à notre intention d'écriture ou en modifier un pour qu'il réponde à nos besoins.

Comment dresser un plan en fonction de son intention d'écriture?

Il est important de dresser un plan en fonction de ses besoins et de son intention d'écriture. Voici quelques idées qui peuvent aider à la construction d'un plan adapté.

A ON ÉCRIT POUR INFORMER

Selon le sujet, la trame principale du texte pourra être une **description**, une **comparaison**, une **séquence** (ordre chronologique), etc.

▸ **Une description**

Une description		
Sujet : ____________		
Aspect 1	*Aspect 2*	*Aspect 3*
______	______	______
______	______	______
______	______	______
______	______	______

MODÈLE

▸ **Une séquence**

Une séquence (ordre chronologique)

Au tout début : ____________
Puis : ____________
Ensuite : ____________
Enfin : ____________

MODÈLE

▸ **Une comparaison**

Une comparaison	
Sujet 1: ______	Sujet 2: ______
Ressemblances	
______	
______	
______	
Différences :	**Différences :**
______	______
______	______
______	______

MODÈLE

B ON ÉCRIT POUR FAIRE AGIR

Dans ce type de texte, il est important de préciser le **matériel nécessaire** et d'indiquer clairement les **étapes à suivre** pour réaliser un projet ou pour participer à un jeu, à une activité, etc.

C ON ÉCRIT POUR CONVAINCRE

Dans ce type de texte, il est préférable de choisir un sujet que l'on **connaît bien**. Il est aussi important de prévoir des arguments qui appuient, qui prouvent notre point de vue; il peut être intéressant aussi de présenter des arguments qui réfutent des opinions contraires.

D ON ÉCRIT POUR EXPRIMER DES SENTIMENTS, DES GOÛTS, UNE OPINION

Dans ce type de texte, il est important de bien préciser ses **sentiments**, ses **goûts** ou son **opinion**; il est tout aussi important de bien formuler les **raisons** qui justifient ses sentiments, ses goûts ou son opinion.

E ON ÉCRIT POUR RACONTER UNE HISTOIRE IMAGINAIRE (RÉCIT)

Voici quelques éléments dont il faut tenir compte lorsqu'on dresse le plan d'un récit.

Un récit
Personnages: ________ Lieux: ________
Moment de l'histoire: ________
Situation initiale: ________ MODÈLE
Événement perturbateur ou problème: ________
Péripéties ou tentatives de solution: ________
Solution ou dénouement: ________
Fin: ________

F ON ÉCRIT POUR FAIRE DE LA POÉSIE OU JOUER AVEC LES MOTS

Dans ce type de texte, il est important de bien préciser son intention; on peut vouloir raconter une histoire, décrire une situation, jouer avec les mots, exprimer un sentiment, une émotion, etc.

PHASE 2

Comment dresser un plan?

Il faut dresser un plan en pensant à l'organisation et à la structure du texte selon son intention d'écriture. Que doit-on écrire au début, au milieu, à la fin du texte?

Pour...

	informer, on peut:	**faire agir**, on peut:	**convaincre**, on peut:
INTRODUCTION DÉBUT	• faire connaître la raison pour laquelle on écrit; • présenter son sujet;	• faire connaître la raison pour laquelle on écrit; • présenter l'activité proposée;	• faire connaître la raison pour laquelle on écrit; • annoncer son point de vue;
DÉVELOPPEMENT MILIEU	• donner des détails pour mieux faire comprendre le sujet; • fournir plusieurs précisions ou caractéristiques relatives aux aspects retenus; • raconter des événements en suivant un ordre donné;	• préciser le matériel nécessaire à l'accomplissement de la tâche; • expliquer comment procéder; • donner des consignes en respectant l'ordre dans lequel les actions doivent être accomplies;	• fournir des arguments pour appuyer son point de vue; • illustrer ses arguments par des exemples;
CONCLUSION FIN	• résumer l'essentiel de ses informations; • formuler des commentaires.	• formuler un souhait pour la bonne marche de l'activité.	• rappeler son point de vue; • inviter à donner suite à son message.

Pour...

	exprimer des sentiments, des goûts ou une opinion, on peut :	**raconter une histoire**, on peut :	**écrire un poème**, on peut :
INTRODUCTION DÉBUT	• faire connaître la raison pour laquelle on écrit ; • préciser ses sentiments, ses goûts ou son opinion ;	• présenter le ou les personnages, le ou les lieux, le moment de l'histoire ainsi que la situation initiale ;	• faire connaître le thème ou le message ; • faire connaître le sujet : une opinion, un sentiment, etc. ;
DÉVELOPPEMENT MILIEU	• donner des explications pour justifier ses sentiments, ses goûts ; • donner des raisons pour justifier son opinion ;	• faire surgir un problème ; • proposer des solutions visant à résoudre le problème ; • raconter les événements en respectant l'ordre dans lequel ils se déroulent ;	• choisir des comparaisons qui font image ; • choisir des mots qui émerveillent ; • composer des phrases qui se terminent par des rimes ou non ; • mettre du rythme dans son message ; • s'il y a lieu, présenter les lieux, les personnages, le moment, l'événement ;
CONCLUSION FIN	• résumer ses sentiments ou son opinion ; • exprimer un souhait ou un remerciement ; • proposer une solution ; • poser une question afin de prolonger la réflexion.	• trouver une solution au problème ; • donner une fin appropriée à l'histoire.	• terminer son message par une phrase particulièrement évocatrice.

La présentation du texte

Comment présenter son texte ?

- Regrouper les idées en paragraphes.
- Ne pas oublier le titre ! Ajouter des intertitres, s'il y a lieu.
- Ajouter des illustrations (dessins, schémas, graphiques, etc.) pour appuyer le texte.

Qu'est-ce que les marques d'organisation d'un texte ?

Lorsque nous lisons un texte dont la présentation est soignée, des marques d'organisation du texte sont généralement présentes ; de la même façon, lorsque nous écrivons un texte, nous avons intérêt à utiliser diverses marques d'organisation pour faciliter sa compréhension.

Quelles sont les principales marques d'organisation d'un texte ?

- Les premières marques d'organisation d'un texte comprennent les **titres** et les **intertitres**. Nous les retrouvons surtout dans les articles de revue, les textes d'information, les encyclopédies et certains textes argumentatifs.

  En lecture, le titre et les intertitres permettent d'avoir un aperçu du contenu global du texte.

  En écriture, le titre et les intertitres servent de balises, de repères et facilitent la compréhension du texte.

- Une autre façon d'organiser le texte consiste à le diviser en **paragraphes**.

  Un paragraphe est parfois numéroté ou il porte un titre.

  De plus, un paragraphe est généralement indiqué par un alinéa*.

- Certains procédés typographiques permettent également d'organiser le texte en attirant l'attention sur certains éléments.

  Il s'agit principalement de l'*italique*, du **caractère gras** ou du <u>soulignement</u>.

  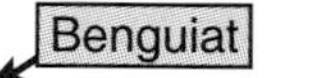

  13 points

  Le type de caractère, la taille des caractères et l'utilisation de PETITES CAPITALES peuvent aussi attirer l'attention sur certains éléments.

* Un alinéa est le renfoncement de la première ligne d'un paragraphe.

- Pour organiser le texte, on peut aussi identifier les paragraphes ou les sections.

On peut utiliser :

– des lettres (majuscules ou minuscules) : A, B, C, D
a), b), c), d)

– des chiffres arabes : 1, 2, 3, 4

– des chiffres romains : I, II, III, IV

- Enfin, on peut recourir aux **organisateurs textuels**.

Premièrement, ...
Deuxièmement, ...
Ensuite, ...
Enfin, ...

Qu'est-ce que des organisateurs textuels ?

Des organisateurs textuels sont des **mots**, des **groupes de mots** ou des **phrases**, le plus souvent placés au début d'un paragraphe.

Ils révèlent l'articulation d'un texte en indiquant l'**ordre des événements** et en facilitant la **progression de l'information**.

ORGANISATEURS TEXTUELS	EXEMPLES
Mots	*Premièrement, deuxièmement, alors,* etc.
Groupes de mots	*D'une part, d'autre part, en premier lieu,* etc.
Groupes compléments de phrase placés en début de phrase	*Dès qu'elle fut sur les lieux, elle appela les ambulanciers.* *Une fois arrivés près de la frontière, il nous fallut [...].*
Phrase	*Il est maintenant midi.*

Quand utilise-t-on des organisateurs textuels?

Lorsqu'on élabore le plan d'un texte, on doit d'abord préciser le sujet, explorer les idées, les choisir et les ordonner; c'est à ce moment qu'il faut déterminer l'ordre des événements ou des faits et la façon de faire progresser l'information.

Afin de s'assurer que le lecteur ou la lectrice sera en mesure de suivre l'enchaînement des idées du texte, il est important de baliser le texte de repères.

Ces repères peuvent assurer la progression des **événements**, la progression dans le **temps** et la progression dans l'**espace**.

Voici quelques exemples.

PROGRESSION DES ÉVÉNEMENTS	PROGRESSION DANS LE TEMPS	PROGRESSION DANS L'ESPACE
premièrement	*ce jour-là*	*arrivé ici*
tout d'abord	*en ce début de matinée*	*en banlieue de Montréal*
en deuxième lieu	*dès les premiers instants*	*là-bas*
ensuite	*il était alors midi*	*sur mon siège*
en conclusion	*au fur et à mesure*	*à l'entrée de l'édifice*
enfin	*à 20 h 30*	*sur le balcon*
finalement	*pendant ce temps*	*dans l'avion*
	au soleil couchant	

Il existe d'autres organisateurs textuels qui expriment des liens « logiques » entre les idées et permettent tout autant de faire progresser l'information.

POUR INTRODUIRE UN SUJET	POUR INTRODUIRE UN EXEMPLE	POUR INTRODUIRE UNE CONCLUSION
à ce sujet	*ainsi*	*ainsi*
d'abord (tout d'abord)	*aussi*	*donc*
en ce qui concerne	*c'est-à-dire*	*en conclusion*
en premier lieu	*de même*	*en définitive*
pour ce qui est de	*effectivement*	*enfin*
quant à	*en effet*	*en fin de compte*
	par exemple	*en somme*
		finalement

POUR MARQUER L'ADDITION	POUR MARQUER LA CAUSE	POUR MARQUER LE BUT	POUR MARQUER L'OPPOSITION	POUR MARQUER LA RESTRICTION
aussi	*à cause de*	*à cet effet*	*au contraire*	*bien que*
d'ailleurs	*car*	*afin de*	*au lieu de*	*cependant*
d'autant plus	*comme*	*dans le but de*	*cependant*	*mais*
de plus	*étant donné*	*pour*	*mais*	*même si*
également	*parce que*		*néanmoins*	*néanmoins*
et	*puisque*		*par contre*	*seulement*
non seulement... mais			*par ailleurs*	*toutefois*
puis			*pourtant*	
			toutefois	

POUR MARQUER L'ALTERNATIVE	POUR MARQUER LA CONSÉQUENCE	POUR MARQUER LES ÉTAPES (DE L'ÉVÉNEMENT OU DU DISCOURS)
d'une part... d'autre part	*ainsi (ainsi donc)*	*alors que*
ou... ou (ou bien... ou bien)	*alors*	*d'abord (tout d'abord)*
soit... soit	*aussi*	*enfin*
	ce qui explique	*ensuite*
	de sorte que	*finalement*
	donc	*pour terminer*
	par conséquent	*premièrement, deuxièmement*
		puis

Le récit

Le plan d'un récit

L'élaboration d'un récit

Pour un meilleur récit
- le sujet de l'histoire
- le point de vue du narrateur ou de la narratrice
- les personnages
- les temps des verbes

Le plan d'un récit

Qu'est-ce qu'un récit ?

Un récit s'articule généralement de la façon suivante.

SITUATION DE DÉPART

– présenter les personnages et les lieux ;

– préciser le moment des événements ;

– présenter la situation initiale ;

DÉROULEMENT DES ÉVÉNEMENTS

– présenter un événement qui perturbe l'équilibre de la situation initiale ;

– présenter une suite d'événements qui font progresser le récit vers une situation nouvelle ;

SITUATION FINALE

– présenter la solution permettant de surmonter l'événement perturbateur ;

– présenter la situation finale.

Comment élaborer un récit?

Voici une façon de procéder pour élaborer un récit. En premier, il est nécessaire de faire surgir des **images** dans sa tête; ensuite, il est important de se poser des questions afin de préciser les **images** et les **idées**; enfin, il faut réfléchir aux **mots** qui peuvent indiquer le lieu, l'époque ou le moment, ainsi que l'ordre des événements.

	Les images	Certaines questions	Les mots
L'introduction Début du récit	• Les personnages: portrait physique, portrait moral	• *Qui sont ces personnages?* • *Comment s'appellent-ils?*	• *Des jeunes, des adultes...* • *Olivier, Sandra, l'espion...*
	• Le lieu	• *Où sont-ils? Est-ce un univers réel ou imaginaire?*	• *Dans un pays lointain...* • *Au pays du...*
	• L'époque, le moment	• *Quand l'histoire se passe-t-elle?* • *À quelle époque a-t-elle lieu?*	• *Il était une fois...* • *Jadis...* • *Il y a longtemps...* • *En 1995...* • *Un matin, très tôt...*
	• La situation initiale	• *Que font les personnages au début du récit?* • *Comment se sentent-ils?*	• *D'abord...* • *En premier lieu...*
Le développement Progression du récit	• L'événement perturbateur qui déséquilibre ou le problème qui survient	• *Qu'arrive-t-il aux personnages?* • *Quel événement déclenche des réactions?*	• *Par une nuit glaciale...* • *Tout à coup...* • *Brusquement...* • *Aussitôt...*
	• Les péripéties ou les solutions	• *Que font les personnages?* • *Comment réagissent-ils?* • *Quelle suite d'événements se produit-il?*	• *Quelque temps après...* • *Ensuite...* • *C'est pourquoi...* • *Grâce à...*
La conclusion	• Le dénouement • La situation finale	• *Comment se termine le récit?* • *Que deviennent les personnages à la fin du récit?*	• *Finalement...* • *Depuis ce temps...* • *À partir de ce jour...* • *En conclusion...* • *C'est ainsi que...*

Pour un meilleur récit

Voici quelques suggestions qui peuvent aider à préparer et à rédiger d'un meilleur récit.

LE SUJET DE L'HISTOIRE

Pour écrire une histoire intéressante, il faut bien **préciser le sujet du récit** en se posant quelques questions.

- Pourquoi le sujet m'intéresse-t-il ?
- À qui mon histoire s'adresse-t-elle ?
- Le sujet intéressera-t-il mes lectrices et mes lecteurs ? Pourquoi ?
- Qu'est-ce que je connais du sujet ? (Je fais la liste de mes connaissances sur ce sujet.)
- Quelles pourraient être les grandes étapes de mon histoire ?
- Quel titre pourrais-je donner à mon récit ?

LE POINT DE VUE DU NARRATEUR OU DE LA NARRATRICE

Lorsqu'on écrit un récit, il est important de déterminer le **point de vue** du narrateur ou de la narratrice.

Voici une bonne façon de déterminer le point de vue du narrateur ou de la narratrice.

▸ Le narrateur ou la narratrice raconteront-ils une histoire vécue par quelqu'un d'autre ? Si oui, ils la raconteront en utilisant la 3e personne.	***Les passagers*** *étaient rassemblés sur le pont.* ***Ils*** *craignaient le pire !*
▸ Le narrateur ou la narratrice raconteront-ils leur propre histoire, qu'elle soit réelle ou fictive ? Si oui, ils la raconteront en utilisant la 1re personne.	***J'****ai demandé aux passagers de monter sur le pont.*

Comment créer des personnages ?

Les personnages sont évidemment des éléments importants d'un récit et il est nécessaire de les décrire avec un soin particulier. Voici quelques questions qui peuvent aider à mieux les cerner.

- Qui sera le personnage principal ? Qui seront les personnages secondaires ?

- Quels sont les traits physiques des personnages ?

  Quels mots traduisent le mieux ces traits physiques ?

- Quel est le caractère de chaque personnage ?

  Quels mots traduisent le mieux ce caractère ?

- Quelles seront les différentes actions des personnages ?

  Quels mots expriment le mieux ces actions ?

- Quels seront les différents sentiments que les personnages éprouveront ?

  Quels mots expriment le mieux ces sentiments ?

LES TEMPS DES VERBES

Comment utiliser les temps des verbes ?

- Lorsqu'on rédige un récit, il est important de porter une attention particulière aux temps des verbes.
- En général, un récit présente les faits et les événements dans un ordre chronologique.
- On utilise les temps passés pour présenter des actions qui sont antérieures au présent.
- Le temps utilisé pour présenter des faits présents est l'indicatif présent.
- On utilise les temps futurs pour présenter des actions qui sont postérieures au présent.

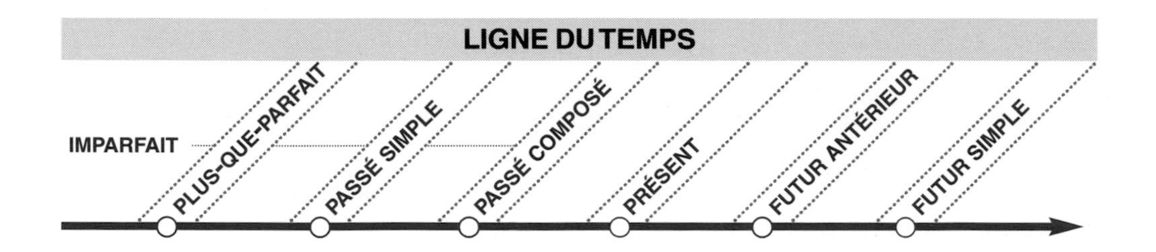

plus-que-parfait / **passé composé**

Jacques [*avait déjà mangé*] *lorsque nous* [*sommes arrivés*].

(L'action de **manger** est antérieure à celle d'**arriver**.)

---

imparfait / **passé simple**

Soraya [*mangeait*] *lorsque Myriam* [*arriva*].

(L'action de **manger** était en train de se produire lorsque celle d'**arriver** s'est produite.)

---

imparfait / **passé composé**

Je [*somnolais*] *légèrement lorsque la sonnette* [*a retenti*].

(L'action de **somnoler** était en train de se produire lorsque celle de **retentir** s'est produite. L'action de **somnoler** est antérieure à celle de **retentir**.)

---

futur antérieur / **futur simple**

Nous [*aurons nettoyé*] *la cour lorsque les invités* [*arriveront*].

(L'action de **nettoyer** est antérieure à celle d'**arriver**, mais future par rapport au moment où l'on parle.)

La description

Une définition
Les différentes constructions

Une définition

Qu'est-ce qu'une description?

- La description est la représentation d'un être, d'un animal ou d'une chose. Pour comprendre ce qu'est une description, on peut se représenter un ou une peintre qui, à l'aide de lignes, de formes, de reliefs, de couleurs, d'ombres, nous décrit un « coin » de réalité concrète ou abstraite.

Décrire, c'est un peu comme peindre avec des mots.

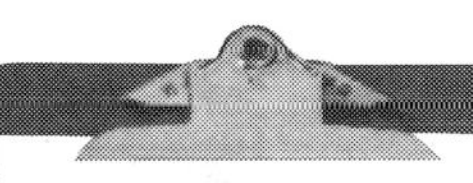

Les brochures touristiques et certaines annonces publicitaires utilisent souvent la description comme trame principale.

- Il existe des textes dont la description est la trame principale, mais on utilise surtout les descriptions dans certaines parties des récits.

Les différentes constructions

Comment construire une description?

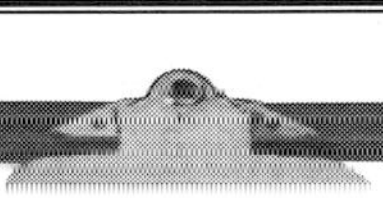

Plus on connaît le sujet qu'on veut décrire et plus on l'a observé, plus précise sera la description.

1 En premier, il est nécessaire de bien choisir son sujet. Il est aussi utile de déterminer l'aspect qu'on veut décrire.

Un coucher de soleil **sur la mer** est bien différent d'un coucher de soleil **en montagne**. Le décrire l'est aussi.

2 Il faut aussi déterminer les **caractéristiques principales** du sujet que l'on souhaite décrire.

Il faut conserver les détails qui sont **significatifs**.
Trop de détails encombrent la description.

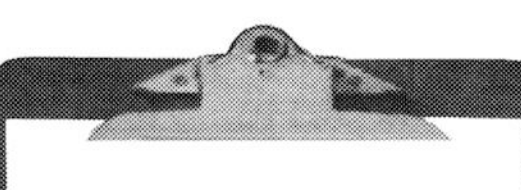

Mieux on choisira les caractéristiques, meilleure sera la description.

3 Ensuite, il faut prévoir un certain **ordre** à la description, un peu comme dans un film.

- Le descripteur ou la descriptrice se déplace par rapport au sujet.
- Le sujet se déplace vers le descripteur ou la descriptrice.
- Le descripteur ou la descriptrice décrit de gauche à droite, de bas en haut ou vice versa.
- Le descripteur ou la descriptrice décrit en premier les êtres et les objets qui sont rapprochés, ensuite les êtres et les objets qui sont au deuxième plan et enfin les êtres et les objets lointains. Cet ordre peut être inversé.

Etc.

Plus l'ordre conviendra au sujet, plus vivante sera la description.

Il est important de situer les éléments décrits par rapport au descripteur ou à la descriptrice, et les uns par rapport aux autres.

4 Enfin, la description peut se terminer par l'expression d'une sensation ou d'un sentiment que cette description a laissé chez le descripteur ou la descriptrice.

5 En général, le vocabulaire est coloré, imagé, expressif et les phrases sont simples.

Attention !

Les remarques et les suggestions qui précèdent ne sont pas exhaustives, car il existe d'autres façons de procéder.

Le discours rapporté

Le discours direct
Le discours indirect

Qu'est-ce qu'un discours rapporté?

Le discours rapporté concerne la façon de rapporter les paroles d'une personne.

Quelles sont les façons de rapporter les paroles d'une personne?

Il y a généralement deux façons de rapporter les paroles d'une personne: le **discours direct** et le **discours indirect**.

Le discours direct

Qu'est-ce que le discours direct?

- Le discours direct rapporte les paroles d'une personne sans les modifier; il les présente telles quelles.

Il lui dit: «Fais attention!»

«Fais attention!» lui dit-il.

- Le discours direct peut se réaliser de deux façons différentes :
  - **par l'utilisation d'un verbe introducteur** (verbe de parole)

    Elle lui ***a dit*** *: « Fais attention ! »*
    Ma mère lui ***répondit*** *: « Pierre qui roule n'amasse pas mousse. »*
    Martine ***s'écria*** *: – Je suis tellement heureuse !*

  - **par une incise**

    « Fais attention ! » ***lui dit-elle****.*
    « Ne m'importunez pas », ***cria la jeune caissière****.*
    « Soyons prêts », ***dit-il****, tout en se dirigeant vers la sortie.*
    « Dépêchez-vous ! ***cria-t-il****. Il est temps de partir. »*

57

La phrase incise suit généralement les paroles rapportées, mais elle peut être aussi à l'intérieur des guillemets. Aucun marqueur de relation n'introduit la phrase incise.

- Les marques du discours direct sont : les **deux-points**, les **guillemets** ou les **tirets**.

Le discours indirect

Qu'est-ce que le discours indirect ?

- Le discours indirect est une façon de rapporter les paroles d'une personne, mais en les reformulant.

- Le discours indirect est généralement constitué d'un **verbe de parole**, accompagné d'une subordonnée à l'indicatif ou d'un infinitif.

discours direct ▶ *Elle a dit : « Je reviendrai. »*

discours indirect ▶ *Elle* ***a dit*** *⌊qu'elle reviendrait⌋.*
verbe de parole — **subordonnée**

discours direct ▶ *Mon oncle a affirmé : « Je suis heureux. »*

discours indirect ▶ *Mon oncle* ***a affirmé*** *⌊qu'il était heureux⌋.*
verbe de parole — **subordonnée**

discours indirect ▶ *Mon oncle* ***a affirmé*** *⌊être heureux⌋.*
verbe de parole — **infinitif**

Les mots de substitution et la reprise de l'information

Une définition

Qu'est-ce qu'un mot de substitution?

Un mot de substitution est un mot ou un groupe de mots qui reprend l'information déjà contenue dans le texte, mais sous une forme différente. Cette reprise de l'information assure généralement la cohérence du texte tout en évitant de répéter des mots.

Les types de mots de substitution

Quels types de mots peuvent servir de mots de substitution?

Différents mots ou groupes de mots peuvent devenir des mots de substitution:

- des pronoms;
- des déterminants;
- des adverbes;
- des synonymes*;
- des termes génériques*;
- des termes synthétiques*;
- des périphrases*;
- des mots de la même famille*.

Les mots marqués d'un astérisque* sont des substituts lexicaux.

Pourquoi utiliser des mots de substitution ?

On utilise des mots de substitution pour éviter de répéter des mots, pour varier les tournures et les phrases, ou encore pour reprendre l'information. L'information qui est reprise peut être totale ou partielle ; parfois, ce n'est que l'idée qui est reprise.

- **Les pronoms**

__Le chef d'orchestre__ fait son entrée et __il__ dirige les musiciens.

__Les musiciens__ sont attentifs parce que le chef d'orchestre __leur__ donne des explications.

__Tu es blessé__ ? J'espère que __ce__ n'est pas douloureux.

Il faut que je termine __mon dessin__ pour lundi. Est-ce que tu as terminé __le tien__ ?

- **Les déterminants**

Les pays ont signé __un accord profitable__ aux deux parties. __Cet__ accord prévoit des compensations pour les pertes occasionnées par des sécheresses prolongées.

__Mon frère__ a acheté un appareil de télévision très moderne ; il m'a donné __son__ vieil appareil.

- **Les adverbes**

Marc-Olivier se dirigea vers son café habituel et s'assit à __la table qu'on lui réservait tous les soirs__. C'est __là__ qu'il attendit Cassandra.

Sandra a perdu un match de tennis et, en signe de frustration, elle __a lancé sa raquette__. Ce n'est pas __ainsi__ qu'on manifeste son esprit sportif.

- **Les synonymes**

Le midi, je __mange__ habituellement à l'école. Parfois, je __dîne__ chez mon amie.

- **Les termes génériques**

*Je n'avais pas assisté à un tel **récital** depuis plusieurs années. Cette **soirée musicale** fut très intéressante.*

- **Les termes synthétiques**

*[...] **Cette aventure** qu'il nous a racontée avec moult détails nous a beaucoup émus.*

- **Les périphrases**

*J'ai bien aimé visiter **Paris**. **La Ville lumière** attire beaucoup les visiteurs.*

***Adrienne** est très en colère ; **l'amie de Vincent** n'en revient pas qu'il ait divulgué le secret qu'elle lui avait confié.*

- **Les mots de la même famille**

*Elle est prête à **descendre** la pente. Cette **descente** devra cependant s'effectuer selon les règlements de la compétition.*

*Le **nœud** qui me retenait semblait solide. Pourtant, la corde n'**était nouée** qu'à une extrémité.*

Attention !

On peut aussi effectuer la reprise de l'information dans un texte par la répétition d'un mot ou la reprise partielle d'une expression.

Le lexique français

L'origine
L'évolution

L'origine du lexique

Quelle est l'origine de la langue française ?

Il y a environ 2000 ans, en France, ou plutôt en Gaule, on parlait plusieurs langues dont le latin. Rapidement, le latin parlé prit le pas sur le latin écrit et donna naissance aux langues romanes.

L'une de ces langues romanes se transforma pour constituer vers 850, ce qu'il est convenu d'appeler l'ancien français.

Puis, l'ancien français se développa et se répandit dans d'autres pays ; cette période dura jusqu'à la fin du XVIe siècle, qui coïncida avec la fin de la période dite du moyen français.

Tout au long de son évolution, le vocabulaire français s'est enrichi par des emprunts aux langues étrangères (le latin, le grec, l'italien, l'espagnol, l'anglais, l'allemand, l'arabe, etc.) et par le processus de formation des mots, notamment la dérivation et la composition.

Comment le lexique français s'est-il constitué?

- Au départ, le français comptait un certain nombre d'éléments primitifs, c'est-à-dire des mots qui constituaient le lexique du français à sa naissance.

▶ des mots d'origine **gauloise**:	*alouette, arpent, bec, lieue, ruche,* etc.
▶ des mots d'origine **latine**:	les déterminants numéraux, les déterminants démonstratifs, les déterminants possessifs, les mots invariables et la majorité des verbes, des noms et des adjectifs.
▶ des mots d'origine **germanique**:	*épieu, étrier, maréchal,* etc.

- Le lexique français s'est enrichi par la suite en empruntant des mots à des langues étrangères, que ce soit à l'occasion des guerres, des événements sportifs, littéraires et artistiques ou des échanges commerciaux.

- Les **noms** ont constitué la majeure partie des emprunts, mais des **adjectifs** et des **verbes** ont aussi enrichi le lexique français.

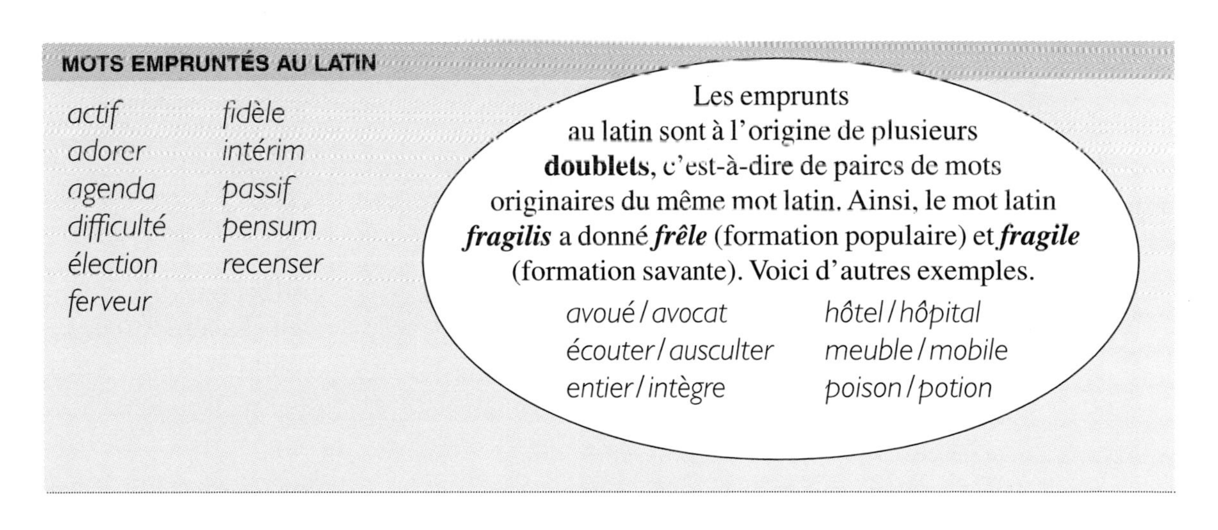

MOTS EMPRUNTÉS AU LATIN

actif
adorer
agenda
difficulté
élection
ferveur
fidèle
intérim
passif
pensum
recenser

Les emprunts au latin sont à l'origine de plusieurs **doublets**, c'est-à-dire de paires de mots originaires du même mot latin. Ainsi, le mot latin ***fragilis*** a donné ***frêle*** (formation populaire) et ***fragile*** (formation savante). Voici d'autres exemples.

avoué / avocat	*hôtel / hôpital*
écouter / ausculter	*meuble / mobile*
entier / intègre	*poison / potion*

MOTS EMPRUNTÉS AU GREC				
anarchie	*chlore*	*démagogie*	*démocratie*	

MOTS EMPRUNTÉS À L'ITALIEN				
adagio	*arsenal*	*boussole*	*infanterie*	*soldat*
andante	*balcon*	*coupole*	*opéra*	*solfège*
arcade	*bataillon*	*golfe*	*pilote*	

MOTS EMPRUNTÉS À L'ESPAGNOL				
alcôve	*casque*	*fanfaron*	*récif*	*tomate*
camarade	*épinard*	*guitare*		

MOTS EMPRUNTÉS À L'ALLEMAND				
bière	*chenapan*	*espiègle*	*képi*	*vampire*
blague	*choucroute*	*havresac*	*sabre*	

MOTS EMPRUNTÉS À L'ANGLAIS				
antilope	*express*	*jury*	*rail*	*touriste*
bébé	*flanelle*	*pamphlet*	*tennis*	*tunnel*

MOTS EMPRUNTÉS À L'ARABE				
alchimie	*burnous*	*harem*	*magasin*	*talisman*
alcool	*douane*	*jarre*	*sultan*	*tarif*
algèbre	*gazelle*			

MOTS EMPRUNTÉS À L'HÉBREU				
alléluia	*chérubin*	*éden*	*jubilé*	

MOTS EMPRUNTÉS AU PERSAN				
bazar	*caravane*	*tambour*		

- Le Québec a fourni aussi un certain nombre de mots au lexique français.

la brunante (crépuscule)	une canadienne (manteau)
une motoneige	un dépanneur

- Les mots empruntés à une langue viennent souvent eux-mêmes d'une autre langue. Plusieurs mots empruntés à l'anglais proviennent ainsi d'anciens mots français. C'est le cas, par exemple, du mot **tunnel** emprunté à l'anglais (*tunnel*), qui l'avait lui-même emprunté au français (*tonnelle*).

La formation des mots

La dérivation	L'abrègement
La composition	Les emprunts
Les familles de mots	Les anglicismes
Le télescopage	Les archaïsmes et les néologismes

La dérivation

Qu'est-ce que la dérivation?

- La dérivation est un procédé par lequel on crée un nouveau mot.
- Pour créer un nouveau mot, on utilise un «petit mot» qui s'ajoute **au début** ou **à la fin** d'un mot de base.

affixe

- Lorsque ce «petit mot» est au début d'un mot, on l'appelle **préfixe**; lorsqu'il est à la fin d'un mot, on l'appelle **suffixe**.

PRÉFIXES	SUFFIXES
***Dé**chargement*	*Lav**able***
***Im**possible*	*Épic**erie***
***Ré**chauffer*	*Baign**oire***

LE PRÉFIXE

Qu'est-ce qu'un préfixe?

- Un préfixe est un «petit mot» qui s'ajoute **au début** d'un mot pour en former un nouveau.
- Le préfixe ne change pas la classe du mot auquel il se joint.

ADJECTIF	*possible*	→	***im**possible*
NOM	*chargement*	→	***dé**chargement*
VERBE	*commencer*	→	***re**commencer*
ADVERBE	*ordinairement*	→	***extra**ordinairement*

Quels sont les principaux préfixes?

Voici les principaux préfixes.

a-, an-

▶ Placé devant des noms ou des adjectifs, ce préfixe indique la privation, la négation.

***a**pesanteur* ***an**alphabète*

bi-, bis-

▶ Placé devant des noms ou des adjectifs, ce préfixe signifie «deux».

***bi**moteur* ***bi**pède* ***bi**centenaire* ***bis**annuel*

co-

▶ Placé devant des noms, ce préfixe signifie «ensemble, avec».

***co**propriétaire* ***co**locataire*

dé-, dés-, dis-

▶ Placé devant des noms, des adjectifs ou des verbes, ce préfixe indique l'absence, la privation, la négation, ou une action effectuée en sens inverse.

***dé**couvrir* ***dés**habiller* ***dis**proportionné*
***dé**brouillard* ***dis**paraître* ***dé**chargement*

en-, em-

▶ Placé devant des noms, des adjectifs ou des verbes, ce préfixe signifie «dans».

***en**cadrer* ***en**diablé* ***en**couragement* ***en**dommager*
***em**mêler* ***em**mener* ***em**mitoufler* ***em**prisonner*

entre-, entr-

▶ Placé devant des noms ou des verbes, ce préfixe signifie «entre» ou indique «une action mutuelle ou réciproque».

***entre**mêler* ***entre**filet* ***entr**aide* ***entre**croiser*

ex-

▶ Placé devant des noms ou des verbes, ce préfixe signifie «hors de» ou « avant ».

*s'**ex**clamer* ***ex**-député* ***ex**-directrice* ***ex**proprier*
***ex**croissance*

in-, im-, il-, ir-

Voici les différentes formes que peut prendre le préfixe **in-**.

▶ Placé devant des noms ou des adjectifs, ce préfixe exprime la négation. Il signifie généralement «qui n'est pas».

***in**connu*	***im**possibilité*	***il**lisible*	***ir**réparable*
***in**utilité*	***im**mobile*	***il**limité*	***ir**recevable*
***in**complet*	***im**passe*	***il**légalité*	***ir**réel*
***in**nommable*	***im**battable*	***il**lettré*	***ir**régulier*

mé-, més-

▶ Placé devant des noms, des adjectifs ou des verbes, ce préfixe confère au mot une valeur négative.

***mé**connaître* ***mé**connu* ***mé**content* ***més**entente*

para-

▶ Placé devant des noms, des adjectifs ou des verbes, ce préfixe signifie «qui protège contre», «à côté».

***para**sol* ***para**médical* ***para**chuter* ***para**scolaire*

re-, ré-

▶ Placé devant des verbes, ce préfixe a surtout une valeur de répétition. Il signifie «de nouveau».

***re**faire*	***re**monter*	***ré**apprendre*
***re**commencer*	***ré**chauffer*	***ré**organiser*

rétro-

▶ Placé devant des noms, des adjectifs ou des verbes, ce préfixe signifie «en arrière».

***rétro**viseur* ***rétro**grader* ***rétro**actif*

sub-

▶ Placé devant des noms, des adjectifs ou des verbes, ce préfixe signifie «sous, en dessous».

***sub**conscient* ***sub**diviser* ***sub**ordonner* ***sub**sonique*

sur-

▶ Placé devant des noms, des adjectifs ou des verbes, ce préfixe signifie «au-dessus» ou «au-delà».

***sur**chargé* ***sur**classer* ***sur**lendemain* ***sur**élever*

tri-

▶ Placé devant des noms ou des adjectifs, ce préfixe signifie «trois».

***tri**angle* ***tri**colore*

399

Qu'est-ce qu'un suffixe?

Un suffixe est un «petit mot» qui s'ajoute **à la fin** d'un mot pour en former un nouveau.

Quels sont les principaux suffixes?

Contrairement aux préfixes, les suffixes changent souvent la classe des mots.
Voici les principaux suffixes.

Les suffixes suivants contribuent à la formation de **noms**.			
SUFFIXES	SENS	CLASSE DES MOTS DE BASE	EXEMPLES
-ade	action	verbe	*baign**ade**, euscul**ade**, gliss**ade**, promen**ade***
-age	action	verbe	*bross**age**, chauff**age**, lav**age**, patin**age***
-aison (*voir* -tion)	action	verbe	*crev**aison**, livr**aison***
-ance	action	verbe	*assist**ance**, méfi**ance**, venge**ance***
-ement	action	verbe	*chang**ement**, charg**ement***
-erie	action, lieu, industrie	nom, verbe	*épic**erie**, ling**erie**, moqu**erie**, sensibl**erie***
-et, **-ette**	diminutif	nom	*garçonn**et**, fill**ette**, goutel**ette***
-eur, **-euse**, **-teur**, **-trice**	appareil, qui produit l'action	verbe	*chass**eur**, fauch**euse**, réfrigér**ateur**, édi**teur**, ac**trice***
-isme	activité, doctrine, attitude	nom, adjectif	*capital**isme**, commun**isme**, fatal**isme**, journal**isme***
-oir, **-oire**	endroit, instrument	verbe	*parl**oir**, baign**oire***
-tion, **-ation**	action	verbe	*appari**tion**, construc**tion**, admir**ation**, déclar**ation***

Les suffixes suivants contribuent à la formation de **noms** et d'**adjectifs**.			
SUFFIXES	**SENS**	**CLASSE DES MOTS DE BASE**	**EXEMPLES**
-ais, -aise (*voir* -ois, -oise)	habitant de ville, de pays, langue	nom	*un Angl**ais**, des Franç**ais**, la cuisine franç**aise**, le style angl**ais***
-eux, -euse	qualité	nom	*un amour**eux**, une personne chanc**euse**, un homme courag**eux***
-ien, -ienne	appartenance, nationalité, profession	nom	*un Canad**ien**, un chirurg**ien**, un froid sibér**ien**, une music**ienne**, une Norvég**ienne***
-ier, -ière	qualité, contenant, arbre, rapport	nom	*un sucr**ier**, un palm**ier**, un prisonn**ier**, une exploitation min**ière**, une attitude famil**ière***
-ique	science, techniques, relatif à	nom	*informat**ique**, robot**ique**, une substance chim**ique***
-iste	activité, attitude, doctrine	nom	*un groupe fémin**iste**, une journal**iste**, une dent**iste***
-ois, -oise	habitant de ville, de pays, langue	nom	*un parc toront**ois**, une Québéc**oise***

Un mot dérivé présente souvent de petites différences par rapport au mot de base.

Les suffixes suivants contribuent à la formation d'**adjectifs**.			
SUFFIXES	**SENS**	**CLASSE DES MOTS DE BASE**	**EXEMPLES**
-able	possibilité	verbe	*tissu lav**able**, élément remplaç**able**, pile réutilis**able***
-al, -ale	rapport à	nom	*repas famili**al**, mesure gouvernement**ale***
-el, -elle	rapport à	nom	*comportement professionn**el**, pluie providenti**elle***
-ible	possibilité	verbe	*insecte nuis**ible**, imprimante compat**ible***
-if, -ive	rapport à	verbe, nom	*personne agress**ive**, système défens**if***
-eur, -euse	qualité, état	verbe	*air moqu**eur**, apparence tromp**euse***

Les suffixes suivants contribuent à la formation de **verbes**.		
SUFFIXES	**CLASSE DES MOTS DE BASE**	**EXEMPLES**
-ailler	verbe	*tourn**ailler***
-asser	verbe	*bav**asser**, rêv**asser***
-ier	adjectif, nom	*fortif**ier**, solidif**ier**, télégraph**ier***
-iller	verbe	*mord**iller**, saut**iller***
-iser	nom, adjectif	*natural**iser**, martyr**iser**, social**iser***
-onner	verbe	*chant**onner**, griff**onner***
-oter	verbe	*neige**oter**, pleuv**oter**, viv**oter***
-ouiller	verbe	*pend**ouiller***
-eler	nom, verbe	*craqu**eler**, amonc**eler***
-eter	verbe	*craqu**eter**, vol**eter***

Les suffixes suivants contribuent à la formation d'**adverbes**.		
SUFFIXES	**CLASSE DES MOTS DE BASE**	**EXEMPLES**
-amment	adjectif	*brill**amment**, sav**amment***
-ément	adjectif	*énorm**ément**, immens**ément**, profond**ément***
-emment	adjectif	*consci**emment**, prud**emment***
-ment	adjectif	*aisé**ment**, crû**ment**, joli**ment**, joyeuse**ment**, lente**ment**, vrai**ment***

→ 399

Attention !

Il existe aussi une forme de dérivation qui consiste à supprimer un suffixe pour former des noms.

accrocher	→	*accroc*	*refuser*	→	*refus*
briser	→	*bris*	*retourner*	→	*retour*
galoper	→	*galop*	*visiter*	→	*visite*
diplomatie	→	*diplomate*	*bureaucratie*	→	*bureaucrate*

Quelle est l'utilité de la dérivation en lecture?

- Lorsqu'on lit un texte et qu'on rencontre un mot dont on ignore le sens, on peut évidemment recourir au contexte ou au dictionnaire. Cependant, on peut aussi analyser la **forme du mot** pour en trouver le sens.

Si je connais la signification du préfixe **hypo-**, c'est-à-dire «en dessous, sous, bas», je suis plus en mesure de comprendre l'expression **un régime hypocalorique**: un régime qui est «bas en calories».

Si je connais la signification du suffixe **-iller**, qui apporte un aspect de diminution, je suis plus en mesure de comprendre le verbe **mordiller**.

*Le chiot **mordillait** la pantoufle.*

mordait légèrement

Quelle est l'utilité de la dérivation en écriture?

- Le fait de connaître l'utilisation des préfixes et des suffixes pour former des mots nouveaux peut aider les scripteurs et les scriptrices à **alléger** ou à **varier** les tournures de leurs phrases.

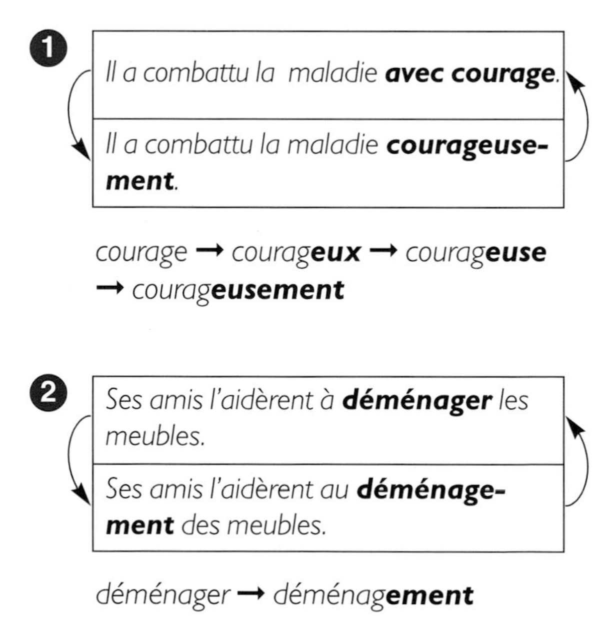

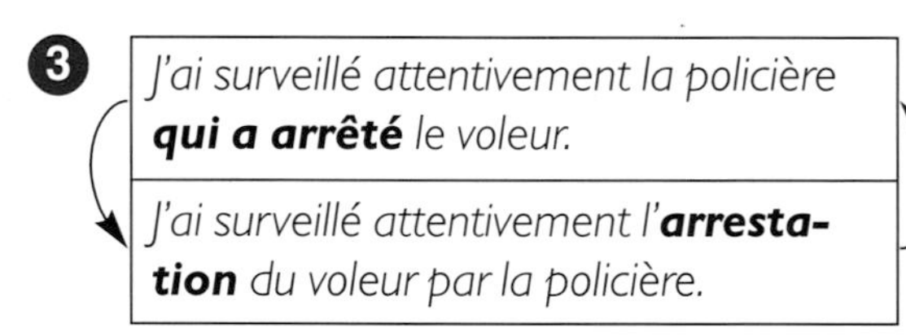

4

*Steve est une personne **qui a de l'ambition**.*

*Steve est une personne **ambitieuse**.*

5

*Le cancer est une maladie que l'on réussit à **guérir** de plus en plus souvent.*

*Le cancer est une maladie de plus en plus **guérissable**.*

Qu'est-ce qu'un mot composé?

Un mot composé est un mot constitué d'au moins deux éléments, reliés ou non entre eux par un trait d'union.

▶ À partir de mots français

- Le premier procédé de composition consiste à créer un nouveau mot en **réunissant** des **mots français** qui existent déjà. Généralement, ces mots existent de façon autonome, c'est-à-dire qu'ils peuvent être utilisés séparément dans une phrase.

  Il existe trois types de mots composés:
  – les mots reliés par un trait d'union;
  – les mots sans trait d'union;
  – les mots soudés.

AVEC UN TRAIT D'UNION	SANS TRAIT D'UNION	MOTS SOUDÉS
timbre-poste	*pomme de terre*	*tournevis*
cure-dent	*compte rendu*	*bonjour*
laissez-passer	*fer à cheval*	*contredire*

- Plusieurs classes de mots peuvent entrer dans la création de mots composés ou de locutions: **noms**, **adjectifs**, **verbes**, **adverbes**, **prépositions**, **conjonctions**.

  On peut ainsi créer plusieurs classes de mots composés.

Le **nom composé** est formé le plus souvent:	DES NOMS COMPOSÉS		
de deux noms;	*un timbre-poste*	*une photo couleur*	*une betterave*
de deux noms réunis par une préposition;	*un arc-en-ciel*	*une pomme de terre*	
d'un nom et d'un adjectif;	*un terre-plein*	*un raton laveur*	*le vinaigre*
d'un adjectif et d'un nom;	*une belle-sœur*	*un bleu marine*	
d'une préposition et d'un nom;	*un sans-cœur* *un hors-bord* *un avant-goût*		*un enjeu*

→

DES NOMS COMPOSÉS (suite)			
d'un verbe et d'un nom ;	*un porte-clés* *un gratte-ciel*		*un passeport*
d'un nom et d'un verbe réunis par une préposition ;		*un album à colorier* *une poêle à frire*	
de deux verbes réunis par une conjonction ;	*un va-et-vient*	*un aller et retour*	
de deux verbes.	*le savoir-vivre* *un laisser-faire*		

Les noms propres ont aussi des formes composées : *Anne-Marie*, *Baie-Saint-Paul*, *États-Unis*, *Saint-Jovite*, etc.

L'**adjectif composé** est formé le plus souvent :

DES ADJECTIFS COMPOSÉS		
de deux adjectifs ;	*une sauce aigre-douce* *une personne sourde-muette* *un programme franc***o***-ontarien*	*une étoffe bleu pâle*
d'un adverbe et d'un adjectif ou d'un participe.	*des idées avant-gardistes* *un enfant bien-aimé*	*un climat bienfaisant* *des paroles malveillantes*

Attention !

Même si un grand nombre de mots composés sont des noms ou des adjectifs, on peut noter aussi des **locutions adverbiales**, des **locutions verbales**, des **prépositions complexes**, des **locutions conjonctives** et des **locutions interjectives**.

- **LOCUTIONS ADVERBIALES** ▶ *après-demain, là-dedans, par hasard, toujours*
- **LOCUTIONS VERBALES** ▶ *avoir faim, contredire, faire pitié, faire tomber, sous-louer*
- **PRÉPOSITIONS COMPLEXES** ▶ *à cause de, afin de, au-dessus de, malgré*
- **LOCUTIONS CONJONCTIVES** ▶ *depuis que, dès que, ou bien, puisque, c'est-à-dire*
- **LOCUTIONS INTERJECTIVES** ▶ *ah oui !, oh là là !*

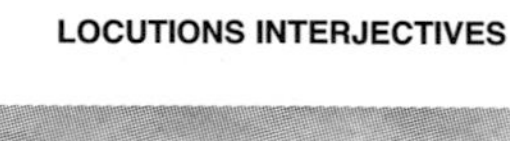

▸ À partir d'éléments latins ou grecs

- Le deuxième procédé de composition consiste à créer un nouveau mot en réunissant des éléments d'origine **latine** ou **grecque**, qui sont alors soudés l'un à l'autre.

  Ces éléments latins ou grecs n'existent pas de façon autonome dans la langue, c'est-à-dire qu'ils ne peuvent être utilisés tels quels dans une phrase. Ils ont besoin au préalable d'être combinés à d'autres éléments.

❶

ÉLÉMENTS LATINS EN **DÉBUT DE MOT**		EXEMPLES
agri-	(champ)	**agri**culteur, **agri**culture, **agri**cole
calori-	(chaleur)	**calori**fère
carni-	(chair)	**carni**vore
centri-	(centre)	**centri**fuge, **centri**pète
fébri-	(fièvre)	**fébri**le, **fébri**lité
herbi-	(herbe)	**herbi**vore, **herbi**cide, **herbi**er
horti-	(jardin)	**horti**culture, **horti**cultrice, **horti**cole
igni-	(feu)	**igni**fuge
légi-	(loi)	**légi**férer, **légi**time
omni-	(tous)	**omni**vore, **omni**bus, **omni**présent
sylvi-	(forêt)	**sylvi**culture, **sylvi**cole

❷

ÉLÉMENTS LATINS EN **FIN DE MOT**		EXEMPLES
-cide	(tuer)	insecti**cide**, homi**cide**
-cole	(cultiver)	agri**cole**, sylvi**cole**, arbori**cole**
-fère	(porter, contenir)	calori**fère**, auri**fère**, coni**fère**
-fique	(faire)	honori**fique**, sopori**fique**
-fuge	(fuir)	igni**fuge**, trans**fuge**
-loque	(parler)	ventri**loque**, col**loque**
-vore	(manger)	carni**vore**, herbi**vore**

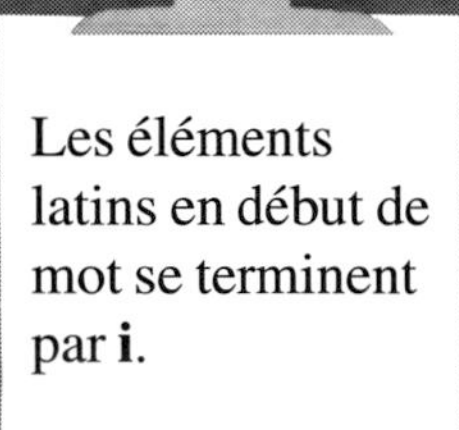

Les éléments latins en début de mot se terminent par **i**.

3

ÉLÉMENTS GRECS EN **DÉBUT DE MOT**		EXEMPLES
auto-	(soi-même)	**auto**biographie, **auto**graphe
biblio-	(livre)	**biblio**thèque, **biblio**graphie
dactylo-	(doigt)	**dactylo**graphie
démo-	(peuple)	**démo**cratie, **démo**graphie
géo-	(terre)	**géo**graphie, **géo**logue
hexa-	(six)	**hexa**gone, **hexa**mètre
hippo-	(cheval)	**hippo**drome
hydro-	(eau)	**hydro**gène, **hydro**graphie
kilo-	(mille)	**kilo**mètre, **kilo**gramme
micro-	(petit)	**micro**phone
mono-	(unique)	**mono**logue, **mono**graphie
néo-	(nouveau)	**néo**logisme
octo-	(huit)	**octo**génaire
ortho-	(droit)	**ortho**pédiste, **ortho**graphe
poly-	(nombreux)	**poly**gone, **poly**valente
psycho-	(âme)	**psycho**logie, **psycho**thérapie
télé-	(loin)	**télé**commande, **télé**phone
thermo-	(chaleur)	**thermo**mètre
zoo-	(animal)	**zoo**logie, **zoo**logique

4

ÉLÉMENTS GRECS EN **FIN DE MOT**		EXEMPLES
-alg(ie)*	(douleur)	névr**algie**
-céphal(ite)	(tête)	en**céphalite**
-crat(ie)	(pouvoir)	démo**cratie**
-cycl(ette)	(cercle)	bi**cyclette**
-gène	(contenir)	hydro**gène**, oxy**gène**
-gone	(angle)	hexa**gone**, poly**gone**
-gramme	(lettre)	télé**gramme**
-logue	(discours)	cardio**logue**, psycho**logue**
-phag(ie)	(manger)	aéro**phagie**
-phob(ie)	(peur)	agora**phobie**, claustro**phobie**
-phone	(son)	micro**phone**, télé**phone**
-pode	(pied)	tri**pode**
-scop(ie)	(examiner)	radio**scopie**, arthro**scopie**
-thérap(ie)	(soin)	psycho**thérapie**

* Les suffixes ajoutés aux éléments grecs sont entre parenthèses.

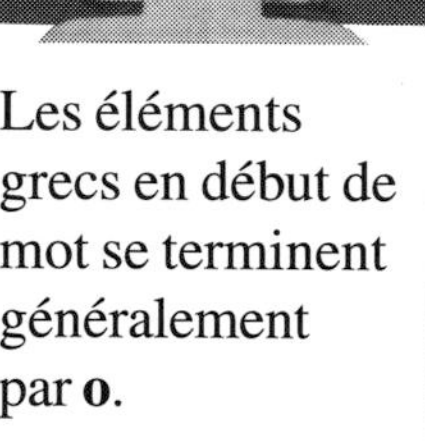

5

ÉLÉMENTS GRECS		EXEMPLES EN **DÉBUT DE MOT**	EXEMPLES EN **FIN DE MOT**
anthropo- **-anthrop(e)***	(homme)	***anthropo****phage*	*phil****anthrope***
bio- **-bi(e)**	(vie)	***bio****logie*	*aéro****bie***
chrono- **-chron(isme)**	(temps)	***chrono****mètre*	*syn****chronisme***
grapho- **-graph(e)**	(écrire)	***grapho****logie*	*ortho****graphe****,* *sismo****graphe***
métro **-mètr(e)**	(mesure)	***métro****nome*	*thermo****mètre****,* *baro****mètre***
morpho- **-morph(e)**	(forme)	***morpho****logie*	*a****morphe***
patho- **-path(ie)**	(maladie)	***patho****logie*	*homéo****pathie***
philo- **-phil(e)**	(aimer)	***philo****sophie*	*biblio****phile***
techno- **-techn(ique)**	(science)	***techno****logie*	*poly****technique***

* Les suffixes ajoutés aux éléments grecs sont entre parenthèses.

▶ À partir d'éléments latins ou grecs et français

- Le troisième procédé de composition consiste à créer un nouveau mot en réunissant des éléments d'origine **latine** ou **grecque** et des mots **français**. Dans ces mots composés, l'élément latin ou grec s'apparente beaucoup à un préfixe.

ÉLÉMENTS LATINS OU GRECS	MOTS FRANÇAIS	EXEMPLES
anti- (contre)	*allergique* *brouillard* *pollution* *rouille*	**anti***allergique* **anti***brouillard* **anti***pollution* **anti***rouille*
auto- (soi-même)	*collant* *défense* *guidé* *portrait*	**auto***collant* **auto***défense* **auto***guidé* **auto***portrait*
extra- (à un haut degré) (en dehors de)	*fin* *fort* *sensible* *judiciaire*	**extra***fin* **extra***fort* **extra***sensible* **extra***judiciaire*
hyper- (à un haut degré)	*actif* *nerveux* *sensible*	**hyper***actif* **hyper***nerveux* **hyper***sensible*
inter- (entre, relation réciproque)	*actif* *agir* *continental* *national* *titre*	**inter***actif* **inter***agir* **inter***continental* **inter***national* **inter***titre*
micro- (très petit)	*climat* *fiche* *film* *ordinateur*	**micro***climat* **micro***fiche* **micro***film* **micro-***ordinateur*
mini- (petit)	*jupe* *bus* *golf*	**mini***jupe* **mini***bus* **mini***golf*

→

ÉLÉMENTS LATINS OU GRECS	MOTS FRANÇAIS	EXEMPLES
poly- (nombreux)	*clinique* *copie* *technique*	**poly***clinique* **poly***copie* **poly***technique*
post- (après)	*natal* *opératoire* *synchronisation*	**post***natal* **post***opératoire* **post***synchronisation*
semi- (demi)	*automatique* *nomade* *remorque*	**semi-***automatique* **semi-***nomade* **semi-***remorque*
super- (à un haut degré)	*champion* *fin* *grand* *profit*	**super***champion* **super***fin* **super***grand* **super***profit*
télé- (à distance)	*commande* *conférence* *copie* *guider*	**télé***commande* **télé***conférence* **télé***copie* **télé***guider*
ultra- (à un haut degré)	*chic* *court* *moderne* *son*	**ultra***chic* **ultra***court* **ultra***moderne* **ultra***son*

Qu'est-ce qu'une famille de mots?

- Une famille de mots regroupe l'ensemble des mots **dérivés** et **composés** qui proviennent d'une même racine.

BON — NOMS	ADJECTIFS	VERBES	ADVERBES
bonté	**bon**asse	**bon**ifier	tout **bon**nement
bonheur	dé**bon**naire		
bonjour			
bonsoir			
bonbon			
bonhomme			
boni			

CHANGER — NOMS	ADJECTIFS	VERBES
changement	**change**ant	é**changer**
é**change**	**change**ante	re**changer**
é**changeur**	é**change**able	
libre-é**change**	inter**change**able	
re**change**		

FIN — NOMS	ADJECTIFS	VERBES	ADVERBES	MOTS DE RELATION
dé**fin**ition	dé**fin**i	**fin**ir	dé**fin**itivement	a**fin** de
finale	dé**fin**ie	dé**fin**ir	en**fin**	a**fin** que
finaliste	dé**fin**itif		**fin**alement	
finition	dé**fin**itive		indé**fin**iment	
in**fin**i	**fin**al		in**fin**iment	
in**fin**ité	**fin**ale			
	fini			
	finie			
	indé**fin**i			
	indé**fin**ie			
	indé**fin**issable			
	in**fin**i			
	in**fin**ie			

- Une famille de mots peut regrouper aussi des mots **dérivés** et **composés** qui proviennent d'une formation populaire ou d'une formation savante.

FORMATION POPULAIRE

FLEUR — NOMS	ADJECTIFS	VERBES
***fleur**et*	***fleur**i*	***fleur**ir*
***fleur**ette*	***fleur**ie*	*ef**fleur**er*
***fleur**iste*		
***fleur**on*		

FORMATION SAVANTE

FLOR- — NOMS	ADJECTIFS	VERBES
***flor**e*	***flor**al*	
***flor**aison*	***flor**ale*	
***flor**alies*	***flor**icole*	
***flor**ilège*	***flor**issant*	
	***flor**issante*	

Quelle est l'utilité des familles de mots?

- En lecture, une bonne connaissance des familles de mots permet de comprendre le sens général d'un mot inconnu.

- En écriture, une bonne connaissance des familles de mots permet d'éviter des fautes d'orthographe d'usage.

> Si je connais l'orthographe de **ryth**me, je suis plus en mesure d'écrire correctement l'adjectif **ryth**mique.

> Si je connais l'orthographe de **chrono**mètre, je suis plus en mesure d'écrire correctement **chrono**logie.

- En écriture, une bonne connaissance des familles de mots permet aussi de diversifier les expressions et les structures de phrases.

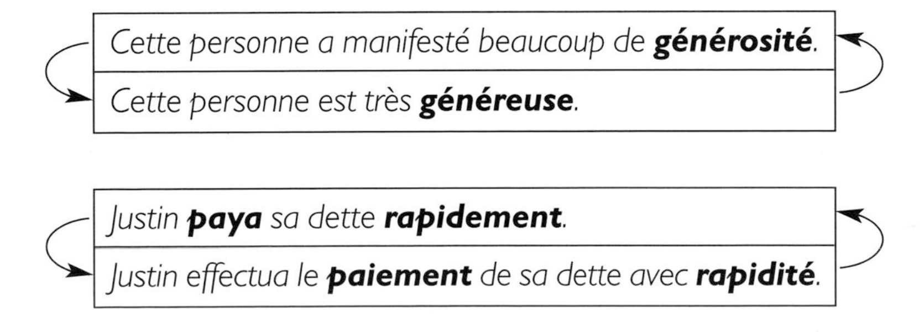

Comment peut-on dresser la liste d'une famille de mots ?

Voici une procédure pour dresser la liste d'une famille de mots.

▸ On identifie le radical d'un mot.	***écri****re*
▸ On écrit les mots que l'on connaît et qui sont formés à partir de ce radical.	***écri****ture*, ***écri****vain*
▸ On vérifie les entrées du dictionnaire qui précèdent ou qui suivent ces mots formés du même radical et on retient celles qui conviennent.	***écri****teau*, ***écri****vailler*, ***écri****vailleur*
▸ On cherche à partir du radical du mot d'autres mots formés d'un préfixe.	*d****écri****re*, *r****écri****re*, *ré****écri****ture*
▸ On cherche dans un dictionnaire ou ailleurs des formes savantes qui pourraient compléter la famille du mot.	***scri****be*, ***scrip****teur*
▸ On vérifie de nouveau les entrées du dictionnaire qui suivent ou qui précèdent ces nouveaux mots.	***scri****bouilleur*, ***scri****bouillard*, ***scrip****tuaire*
▸ On cherche aussi à partir de ces nouveaux mots des mots formés d'un préfixe et d'un suffixe.	*in****scrip****tion*, *de****scrip****tion*, *tran****scrip****tion*

Le télescopage

- Le procédé de formation de mots par **télescopage** consiste à réunir le début d'un mot et la fin d'un autre mot.

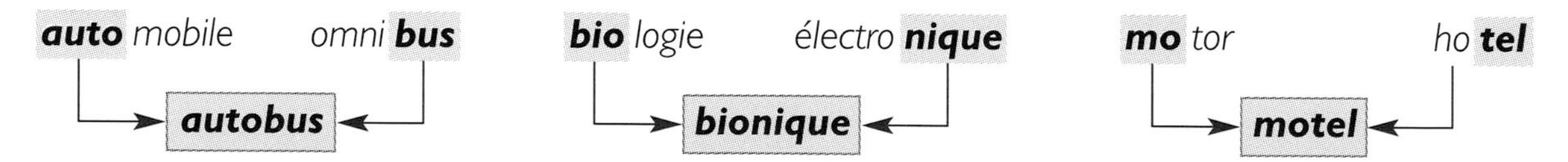

Ce procédé est peu répandu. D'ailleurs, peu de mots formés par télescopage ont fait leur entrée dans les dictionnaires de langue.

- D'autres mots, tels **velcro** (*velours* et *crochet*) et **brunch** (*breakfast* et *lunch*), ont été formés selon un procédé similaire.

L'abrègement

- Un premier procédé d'abrègement consiste généralement à retrancher une ou plusieurs syllabes d'un mot existant.

auto~~mobile~~	→	***auto***	***météo***~~rologie~~	→	***météo***
cinéma~~tographe~~	→	***cinéma***	***micro***~~phone~~	→	***micro***
dactylo~~graphe~~	→	***dactylo***	***moto***~~cyclette~~	→	***moto***
diapo~~sitive~~	→	***diapo***	***photo***~~graphie~~	→	***photo***
écolo~~giste~~	→	***écolo***	***prof***~~esseur~~	→	***prof***
kilo~~gramme~~	→	***kilo***	***radio***~~graphie~~	→	***radio***

- Un deuxième procédé d'abrègement consiste à former des mots à l'aide des lettres initiales de plusieurs mots désignant un édifice, une organisation, un service, un établissement, etc.

  Lorsque le nom des lettres est prononcé, on appelle ces mots des **sigles**. Les lettres peuvent être séparées par des points (C.L.S.C.), mais la tendance d'aujourd'hui est d'écrire les sigles sans les points abréviatifs (CLSC).

un CLSC	▶ Centre local de services communautaires
le CRTC	▶ Conseil de la radiodiffusion et des télécommunications canadiennes
la CSST	▶ Commission de la santé et de la sécurité du travail
la GRC	▶ Gendarmerie royale du Canada
un HLM	▶ Habitation à loyer modique
l'OLF	▶ Office de la langue française
l' ONF	▶ Office national du film
une PME	▶ Petite et moyenne entreprise
la RAAQ	▶ Régie de l'assurance automobile du Québec

Lorsqu'on lit un sigle comme un mot ordinaire, on l'appelle **acronyme**.

- l'ACDI ▶ Agence canadienne de développement internationnal
- le cégep* ▶ Collège d'enseignement général et professionnel
- un COFI ▶ Centre d'orientation et de formation des immigrants
- un DEC ▶ Diplôme d'études collégiales
- la NASA ▶ National Aeronautics and Space Administration
- l'ONU ▶ Organisation des Nations unies
- l'OPEP ▶ Organisation des pays exportateurs de pétrole
- un ovni* ▶ Objet volant non identifié
- un REER ▶ Régime enregistré d'épargne-retraite
- le sida ▶ Syndrome d'immunodéficience acquise

Les emprunts aux langues étrangères

Les emprunts aux langues étrangères ont été fréquents au cours des siècles; la majorité des mots empruntés ont été si bien intégrés à la langue qu'on ne peut souvent les reconnaître. Les mots qui suivent s'ajoutent à ceux qui ont déjà été présentés.

ORIGINE ITALIENNE	ORIGINE ESPAGNOLE	ORIGINE ANGLAISE	ORIGINE ARABE	ORIGINE ALLEMANDE
ambassade	caramel	boxe	amiral	halte
appartement	cigare	flirt	babouche	obus
bandit	parade	partenaire	baobab	trinquer
banque	romance	record	café	valse
bouffon	sieste	redingote	talisman	
canon	vanille	rosbif	zénith	
caporal		wagon	zouave	
carnaval	**ORIGINE PERSANE**			
carrosse				
parasol	azur			
polichinelle	châle			
poltron	mat (échec et mat)			

335 ←

* Ces mots prennent la marque du pluriel: *ovnis*, *cégeps*; les autres sont invariables.

Qu'est-ce qu'un anglicisme?

Un anglicisme est un mot, une expression ou une structure qui viennent de la langue anglaise.

Certains anglicismes sont devenus des mots d'usage courant; d'autres sont contestés et il serait préférable de ne pas les utiliser.

Quels sont les principaux anglicismes à éviter?

	Il ne faut pas dire	Il faut plutôt dire
À DATE	*Mettre* ***à date****.*	*Mettre* ***à jour****.*
AGENDA	*L'****agenda*** *de la réunion.*	*L'****ordre du jour*** *de la réunion.*
APPLIQUER	***Appliquer*** *pour un emploi.*	***Postuler*** *un emploi.*
APPOINTEMENT	*Donner un* ***appointement****.*	*Fixer un* ***rendez-vous****.*
BALANCE	*La* ***balance*** *de la semaine.*	*Le* ***reste*** *de la semaine.*
BÉNÉFICES	*Les* ***bénéfices marginaux****.*	*Les* ***avantages sociaux****.*
BUREAU-CHEF	*Le* ***bureau-chef****.*	*Le* ***siège social****.*
CANCELLER	***Canceller*** *un contrat.*	***Résilier*** *un contrat.*
CANCELLER	***Canceller*** *un chèque.*	***Annuler*** *un chèque.*
CANCELLER	***Canceller*** *un appel.*	***Annuler*** *un appel.*
CERTIFIÉ	*Un chèque* ***certifié****.*	*Un chèque* ***visé****.*
CHANGE	*Elle n'a pas de* ***change****.*	*Elle n'a pas de* ***monnaie****.*
CODE	*Un* ***code*** *régional.*	*Un* ***indicatif*** *régional.*
COLLECTER	***Collecter*** *une dette.*	***Percevoir*** *une dette.*
COMMERCIAL	*Un* ***commercial****.*	*Une* ***annonce publicitaire****.*
CONNEXIONS	*Avoir des* ***connexions****.*	*Avoir des* ***relations****.*

→

	Il ne faut pas dire	Il faut plutôt dire
→ DÉCONNECTER	***Déconnecter*** *le téléphone.*	***Débrancher*** *le téléphone.*
ENDOS	*Écrire* ***à l'endos****.*	*Écrire* ***au verso****.*
ENGAGÉ	*La ligne est* ***engagée****.*	*La ligne est* ***occupée****.*
ENREGISTRÉ	*Une lettre* ***enregistrée****.*	*Une lettre* ***recommandée****.*
EXTENSION	*L'****extension*** *224.*	*Le* ***poste*** *224.*
FORMULE	***Compléter*** *une* ***formule****.*	***Remplir*** *un* ***formulaire****.*
LONGUE DISTANCE	*Un appel* ***longue distance****.*	*Un appel* ***interurbain****.*
MALLER	***Maller*** *une lettre.*	***Poster*** *une lettre.*
NOTICE	*Le mécanicien a donné sa* ***notice****.*	*Le mécanicien a donné sa* ***démission****.*
OFFICE	*Elle travaille à l'****office****.*	*Elle travaille au* ***bureau****.*
PARTS	*Acheter des* ***parts*** *à la Bourse.*	*Acheter des* ***actions*** *à la Bourse.*
PAYANT	*Un téléphone* ***payant****.*	*Un téléphone* ***public****.*
PAYEURS DE TAXES	*Les* ***payeurs de taxes****.*	*Les* ***contribuables****.*
PLAINTE	***Loger*** *une plainte.*	***Déposer*** *une plainte.*
QUALIFICATIONS	*Il ne croit pas à ses* ***qualifications****.*	*Il ne croit pas à ses* ***compétences****.*
RAPPORT	*Un* ***rapport d'impôt****.*	*Une* ***déclaration de revenus****.*
RÉFÉRENCES	*Une lettre de* ***références****.*	*Une lettre de* ***recommandation****.*
SAUVER	***Sauver*** *de l'argent.*	***Épargner*** *de l'argent.*
SCOTCH TAPE	*Du* ***scotch tape****.*	*Du* ***ruban adhésif****.*
SECONDER	***Seconder*** *une proposition.*	***Appuyer*** *une proposition.*
SIGNALER	***Signaler*** *un numéro.*	***Composer*** *un numéro.*
TRANSFÉRÉ	*Ils ont été* ***transférés*** *à Toronto.*	*Ils ont été* ***mutés*** *à Toronto.*
UNION	*Les employés* ***sont dans l'union****.*	*Les employés* ***font partie du syndicat****.*

Les archaïsmes et les néologismes

Les mots sont comme des êtres vivants : ils naissent, ils évoluent et ils meurent.

Pourquoi les mots meurent-ils ?

- Un mot meurt ou « sort de l'usage » lorsque la chose qu'il désignait disparaît.

écu (monnaie) ***heaume*** (casque)
échanson (officier) ***gabelle*** (impôt)

- Un mot peut disparaître pour plusieurs autres raisons, sociales ou professionnelles.

apothicaire → ***pharmacien***
perruquier → ***coiffeur***

- Dans d'autres cas, c'est un mot mieux formé, plus utilisé, « mieux aimé » qui l'emporte sur l'autre.

avette a été remplacé par ***abeille***
oisel a été remplacé par ***oiseau***
aéroplane a été remplacé par ***avion***

Qu'est-ce qu'un archaïsme ?

- Un archaïsme est un mot, une expression, une structure qu'on utilise, même s'ils ne sont plus d'usage courant.

une ***arquebuse*** (arme) ***occire*** (tuer)
férir (frapper) *une* ***avette*** (abeille)
quérir (chercher) *le* ***chef*** (tête)

Quand utilise-t-on un archaïsme ?

- On utilise un archaïsme pour créer une atmosphère d'époque.

L'archaïsme est identifié dans un dictionnaire par l'abréviation **vx** (vieux).

Qu'est-ce qu'un néologisme?

- Un néologisme est l'emploi d'un mot nouveau obtenu par dérivation, composition, troncation ou emprunt; un néologisme est aussi l'emploi d'un mot existant dans un sens nouveau; enfin, un néologisme peut être une construction nouvelle.

  Le néologisme apparaît très souvent dans les domaines scientifique et technique.

- La création de néologismes est nécessaire pour remplacer les mots qui tendent à disparaître.

brûler	a remplacé	***ardre***
briller	a remplacé	***luire***
gémir	a remplacé	***geindre***
savoureux	a remplacé	***sapide***
tourne-disque	a remplacé	***phonographe***

  Mais la raison d'être des néologismes est surtout d'exprimer des idées ou des choses nouvelles.

DÉCOUVERTES ▶ *ion* (1840), *hélium* (1868), *électron* (1902), *sida* (1982), etc.

INVENTIONS ▶ *avion* (1875), *télévision* (1945), *micro-ordinateur* (1971), *télécopieur* (1973), etc.

SUBSTANCES ▶ *hydrocarbure* (1809), *butane* (1874), *vitamine* (1913), *placoplâtre* (1968), etc.

SOCIÉTÉ ▶ *omerta* (1952), *agroalimentaire* (1971), *bureautique* (1976), *transgénique* (1984), etc.

Quand utilise-t-on un néologisme?

- On utilise un néologisme quand on veut exprimer des **idées** ou des **choses** nouvelles.

- L'utilisation de néologismes permet aussi d'apporter de la **précision** à un texte.

Le sens des mots

Qu'est-ce que la sémantique?

- La sémantique est l'étude du sens des mots.

Le changement de sens

Qu'est-ce qu'un changement de sens?

- Lorsqu'on dit que les mots changent, que les mots évoluent, on parle surtout du **sens** des mots. Voici quelques exemples.

Gêner signifiait **torturer**; son sens s'est affaibli et il signifie, aujourd'hui, **mettre mal à l'aise**.

Accident désignait un **événement heureux** ou **malheureux**; son sens s'est renforcé et il signifie, aujourd'hui, un **événement important** et **malheureux**.

Gentil signifiait **noble**; son sens s'est affaibli et il signifie, aujourd'hui, **aimable**.

Vassal désignait au Moyen Âge un homme **à qui un seigneur avait concédé un fief**; aujourd'hui, le sens s'est dégradé et il signifie **un homme qui dépend d'un autre**.

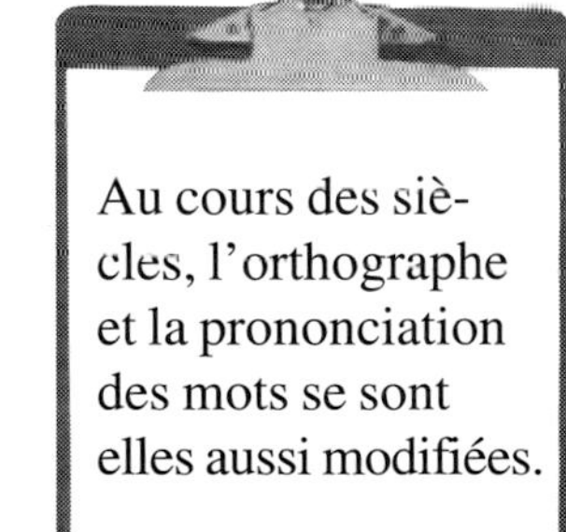

- Tout mot, à partir de sa création, évolue selon les différents contextes dans lesquels on l'utilise.

Quels sont les différents sens d'un mot ?

- La presque totalité des mots ont **plusieurs sens**. C'est ce qu'on appelle la **polysémie** des mots.

- Chaque mot a un sens de base et des sens contextuels, c'est-à-dire des sens qui dépendent des contextes spécifiques dans lesquels ils sont utilisés.

  Voici quelques exemples.

FEUILLE

PARTIE DES VÉGÉTAUX ▶ *Le saule a perdu ses **feuilles**.*

MORCEAU DE PAPIER ▶ *Andréanne a dessiné sur une **feuille** jaune.*

PLAQUE MINCE ▶ *Le plancher de la remorque est construit avec des **feuilles** de contreplaqué.*

CHIEN

MAMMIFÈRE ▶ *J'ai retrouvé mon **chien** que j'avais perdu.*

PIÈCE D'UNE ARME ▶ *Le **chien** du fusil de chasse était bloqué.*

TERME D'INJURE (FIG.) ▶ *Ne sois pas trop **chien**!*

COURS

ÉCOULEMENT ▶ *J'aime admirer le **cours** impétueux d'un torrent.*

CIRCULATION RÉGULIÈRE D'UNE VALEUR ▶ *Le **cours** du yen a fléchi.*

USAGE (FIG.) ▶ *Ces pratiques n'ont plus **cours** aujourd'hui.*

LEÇON ▶ *Je suivrai bientôt un **cours** de conduite.*

COURT, COURTE

RELATIF À LA LONGUEUR ▶	*L'été, mon père porte des chemises à manches* ***courtes****.*
RELATIF À LA DURÉE ▶	*C'est vers la fin de décembre que les jours sont* ***courts****.*
PROCHE DANS LE TEMPS ▶	*Cette décision sera favorable à* ***court*** *terme.*

FRAIS, FRAÎCHE

LÉGÈREMENT FROID ▶	*Le temps était* ***frais*** *lorsqu'ils arrivèrent à la mer.*
PEU CHALEUREUX (FIG.) ▶	*Ils ont réservé un accueil plutôt* ***frais*** *au nouveau venu.*
RÉCENT ▶	*Le lièvre avait laissé des traces* ***fraîches*** *dans la neige.*
PLEIN D'ÉCLAT ▶	*Ils se levèrent* ***frais*** *et dispos, même s'ils s'étaient couchés tard.*

GLISSER

SE DÉPLACER ▶	*Les enfants* ***glissaient*** *rapidement sur la pente enneigée.*
NE PAS INSISTER (FIG.) ▶	*Comme ce sujet était délicat, les policiers* ***glissèrent*** *sur certains détails.*
FAIRE PASSER ▶	*Le facteur* ***glissa*** *la carte postale dans la boîte aux lettres.*

JOUER

S'AMUSER ▶	*Les jeunes* ***jouaient*** *au soccer dans le parc.*
SE MOUVOIR FACILEMENT ▶	*La porte* ***joue*** *sur ses gonds.*
RISQUER (FIG.) ▶	*L'ingénieur* ***jouait*** *sa réputation dans la construction de ce barrage.*
EXERCER LE MÉTIER D'ACTEUR OU D'ACTRICE ▶	*Cette actrice chevronnée* ***a joué*** *dans une pièce de Tremblay.*

Attention !

- Lorsqu'on utilise les mots dans leur **sens habituel**, ou premier, on dit qu'on utilise un vocabulaire **dénotatif**.

  C'est ce type de vocabulaire qu'on utilise dans les textes d'information, certains textes incitatifs et les textes courants.

  Le lion vit en Afrique et en Asie.

- Lorsqu'on utilise les mots dans leur sens habituel, mais en y **ajoutant un sens particulier**, on dit qu'on utilise un vocabulaire **connotatif**.

  Le lutteur s'est battu comme un lion.

  On ajoute ici le sens de **courage**.

Le sens propre et le sens figuré des mots

Qu'est-ce que le sens propre et le sens figuré des mots ?

- Le sens **propre** d'un mot est le sens premier de ce mot ; il correspond généralement à son sens habituel.

  *Lorsque le **printemps** revient, il enchante les cœurs.*
  *Andréanne aime collectionner les **papillons**.*
  *Le feu **brûlait** dans la cheminée.*

- Le sens **figuré** d'un mot est un sens plus abstrait, plus imagé du mot ; ce sens plus imagé conserve certaines caractéristiques du sens propre du mot.

  *Elle est au **printemps** de sa vie.*
  *Andréanne a des **papillons** dans l'estomac.*
  *Cet automobiliste est imprudent : il **a brûlé** un feu rouge.*

- Une **métaphore** est une figure de style qu'on construit en utilisant le **sens propre** (concret) d'un mot dans un **contexte abstrait**. De plus, la métaphore n'est pas construite avec des mots de comparaison: *comme*, *de même que*, *ainsi*, *sembler*, *tel*, etc.

*Je ne connais pas la **racine** de son mal.*
*Une **mer** de tendresse envahissait son cœur.*
*Des idées noires **trottaient** dans sa tête.*

- Une **métonymie** est une figure de style qu'on construit en utilisant un mot au lieu d'un autre avec lequel il entretient une relation logique: la matière pour l'objet, la partie pour le tout, le lieu pour le produit, le signe pour la chose, le contenant pour le contenu.

*Laliberté a réalisé de superbes **bronzes**.*
*Toute la **ville** appuyait le projet du maire.*
*Mes parents préfèrent le **bordeaux** au **bourgogne**.*
*M. Poulin est une bonne **fourchette**.*
*Mon grand-père aime bien prendre un petit **verre**.*

Les paronymes et les homonymes

Qu'est-ce que des paronymes?

- Des **paronymes** sont des mots dont l'orthographe ou la prononciation se ressemblent, mais qui ont des sens différents.

(somme)	***allocation***	↔	***allocution***	(discours)
(sortir d'un milieu)	***émerger***	↔	***immerger***	(plonger dans un liquide)
(élevé)	***éminent***	↔	***imminent***	(immédiat)
(manière de s'exprimer)	***expression***	↔	***impression***	(procédé de reproduction)
(introduction d'un liquide dans une cavité)	***injection***	↔	***injonction***	(ordre)
(présenter des caractères semblables)	***ressembler***	↔	***rassembler***	(mettre ensemble)

- Dans le cas des paronymes, il est utile de développer le réflexe de consulter un dictionnaire.

Qu'est-ce que des homonymes ?

- Des **homonymes** sont des mots dont la prononciation est semblable, mais qui ont des sens différents. On les appelle aussi **homophones**.

laid	(état)	***cent***	(nombre)	***haut***	(élevé)	***cour***	(espace)
lait	(liquide)	***sang***	(liquide)	***eau***	(liquide)	***court***	(peu de longueur)
les	(déterminant)	***sans***	(préposition)	***au***	(déterminant)	***cours***	(leçon)
				ô	(interjection)		

- Lorsque les homonymes ont aussi la même orthographe, on leur donne le nom d'**homographes**.

louer	(complimenter)	*un* ***moule***	(pièce creuse)
louer	(donner en location)	*une* ***moule***	(mollusque)

L'utilisation d'homonymes provoque souvent des **jeux de mots**.

Je travaille dans une pharmacie au rayon des cosmétiques. Un jour, une dame s'approche de mon comptoir ; elle cherche une crème hydratante.
Je lui demande :
– Quel type de peau ?
– Oh ! un pot carré, me répond-elle.

– J. Clermont

Reproduit avec permission © 1996
Périodiques Reader's Digest ltée, Montréal, Québec

Les relations entre les mots

- Les termes génériques et les termes spécifiques
- Les synonymes
- Les antonymes
- Les champs lexicaux

Les termes génériques et les termes spécifiques

Qu'est-ce qu'un terme générique ? Qu'est-ce qu'un terme spécifique ?

- Un terme **générique** est un mot dont le sens englobe le sens d'autres mots.

SAISON	FLEUR	MÉTAL
printemps	*marguerite*	*fer*
été	*rose*	*cuivre*
automne	*lilas*	*aluminium*
hiver	*tulipe*	*laiton*

Plus un terme est **générique**, plus il s'applique à un grand nombre d'êtres ou de choses.

- Un terme **spécifique** est un mot dont le sens est inclus dans un terme **générique**.

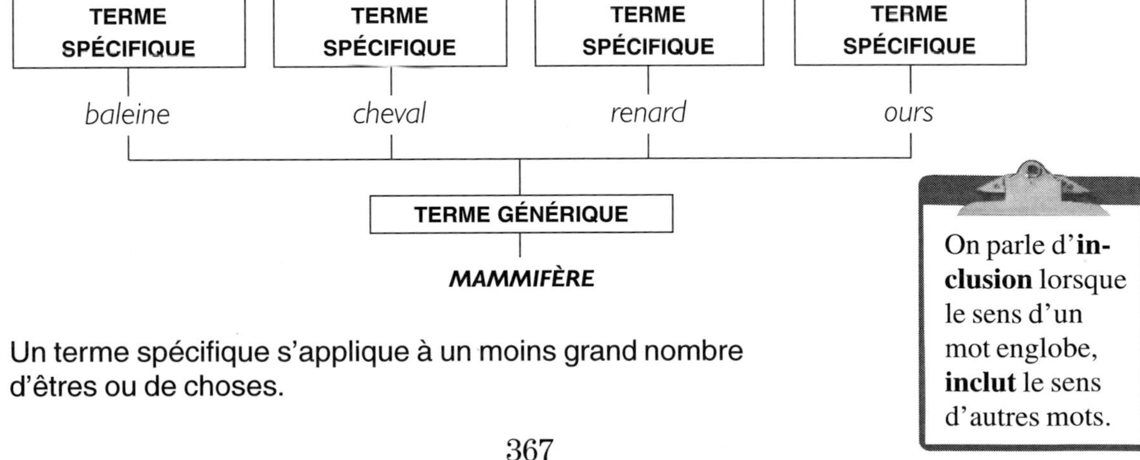

Un terme spécifique s'applique à un moins grand nombre d'êtres ou de choses.

On parle d'**inclusion** lorsque le sens d'un mot englobe, **inclut** le sens d'autres mots.

Quelle est l'utilité des termes génériques et des termes spécifiques ?

- En lecture, la présence d'un terme générique et de termes spécifiques peut aider à comprendre le sens d'un mot inconnu.

*«Ce centre de recherche s'intéresse principalement aux **diplodocus**, aux **mégalosaures** et aux **plésiosaures**. Les chercheurs et chercheuses ont découvert de nombreux renseignements sur ces **dinosaures**: leur nourriture, leur habitat, l'époque où ils ont existé, etc.»*

Mots de passe 2, Acquisition de connaissances

Le terme générique **dinosaures** permet de comprendre les termes spécifiques **diplodocus**, **mégalosaures** et **plésiosaures**.

- En écriture, on peut utiliser des termes spécifiques pour préciser un terme générique (ou vice versa).

*«Jeunesse au soleil organise de grandes campagnes pour venir en aide aux gens dans le besoin. Chacun sait que le "**déluge**" du Saguenay en 1996, les **inondations** du Manitoba en 1997 et la **tempête de verglas** qui s'est abattue sur l'ouest du Québec au début de l'année 1998 ont fait de nombreuses victimes. À la suite de chacun de ces **cataclysmes naturels**, Jeunesse au soleil est intervenu pour offrir soutien, nourriture, aide financière, etc., aux milliers de sinistrés.»*

Mots de passe 2, Acquisition de connaissances

Les termes spécifiques **déluge**, **inondations**, **tempête de verglas** précisent le sens de l'expression **cataclysmes naturels**.

- En écriture, les termes génériques et les termes spécifiques servent également à assurer la continuité entre les phrases, à reprendre l'information. Ils sont, en quelque sorte, des **mots de substitution**.

331

Qu'est-ce que des synonymes ?

- Des synonymes sont des mots qui ont **à peu près** le même sens. En général, on dit qu'un mot est synonyme d'un autre lorsqu'il peut remplacer ce mot de façon satisfaisante, sans changer le sens de la phrase.

- Des mots peuvent être synonymes lorsqu'ils appartiennent à la **même classe de mots** et que leurs champs sémantiques se recoupent.

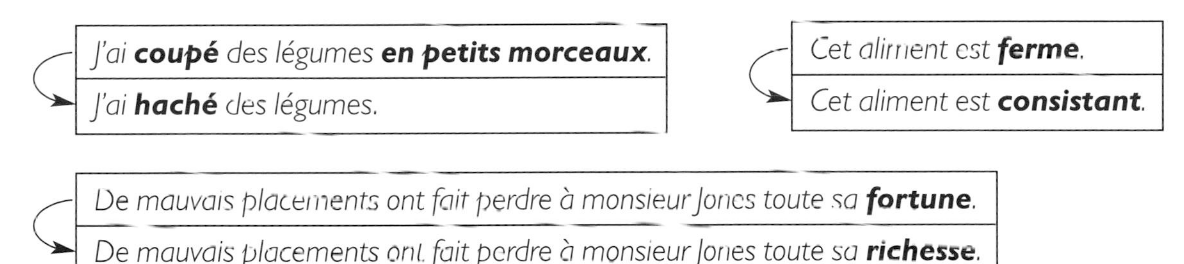

Un mot peut-il avoir plusieurs synonymes ?

- Lorsqu'on consulte un dictionnaire, on constate rapidement qu'un mot a **plusieurs sens**. En général, les différents sens d'un mot sont voisins et apportent, chacun à sa façon, une nuance particulière ; parfois, aussi, les sens sont éloignés. Comme un mot a généralement **plusieurs sens**, il a **plusieurs synonymes**.
- Examinons les différents sens et les différents synonymes de l'adjectif **secret**.

1	Qui n'est pas connu du public	▶ *L'espion a participé à une opération* ***secrète****.* ▶ *L'espion a participé à une opération* ***clandestine****.*
2	Qui appartient à un domaine privé	▶ *Ce sont des rites* ***secrets****.* ▶ *Ce sont des rites* ***ésotériques****.*
3	Difficile à trouver	▶ *Elle ne put trouver l'escalier* ***secret****.* ▶ *Elle ne put trouver l'escalier* ***dérobé****.*
4	Qui est plutôt difficile à percevoir	▶ *Il a des pensées* ***secrètes****.* ▶ *Il a des pensées* ***impénétrables****.*
5	Qui ne se confie pas facilement	▶ *Cet homme* ***secret*** *resta dans un mutisme obstiné.* ▶ *Cet homme* ***renfermé*** *resta dans un mutisme obstiné.*

Quelle est l'utilité des synonymes ?

- Les synonymes apportent sûrement de la variété à un texte, mais ils donnent surtout plus de précision aux idées que l'on veut exprimer et ils permettent d'éviter les répétitions.

- Ainsi, dans un texte, le verbe *couper* pourrait être avantageusement remplacé par des synonymes. On peut remplacer « J'**ai coupé** du bois » par « J'**ai fendu** du bois » si le bois a été coupé avec une hache, ou par « J'**ai scié** du bois » s'il a été coupé avec une scie.

  « J'**ai coupé** la haie » et « J'**ai coupé** des légumes en petits morceaux » pourraient devenir « J'**ai taillé** la haie » et « J'**ai haché** des légumes ».

  Par contre, les synonymes ne sont pas « interchangeables » et il faut les choisir en fonction du **contexte**.

- Les synonymes jouent aussi le rôle de **mots de substitution** et servent à la reprise de l'information dans un texte.

331 ←

Les antonymes

Qu'est-ce que des antonymes (ou contraires) ?

Les antonymes (ou contraires) sont des mots qui appartiennent à la même classe de mots, mais qui s'opposent par le sens.

Quelles sont les sortes d'antonymes ?

- Il y a des antonymes qui s'expriment par des **mots différents**.

détestable	→ ***adorable***	*détour*	→ ***raccourci***
détruire	→ ***bâtir***	*avant*	→ ***après***
éloquent	→ ***ennuyeux***	*nier*	→ ***affirmer***
chaud	→ ***froid***	*court*	→ ***long***

- Il y a aussi des antonymes qui se construisent à l'aide de **préfixes**.

possible	→ ***im****possible*	*faire*	→ ***dé****faire*
lisible	→ ***il****lisible*	*paraître*	→ ***dis****paraître*
hypotension	→ ***hyper****tension*	*surestimer*	→ ***sous****-estimer*

Un mot peut-il avoir plusieurs antonymes (ou contraires) ?

• Comme un mot peut avoir plusieurs synonymes, il peut avoir aussi plusieurs antonymes (ou contraires).

1 *Son cheval est très* ***beau****.*
Son cheval est très ***laid****.*

2 *Nous avons eu du* ***beau*** *temps.*
Nous avons eu du ***mauvais*** *temps.*

3 *Voilà un* ***beau*** *travail.*
Voilà un travail ***médiocre****.*

• Dans un dictionnaire de langue, les antonymes sont indiqués par l'abréviation CONTR. (contraire).

Les champs lexicaux

Qu'est-ce qu'un champ lexical?

• Un champ lexical est un ensemble de mots que l'on peut regrouper sous **un thème**.

TENNIS		
Noms	**Adjectifs**	**Verbes**
raquette	*rapide*	*frapper*
filet	*précis*	*courir*
court	*gracieux*	*monter*
etc.	etc.	etc.

NEZ		
Noms	**Adjectifs**	**Verbes**
pif, museau, organe de l'odorat, etc.	*retroussé, épaté, pointu, droit, aquilin, grec, écrasé,* etc.	*flairer, inspirer, humer, boucher, sentir, renifler, parler du nez, se moucher, inhaler,* etc.

• Un mot qui fait partie d'un champ lexical donné peut faire partie d'un autre champ lexical dans un contexte différent.

- On peut aussi établir un champ lexical à propos d'activités ou d'événements ; on regroupe alors en champ lexical une **séquence d'actions**.

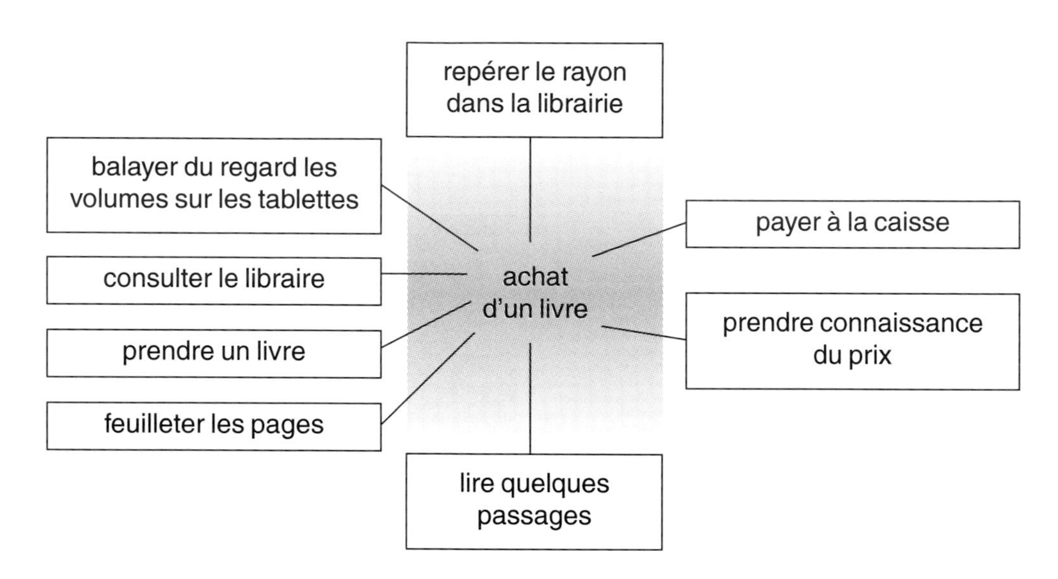

Attention !

- Une autre façon d'établir un champ lexical est de regrouper une série de mots jouant un même rôle linguistique dans un texte. Ainsi, si on veut faire parler des personnages dans un récit, on peut utiliser les verbes indicateurs de dialogue suivants : **dire**, **affirmer**, **s'exclamer**, **demander**, **ajouter**, etc.

«Merci», dit-elle.

« Merci!» s'exclama-t-elle.

«Merci», ajouta-t-elle.

Quelle est l'utilité d'un champ lexical?

- En écriture, durant la phase de préparation, il peut être important d'établir des champs lexicaux. Ainsi, faire un **inventaire de mots** autour d'un thème ou **ordonner** une série de **mots d'action** se rapportant à un événement facilitera certainement la rédaction d'un texte.

- Un champ lexical peut contenir un nombre plus ou moins grand de mots. La taille d'un champ lexical dépend souvent de notre besoin d'écriture.

Comment établir un champ lexical?

Voici une façon de dresser un inventaire de mots ou d'expressions.

- On fait l'inventaire des mots ou des expressions qu'on connaît à propos du thème sur lequel on veut écrire.
- On cherche d'autres mots et expressions dans les dictionnaires à notre disposition : dictionnaire des synonymes, dictionnaire analogique, dictionnaire visuel, dictionnaire de langue.
- On recourt aussi aux familles de mots pour enrichir son champ lexical.
- On organise ces mots en colonnes, en blocs, en constellations, afin de les repérer facilement au cours de la rédaction.

Voici une façon d'établir une séquence d'actions.

On identifie l'activité, le comportement ou l'événement qui pourrait se traduire par une séquence d'actions.	***Monter une pièce de théâtre*** *Organiser une fête*
On énumère chronologiquement les actions possibles.	***Monter une pièce de théâtre*** • *choisir la pièce;* • *trouver des comédiens et des comédiennes;* • *distribuer les rôles;* • *faire une première lecture collective de la pièce;* etc.

Les combinaisons de mots

Une suite lexicale
Une suite lexicale figée
Une impropriété
Un pléonasme

Une suite lexicale

Qu'est-ce qu'une suite lexicale ?

- Il nous arrive de pouvoir presque deviner les mots qu'une personne va prononcer ou encore, en lecture, d'anticiper les mots qui suivent ; ce phénomène s'explique par le fait que certains mots vont bien ensemble ou encore qu'ils sont toujours employés ensemble.

  – Les **verbes** suivants vont bien avec le mot **pomme**.

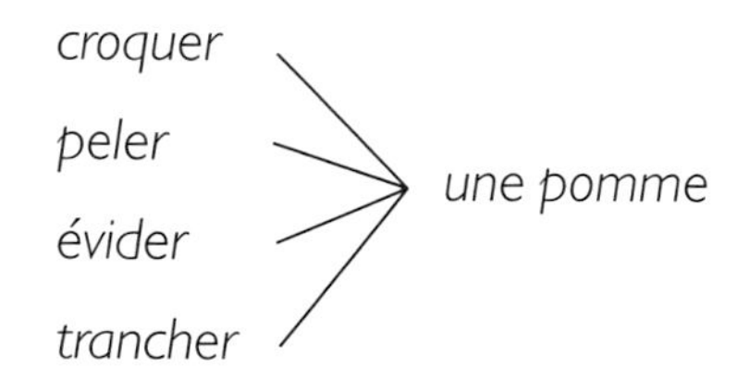

  – Les **adjectifs** suivants vont bien avec le mot **pomme**.

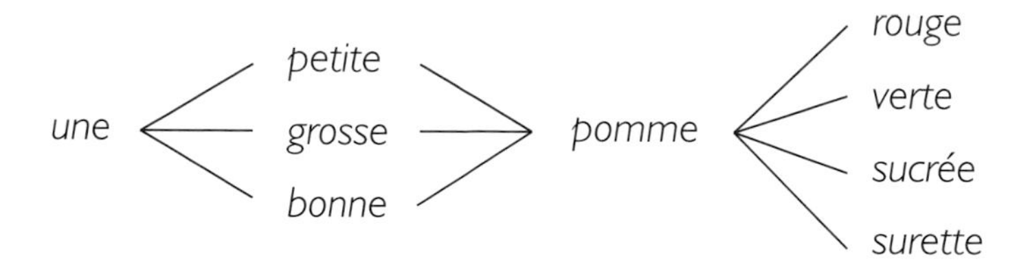

– Les **compléments** suivants complètent bien les noms ou les adjectifs qu'ils accompagnent.

une histoire ***d'amour***
un verre ***de lait***
confiant ***en l'avenir***
content ***de son sort***

Cette combinaison de mots s'appelle une suite lexicale ; une suite lexicale est une forme de champ lexical.

373 ←

• Certaines combinaisons de mots peuvent jouer le rôle d'**organisateurs textuels**.

INTRODUCTION ▶	*« On commencera d'abord... »*
IDÉVELOPPEMENT ▶	*« Comme nous le verrons plus loin... »*
CONCLUSION ▶	*« Terminons par... »*
	Etc.

319

Une suite lexicale figée

Qu'est-ce qu'une suite lexicale figée ?

• Il arrive qu'une suite lexicale soit plus figée, c'est-à-dire qu'on ne puisse changer, enlever ni ajouter un mot sans changer le sens de l'expression.

s'occuper de ses affaires = **une expression**
s'occuper de ses ***petites*** *affaires* ≠ **une expression**

casser la croûte = **une expression**
manger *la croûte* ≠ **une expression**

être libre comme l'air = **une expression**
être libre ≠ **une expression**

• Une expression figée qui présente une vérité générale, sous la forme d'une phrase, est généralement un **proverbe**.

À chaque jour suffit sa peine.
Il faut battre le fer pendant qu'il est chaud.
L'enfer est pavé de bonnes intentions.

Une impropriété

Qu'est-ce qu'une impropriété ?

Une impropriété est l'emploi d'un mot qui est en contradiction avec un autre mot. C'est une mauvaise combinaison de mots.

issue
La situation est sans ~~sortie.~~

Le nom **sortie** ne peut être utilisé dans ce contexte ; il faut plutôt utiliser le nom **issue**.

pris
J'ai ~~fait~~ une mauvaise décision.

Le verbe **fait** n'est pas approprié dans cette phrase ; il faut plutôt utiliser le verbe **pris**.

conséquences
Assume les ~~résultats~~ de tes gestes.

Le nom **résultats** ne convient pas dans cette phrase ; il faut plutôt utiliser le nom **conséquences**.

Un pléonasme

Qu'est-ce qu'un pléonasme ?

Un pléonasme est l'utilisation d'un mot ou d'une expression qui ne fait qu'ajouter une répétition aux mots déjà utilisés. On dit alors qu'une phrase contient des redondances.

*Ils **sont montés en haut** se coucher.*

*J'ai **descendu en bas** les vidanges.*

*Ce fut l'effet d'un **hasard imprévu**.*

*Il faut toujours **prévoir à l'avance** un voyage de pêche.*

*Je l'ai **entendu** de mes propres **oreilles**.*

PLÉONASME VOLONTAIRE *« Je l'ai vu, dis-je, de mes propres yeux vu, ce qui s'appelle vu. »*
Molière

Comment peut-on éviter les mauvaises combinaisons de mots?

Voici une procédure qui peut aider à éviter les erreurs attribuables aux mauvaises combinaisons de mots.

▸ On lit son texte et on le marque aux endroits où l'on doute des combinaisons de mots.	*J'assume les résultats (?) de mes actes (?).* *Il l'a entendu (?) de ses propres oreilles (?).*
▸ On vérifie le sens des mots qu'on a combinés et on s'assure:	
– que les mots combinés ne sont pas incompatibles;	Au mot **résultat**, dans un dictionnaire de langue, on recommande de consulter les mots **conséquence** et **effet**, qui ont un rapport de sens avec **résultat**. Le sens de **conséquence** convient mieux au mot **actes** que le sens de **résultat**; il vaut donc mieux utiliser **conséquence**.
– que les mots combinés ne sont pas redondants.	Au mot **entendre**, dans un dictionnaire de langue, on dit « percevoir par le sens de l'ouïe ». Ajouter « de ses propres oreilles » est une répétition. Il vaut mieux dire, tout simplement, « Il l'a bien entendu » ou encore « Il l'a entendu lui-même ».
▸ On choisit le mot qui convient au contexte ou l'on supprime celui qui est redondant.	*J'assume les **conséquences** de mes actes.* *Il l'a entendu ~~de ses propres oreilles.~~*

Les registres de langue

Quels sont les registres de langue?

- Nous disposons de plusieurs façons de dire les choses. Selon la situation de communication, le vocabulaire utilisé diffère, le style et la formulation des phrases varient, la prononciation même peut être différente. Par exemple, on ne s'adresse pas à des aînés, à des parents, à des enseignantes ou à des enseignants de la même manière qu'à des camarades de classe ou des amis.

  La langue française permet d'indiquer ces différences par les **registres de langue**.

- Quant aux écrivains et aux écrivaines, qui désirent être compris par un grand nombre de personnes, ils utilisent un vocabulaire précis, ils choisissent les mots et les expressions les plus justes, ils soignent leur langage et ils ont la plupart du temps recours à un langage **neutre** ou **soutenu**.

  Toutefois, il leur arrive de **varier leur registre de langue** pour illustrer un contexte historique, une époque, ou encore pour caractériser certains personnages.

- On distingue généralement quatre registres de langue: le registre **soutenu**, le registre **neutre**, le registre **familier** et le registre **populaire**.
  - Les registres **familier** et **populaire** sont généralement ceux de la langue parlée. Les discussions, les conversations entre amis et les situations de la vie courante se retrouvent dans ces registres; des notes, des billets, des lettres personnelles, des cartes de souhaits peuvent aussi s'y retrouver.
  - Les registres **neutre** et **soutenu** appartiennent surtout à la langue écrite. On les retrouve généralement dans les journaux, les revues, les livres; dans la langue parlée, le registre neutre est généralement celui des discours, des cours et de plusieurs émissions de télévision.

LANGUE SOUTENUE	LANGUE NEUTRE	LANGUE FAMILIÈRE	LANGUE POPULAIRE
Ma dulcinée	*Ma conjointe*	*Ma blonde*	*«Ma chum»*
Niais	*Naïf*	*Niaiseux*	*«Twit»*
Assieds-toi!	*Assois-toi!*	*Assis-toi!*	*«Viens t'assire!»*
Vois-tu où je veux en venir?	*Comprends-tu ce que je veux dire?*	*Tu comprends?*	*«T'sé veux dire?»*

- Voici quelques caractéristiques des registres de langue.

	LANGUE SOUTENUE	LANGUE NEUTRE	LANGUE FAMILIÈRE	LANGUE POPULAIRE
▶ Le lexique est recherché et varié.	X			
▶ Le lexique contient des anglicismes.			X	X
▶ Le lexique est celui de la langue parlée.		X	X	X
▶ Le lexique est celui de la langue écrite.	X	X		
▶ Le lexique est juste et objectif.	X	X		
▶ Les phrases sont complètes.	X	X		
▶ Les négations sont incomplètes.			X	X
▶ Plusieurs mots sont abrégés.			X	X
▶ Les phrases sont incomplètes.			X	X
▶ Le lexique contient des régionalismes.			X	X
▶ Le lexique contient des expressions à la mode.			X	X
▶ Les négations sont complètes.	X	X		
▶ Les phrases ou le texte sont très imagés.	X		X	X

Attention !

Lorsqu'on écrit, on choisit son registre de langue en fonction de la **situation de communication**, mais aussi en fonction de l'**objet de la communication** et des **destinataires**.

Les figures de style

L'antithèse

Qu'est-ce qu'une antithèse?

Une **antithèse** est une figure de style qui **oppose** des pensées ou des mots dans une phrase ou un paragraphe.

Dans cette foule dense, le ***pauvre*** *et le* ***riche*** *se côtoyaient.*

Les lettres, ***couleur de feu****, se détachaient facilement du fond* ***noir****.*

Chat ***échaudé*** *craint l'eau* ***froide****.*

«C'est la ***nuit*** *qu'il est beau de croire à la* ***lumière****.»*
Rostand

*«J'****embrasse*** *mon rival, mais c'est pour l'****étouffer****.»*
Racine

La comparaison

Qu'est-ce qu'une comparaison ?

- Une **comparaison** est une figure de style qui exprime la **ressemblance** entre deux êtres ou deux choses.

- Dans une comparaison, on peut utiliser un des mots suivants : *comme*, *de même que*, *ainsi que*, *pareil à*, *semblable à*, *sembler*, *paraître*, etc.

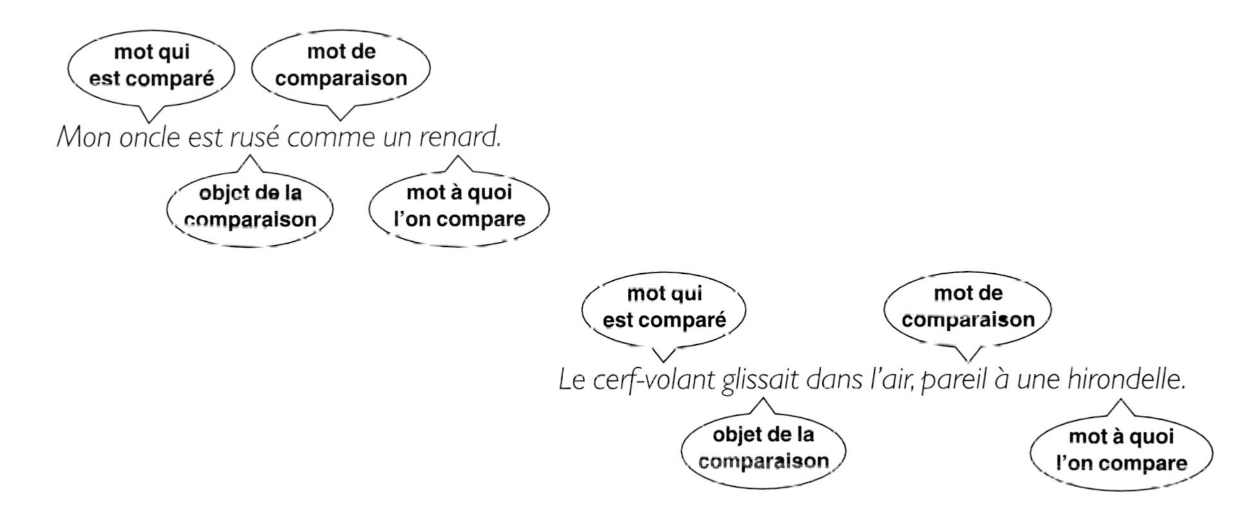

L'euphémisme

Qu'est-ce qu'un euphémisme ?

Un **euphémisme** est une figure de style qui consiste à **atténuer**, à **adoucir** une vérité, un fait ou un événement désagréables ou pénibles.

*Le sentier de la colline ne présentait pas **un sol très égal**.*

(employé à la place de **un sol très cahoteux**)

*Le malade craignait cette **intervention chirurgicale**.*

(employé à la place de **opération**)

*Le vieillard sentait **la fin** approcher.*

(employé à la place de **la mort**)

L'hyperbole

Qu'est-ce qu'une hyperbole?

- Une **hyperbole** est une figure de style qui consiste à utiliser des **termes exagérés** pour exprimer une idée « ordinaire ». L'hyperbole est le contraire de l'euphémisme et de la litote.

Il est grand, très grand! Que dis-je? C'est un géant.

- Les hyperboles sont fréquentes dans la langue orale.

C'est un appartement super!
La salle était archipleine!

L'ironie

Qu'est-ce que l'ironie?

L'**ironie** est un procédé qui consiste à **dire le contraire** de ce que l'on pense.

Vous chantiez? J'en suis fort aise. Eh bien! dansez maintenant.
La Fontaine

La litote

Qu'est-ce qu'une litote?

Une **litote** est une figure de style qui consiste à **dire moins** pour **signifier davantage**. Il arrive souvent que la litote exprime négativement quelque chose de positif.

Cette lampe ***n'est pas laide****.*

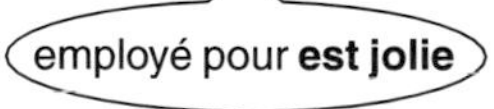

*Le plan Marshall fut l'****un des gestes les moins égoïstes*** *de la période d'après-guerre.*

employé pour **le geste le plus généreux**

La gradation

Qu'est-ce qu'une gradation?

Une **gradation** est une figure de style qu'on construit en plaçant les mots d'une énumération en **ordre croissant**.

Quelle taille! Il est ***grand, immense****. Que dis-je? C'est un* ***géant****!*

Une ***ombre****, un* ***souffle****, un* ***rien****, tout lui donnait la fièvre.*

La Fontaine

La métaphore

Qu'est-ce qu'une métaphore?

Une **métaphore** est une figure de style; pour la construire, on utilise le **sens propre** (concret) d'un mot dans un **contexte abstrait**. La métaphore ressemble parfois à la comparaison, mais elle n'est pas construite avec des mots de comparaison: *comme*, *de même que*, *ainsi*, *sembler*, *tel*, etc.

Je ne connais pas la ***racine*** *de son mal.*

Une ***mer*** *de tendresse envahissait son cœur.*

Des idées noires ***trottaient*** *dans sa tête.*

La métonymie

Qu'est-ce qu'une métonymie?

Une **métonymie** est une figure de style; pour la construire, on utilise un mot au lieu d'un autre avec lequel il entretient une relation logique: la matière pour l'objet, la partie pour le tout, le lieu pour le produit, le signe pour la chose, le contenant pour le contenu.

Rodin a réalisé de beaux ***bronzes****.*

Toute la ***ville*** *appuyait le projet du maire.*

Mes parents préfèrent le ***bordeaux*** *au* ***bourgogne****.*

M. Poulin est une bonne ***fourchette****.*

Mon grand-père aime bien prendre un petit ***verre****.*

La francophonie et le Québec

- La langue française est une langue internationale qui est parlée, en tant que langue maternelle, dans 55 États et par près de 100 millions de personnes. Certains pays francophones sont très éloignés les uns des autres. Les milieux, voire les habitudes, étant parfois très différents, tous ces pays doivent créer des mots pour représenter ce qui leur est propre. La création de mots nouveaux par les divers pays de la francophonie contribue à enrichir le lexique français.

- Le Québec a apporté plusieurs mots au vocabulaire français. Les mots qui suivent* nous permettent de décrire le milieu dans lequel nous vivons. Ils peuvent être employés dans un langage soutenu, car ils font partie des dictionnaires de langue et, comme tels, ils sont acceptés par les différentes communautés francophones.

MOTS ANTÉRIEURS À 1761

abatis, n. m.
achigan, n. m.
atoca, n. m.
banc de neige, n. m.
batture, n. f.
bleuet, n. m.
bordages, n. m.
brûlot, n. m.
cacaoui, n. m.
canot, n. m.
carriole, n. f.
catalogne, n. f.
cèdre, n. m.
coureur de (des) bois, n. m.
doré, n. m.
huard, n. m.
maskinongé, n. m.
ouaouaron, n. m.
outarde, n. f.
poudrerie, n. f.
pruche, n. f.
rang, n. m.
raquetteur, n. m.
savane, n. f.
suisse, n. m.
tuque, n. f.

MOTS APRÈS 1761

acre, n. m. ou f.
arpent, n. m.
avionnerie, n. f.
biculturalisme, n. m.
bleuetière, n. f.
boisseau, n. m.
brunante, n. f.
cabane à sucre, n. f.
canton, n. m.
ceinture fléchée, n. f.
chopine, n. f.
comté, n. m.
débarbouillette, n. f.
demiard, n. m.
épluchette, n. f.
érablière, n. f.
fin de semaine, n. f.
gallon, n. m.
goglu, n. m.
ligne, n. f.
livre (poids), n. f.
millage, n. m.
mille (distance), n. m.
once, n. f.
ouananiche, n. f.
pied, n. m.
pinte, n. f.
pouce, n. m.
souffleuse, n. f.
tire, n. f.
transcanadien, ienne, n. f., adj.
traversier, n. m.
verge, n. f.
vivoir, n. m.

* Ces mots sont tirés de la brochure *Canadianismes de bon aloi*, de l'Office de la langue française.

L'orthographe d'usage

Il arrive à l'occasion que l'on éprouve de la difficulté à écrire correctement certains mots. Il n'y a pas de «trucs miracles» qui régleront tous les problèmes, mais voici quelques conseils qui peuvent être utiles.

- Essayer de retracer dans sa mémoire un mot de la même famille qui s'écrit sensiblement de la même façon.

__ryth__me, __ryth__mique
__chr__onologie, __chr__onomètre

- Essayer de reconnaître un élément faisant partie du mot que l'on veut écrire.

bien__heureux__

- Vérifier s'il y a un mot que l'on connaît et qui a la même consonance que le mot que l'on veut écrire.

Citr__ouill__e peut aider à écrire *embr__ouill__é.*

- Utiliser la notion de famille de mots et consulter le dictionnaire pour vérifier, par exemple, l'orthographe des mots qui se terminent par **-tion** ou **-sion**.

atten__t__ion (atten__t__if) *posses__s__ion (posses__s__if)*
dépres__s__ion (dépres__s__if) *préven__t__ion (préven__t__if)*

- Devant **b**, **m** et **p**, on emploie **m** au lieu de **n**.

co__mp__araison *o__mb__re* *e__mm__énager* *i__mm__angeable* *sy__mb__ole*
co__mp__léter *a__mb__assadeur* *la__mp__e* *i__mm__anquable*
co__mp__rendre *a__mb__ulance* *ra__mp__e* *i__mp__ossible*
no__mb__re *e__mm__êler* *i__mb__écile* *si__mp__le*

- Consulter le dictionnaire dès que l'on doute de l'orthographe d'un mot.

- Se rappeler que les sons que l'on entend peuvent s'écrire de plusieurs façons :

eau	***au**to*
*gal**op***	***haut***
*s**ot***	*hér**os***

Les sons-consonnes

Son	Graphie	Exemples
F	f	fort, refaire, enfant
	ff	effort, affaire, officier
	ph	pharmacien, téléphone, triomphe
G	g	garage, gare
	gg	aggraver, aggloméré
	gu	bague, guêpe
J	g	gel, agile
	ge*	bourgeon, nous rangeons, gageure
	j	jeu, jaune
K	c	cave, encre, cabane
	cc	accord, occuper, accuser
	ch	orchestre, chlore, chorale
	k	kangourou, kilogramme, moka
	q	cinq, coq
	qu	qualité, barque, quart
M	m	admirer, légume, escrime
	mm	commande, sommet, commerce
N	mn	automne, condamner
	n	âne, canard
	nn	anneau, tannant
R	r	rire, rue, abri, partir
	rh	rhétorique, rhinocéros, rhume
	rr	arriver, carré, jarre
S	c	cerceau, cerveau, face, glace
	ç**	reçu, François, leçon, façade
	s	sel, poste, saut
	sc	science, scie, piscine, convalescence
	ss	rousse, tresse
	t	nation, addition
	x	soixante, dix

Les sons-consonnes (suite)

Son	Graphie	Exemples
T	t	teinture, déficit
	th	thé, sympathie, rythme
	tt	attirer, battre, cette
Z	s	rose, maison
	z	zéro, bazar

Les sons-voyelles

Son	Graphie	Exemples
A	a	lac, marche, pétunia, cela
	à	déjà, là, çà
	â	âge, mâcher
	ac	estomac, tabac
	ap	drap
	as	repas, tas, lilas, cadenas
	at	avocat, délicat, secrétariat
	ât	appât, mât, dégât
	em	femme
	ha	habileté, habitude, hache
AN	am	chambre, lampe, framboise
	amp	champ, camp
	an	bandit, tante, fantaisiste
	anc	blanc, banc, flanc, franc
	ang	rang, sang, étang
	ant	enfant, tant, reconnaissant
	aon	faon, paon
	emps	temps
	en	entrer, cendrier, mentir
	em	membre, septembre, exemple
	ent	parent, lent, dent
	han	hanche, handicap

→

* On doit placer un **e** après le **g** devant **a**, **o** ou **u** pour indiquer qu'il se prononce [ʒ].

** On doit placer une cédille sous le **c** devant **a**, **o**, ou **u** pour indiquer qu'il se prononce [s].

Les sons-voyelles (suite)

Son	Graphie	Exemples
É	ai	je fer**ai**, j'ir**ai**
	é	**é**t**é**, sant**é**, th**é**, caf**é**
	ée	id**ée**, mus**ée**, ond**ée**, naus**ée**
	er	mang**er**, donn**er**
	ez	n**ez**, rend**ez**-vous
	hé	**hé**lice, **hé**misphère
È	ai	f**ai**ble, **ai**gle, ess**ai**, dél**ai**
	aie	cr**aie**, b**aie**, pl**aie**, monn**aie**
	aient	ils fer**aient**
	ais	m**ais**, engr**ais**, rab**ais**, mar**ais**
	ait	l**ait**, f**ait**, attr**ait**, distr**ait**
	è	c**è**dre, m**è**che
	ê	p**ê**che, pr**ê**ter, **ê**tre, r**ê**ve
	ei	p**ei**gne, b**ei**gne, b**ei**ge, p**ei**ne
	ès	progr**ès**, succ**ès**
	et	jou**et**, j**et**
	hai	**hai**ne
I	hi	**hi**bou, **hi**ppocampe
	hy	**hy**drogène, **hy**dravion
	i	p**i**sc**i**ne, m**i**roir, fourm**i**
	î	**î**le, **î**lot
	ie	mag**ie**, sort**ie**, cavaler**ie**
	il	pers**il**, out**il**, fus**il**
	is	breb**is**, vern**is**, croqu**is**, rad**is**
	it	hab**it**, l**it**, nu**it**, réc**it**
	ix	pr**ix**, perdr**ix**
	y	bic**y**clette, r**y**thme
IN	aim	f**aim**, d**aim**, ess**aim**
	ain	m**ain**, b**ain**, hum**ain**, reg**ain**
	aint	s**aint**, m**aint**
	ein	r**ein**, s**ein**, fr**ein**
	im	**im**biber, **im**pair, **im**possible
	in	v**in**, sat**in**, pép**in**, chem**in**, h**in**dou
	int	jo**int**, po**int**
	ym	s**ym**bole, th**ym**, s**ym**phonie
	yn	s**yn**cope, s**yn**dicat, s**yn**taxe
O	au	j**au**ne, f**au**ne
	aud	ch**aud**, bad**aud**
	aut	s**aut**, h**aut**
	aux	ch**aux**, f**aux**
	eau	chap**eau**, b**eau**
	o	r**o**se, p**o**ser
	ô	d**ô**me, **ô**ter, h**ô**tel
	oc	escr**oc**, cr**oc**
	op	gal**op**, tr**op**
	os	hér**os**, encl**os**
	ot	sab**ot**, can**ot**
ON	om	n**om**, **om**bre, p**om**pier
	on	sal**on**, m**on**tre, h**on**te
	ond	r**ond**, bl**ond**
	ont	p**ont**, fr**ont**
OU	hou	**hou**le, **hou**sse, **hou**rra
	ou	c**ou**, p**ou**, c**ou**pe, hib**ou**
	oue	j**oue**, b**oue**, r**oue**
	oup	l**oup**, c**oup**
	ous	dess**ous**, n**ous**
	out	t**out**, b**out**
	oux	jal**oux**, r**oux**
U	u	d**u**ne, l**u**ne, br**u**, h**u**main, trib**u**
	û	d**û**, b**û**che, m**û**r
	ue	mor**ue**, r**ue**, lait**ue**
	us	dess**us**, j**us**, conf**us**
	ut	b**ut**, scorb**ut**
UN	um	h**um**ble, parf**um**
	un	br**un**, l**un**di
	unt	empr**unt**, déf**unt**

Les AUTRES SONS à surveiller

AL – IL – OL

AL	al	▶ *génér**al**, rég**al**, sign**al***
	ale	▶ *scand**ale**, sand**ale**, fring**ale***
	alle	▶ *s**alle**, b**alle**, m**alle***
IL	il	▶ *subt**il**, civ**il**, ex**il**, f**il***
	ile	▶ *b**ile**, fert**ile**, fébr**ile***
OL	ol	▶ *rossign**ol**, v**ol**, paras**ol**, b**ol***
	ole	▶ *rouge**ole**, pétr**ole**, vari**ole***
	olle	▶ *c**olle**, cor**olle***

ANCE – ANDRE – ANTE

ANCE	ance	▶ *ambul**ance**, bal**ance**, arrog**ance**, confi**ance***
	anse	▶ *d**anse**, p**anse***
	ence	▶ *pati**ence**, prud**ence**, prés**ence**, faï**ence***
	ense	▶ *int**ense**, d**ense**, dép**ense**, imm**ense***
ANDRE	andre	▶ *rép**andre**, escl**andre**, cal**andre***
	endre	▶ *t**endre**, desc**endre**, ent**endre***
ANTE	ante	▶ *pl**ante**, quar**ante**, j**ante***
	ente	▶ *innoc**ente**, transpar**ente**, tourm**ente**, p**ente***

AR – OR – OUR

AR	ar	▶ *nect**ar**, ch**ar**, jagu**ar***
	ard	▶ *poign**ard**, plac**ard**, pét**ard***
	are	▶ *guit**are**, fanf**are***
	art	▶ *dép**art**, plup**art***
OR	or	▶ *trés**or**, c**or**, corrid**or**, ess**or***
	ord	▶ *b**ord**, bab**ord**, ab**ord***
	ore	▶ *métaph**ore**, herbiv**ore**, aur**ore***
	ort	▶ *conf**ort**, s**ort**, rapp**ort***

AR – OR – OUR (suite)

OUR	our	▶ *c**our**, carref**our**, dét**our***
	ours	▶ *disc**ours**, c**ours**, parc**ours***

ÈLE – ULE

ÈLE	el	▶ *dég**el**, hôt**el**, crimin**el***
	èle	▶ *z**èle**, fid**èle***
	êle	▶ *fr**êle**, gr**êle**, p**êle**-m**êle***
	elle	▶ *étinc**elle**, vaiss**elle**, cerv**elle***
ULE	ul	▶ *calc**ul**, n**ul**, rec**ul***
	ule	▶ *majusc**ule**, somnamb**ule***
	ulle	▶ *b**ulle**, n**ulle**, t**ulle***

ÈNE

ÈNE	aine	▶ *pl**aine**, aub**aine**, porcel**aine***
	eine	▶ *r**eine**, p**eine**, hal**eine**, pl**eine***
	en	▶ *abdom**en**, poll**en**, am**en***
	ène	▶ *phénom**ène**, oxyg**ène***
	êne	▶ *ch**êne**, g**êne**, r**êne***
	enne	▶ *ant**enne**, r**enne***

ÈRE

ÈRE	air	▶ *cl**air**, écl**air**, ch**air***
	aire	▶ *not**aire**, bibliothéc**aire**, vétérin**aire***
	er	▶ *am**er**, m**er**, hi**er***
	ère	▶ *crat**ère**, panth**ère**, art**ère***
	erre	▶ *gu**erre**, v**erre**, t**erre**, part**erre***
	ert	▶ *dés**ert**, ouv**ert**, transf**ert***
	ers	▶ *env**ers**, à trav**ers***

EU

EU	eu	▶ *p**eu**, j**eu**, essi**eu**, bl**eu***
	eue	▶ *qu**eue**, li**eue***
	eux	▶ *vi**eux**, silenci**eux***

Les AUTRES SONS à surveiller (suite)

ISSE – ITE

ISSE	ice	▶	*exerc**ice**, précip**ice**, actr**ice***
	is	▶	*ir**is**, l**is**, oas**is***
	isse	▶	*bât**isse**, écrev**isse**, régl**isse***
ITE	it	▶	*défic**it**, gran**it***
	ite	▶	*illic**ite**, s**ite**, faill**ite***
	ith	▶	*zén**ith***
	yte	▶	*néoph**yte**, acol**yte***

OI – OIN – OIR

OI	oi	▶	*ém**oi**, désarr**oi**, l**oi**, mâch**oi**re*
	oî	▶	*b**oî**te, cr**oî**tre*
	oie	▶	*f**oie**, pr**oie**, v**oie**, j**oie**, s**oie***
	ois	▶	*min**ois**, chin**ois**, f**ois***
	oit	▶	*expl**oit**, dr**oit**, détr**oit***
	oix	▶	*ch**oix**, cr**oix**, n**oix***
OIN	oin	▶	*l**oin**, bes**oin**, tém**oin**, c**oin***
	oint	▶	*j**oint**, p**oint**, adj**oint**, embonp**oint***
OIR	oir	▶	*arros**oir**, tir**oir**, coul**oir**, trott**oir***
	oire	▶	*balanç**oire**, bouill**oire**, mange**oire**, mém**oire***

OME – ONE – OTE

OME	ome	▶	*agron**ome**, auton**ome***
	omme	▶	*p**omme**, bonh**omme***
	um	▶	*rh**um**, alb**um**, alumini**um***
ONE	one	▶	*polyg**one**, téléph**one**, monot**one***
	onne	▶	*patr**onne**, pers**onne***
OTE	ote	▶	*reding**ote**, échal**ote**, comp**ote**, patri**ote***
	otte	▶	*marm**otte**, car**otte**, gr**otte***

SION

SION	sion	▶	*mis**sion**, commis**sion**, posses**sion**, ver**sion***
	tion	▶	*créa**tion**, imagina**tion**, ac**tion***

Les coupures de mots

Les coupures permises

Les coupures non permises

Les coupures permises

- Lorsqu'on écrit, il arrive que le manque de place au bout d'une ligne nous force à séparer un mot. On marque alors la coupure à l'aide d'un **trait d'union**. On ne peut pas diviser un mot n'importe où ; il existe des règles de coupure des mots.
- Voici les coupures qui sont permises.

– Entre deux syllabes	***in-fir-mier***	***mon-sieur***	***an-non-ceur***
– Au trait d'union	***après-midi***	***Anne-Marie***	***grand-père***

Les coupures non permises

Voici les coupures qui ne sont pas permises (≠).

– Après l'apostrophe	***l'≠école***	***qu'≠ils***	***c'≠était***
– Après une syllabe d'une lettre (voyelle)	***a≠mi***	***o≠range***	***u≠tile***
– Avant ou après un **x** ou un **y** placé entre deux voyelles	***e≠x≠amen***	***e≠x≠ister***	***vo≠y≠ageur***
– Dans les mots d'une syllabe	***chi≠en***	***li≠on***	***mi≠eux***
– Dans les nombres	***153≠537***	***19≠99***	***XX≠IV***
– Dans un sigle	***CL≠SC***	***O≠NU***	***UNES≠CO***
– Devant une syllabe de deux lettres	***paro≠le***	***bar≠re***	***chan≠ce***
– Entre deux voyelles	***agré≠able***	***cafeti≠ère***	***extéri≠eur***

Des cas d'élision

Quels sont les principaux cas d'élision ?

- Certains mots qui se terminent par une voyelle sont sujets à l'élision ; on remplace leur voyelle finale par une apostrophe lorsqu'ils sont devant un mot qui commence par une voyelle ou un **h** muet.

- Certains mots, tels **le**, **la**, **ne**, **je**, **me**, **te**, **se**, **de**, **ce**, **que**, **jusque** s'élident toujours devant un mot qui commence par une voyelle ou un **h** muet.

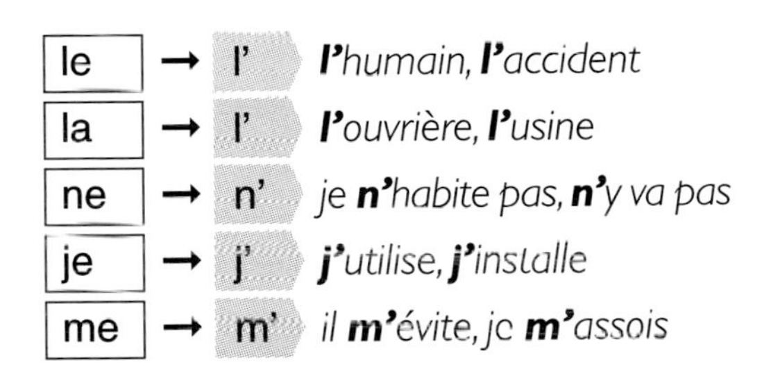

le	→	l'	***l'**humain, **l'**accident*
la	→	l'	***l'**ouvrière, **l'**usine*
ne	→	n'	*je **n'**habite pas, **n'**y va pas*
je	→	j'	***j'**utilise, **j'**installe*
me	→	m'	*il **m'**évite, je **m'**assois*

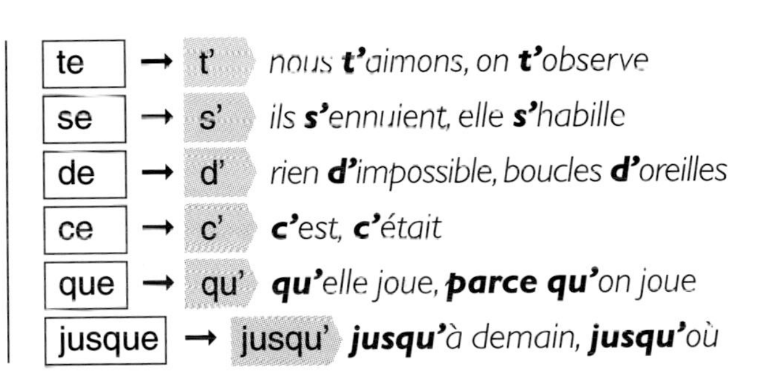

te	→	t'	*nous **t'**aimons, on **t'**observe*
se	→	s'	*ils **s'**ennuient, elle **s'**habille*
de	→	d'	*rien **d'**impossible, boucles **d'**oreilles*
ce	→	c'	***c'**est, **c'**était*
que	→	qu'	***qu'**elle joue, **parce qu'**on joue*
jusque	→	jusqu'	***jusqu'**à demain, **jusqu'**où*

- Le mot **si** s'élide devant les pronoms **il** et **ils**. ***s'**il lit* ***s'**ils mangent*

- Le mot **quelque** s'élide devant **un** et **une**. ***quelqu'**un* ***quelqu'**une*

- Le mot **presque** s'élide devant **île**. ***presqu'**île*

- Les mots **lorsque**, **quoique** et **puisque** s'élident devant **il**, **elle**, **ils**, **elles**, **en**, **ainsi**, **on**, **un** et **une**.

***Lorsqu'**il lit un roman ...*
***Puisqu'**elle parle avec sa camarade ...*
***Quoiqu'**elles aient de la chance ...*
***Quoiqu'**on dise le contraire ...*
***Lorsqu'**elles choisissent un chandail ...*
***Puisqu'**un orage se prépare ...*

153 263 ←

Le dictionnaire

L'utilisation
Une définition

L'utilisation

Quand utilise-t-on un dictionnaire de langue?

- Évidemment, lorsqu'on lit, on utilise un dictionnaire de langue pour y chercher le sens d'un mot inconnu ou encore le sens particulier d'un mot connu.

- Mais on utilise souvent aussi le dictionnaire lorsqu'on écrit...

Une définition

Qu'est-ce qu'un dictionnaire de langue?

Un dictionnaire de langue, c'est un ouvrage de référence qui présente et décrit, dans un ordre donné, les mots d'une langue. Dans un dictionnaire usuel de la langue française, ce sont les mots de la langue française qui sont énumérés et classés en ordre alphabétique.

Quelques dictionnaires contiennent aussi une section des noms propres : on y trouve notamment les noms de pays, de villes ou de personnages célèbres.

Voici deux exemples.

DICTIONNAIRE ALPHABÉTIQUE ET ANALOGIQUE

Prononciation | Classe et genre | Origine

CRAN [krã] n. m. – fin XIIIe siècle; *cren* XIe; déverbal de *créner*. **I♦ 1♦** Entaille faite à un corps dur et destinée à accrocher, à arrêter qqch. ⇒ 1. **coche, encoche, entaille**. *Les crans et les dents d'une crémaillère. Munir de crans.* ⇒ **cranter**. *Hausser d'un cran les taquets d'une étagère.* ◊ (1672) FIG. ⇒ **degré**. *Monter, hausser; baisser d'un cran* : passer à qqch. de supérieur, d'inférieur (⇒ **augmenter, diminuer**). *Avancer, monter d'un cran dans une situation. Un cran plus haut, plus bas.* **2♦** SPÉCIALT Entaille où s'engage la tête de gâchette d'une arme à feu. *Crans de l'abattu, de l'armée, de sûreté.* ◊ *Couteau à cran d'arrêt* : couteau pliant dont la lame ne peut se replier que par l'action d'un mécanisme. ABUSIVT Couteau dont l'ouverture de la lame est commandée par un mécanisme. *Voyou armé d'un couteau à cran d'arrêt.* **3♦** Entaille servant de repère. *Cran de mire* (d'une arme à feu). *L'œilleton a le même usage que le cran de mire.* – IMPRIM. Entaille faite sur le côté d'une lettre pour que le compositeur puisse la placer dans le bon sens. *Le côté du cran.* **4♦** Trou servant d'arrêt dans une sangle, une courroie. *«Il serra sa ceinture d'un cran»* (Mac Orlan). **5♦** Ce qui forme comme une entaille, un repli. – GÉOGR. *Le cran d'Écalles* (dépression d'une falaise). – COUR. Forme ondulée donnée aux cheveux. *Le coiffeur lui a fait un cran.* ⇒ **cranter**.
II♦ (ABSTRAIT) **1♦** (v. 1900) FAM. ⇒ **audace, courage, énergie**; FAM. **culot, estomac**. *Il a du cran. Elle ne manque pas de cran. Avoir le cran de refuser.* **2♦** (1880) *Être à cran,* prêt à se mettre en colère. ⇒ **exaspéré** (cf. À bout de nerfs*).

Nouveau Petit Robert 1, 1996

Les chiffres romains indiquent un ensemble de sens apparentés.

Les chiffres arabes servent à indiquer un sens ou un emploi différents des autres.

Le caractère italique est utilisé pour les exemples.

⇒ Ce signe invite à consulter la définition des mots qui ont un sens très semblable.

DICTIONNAIRE USUEL

Classe et genre | Origine

CRAN n. m. (de l'anc. fr. *crener*, entailler). **1.** Entaille faite dans un corps dur pour en accrocher un autre ou servir d'arrêt. *Les crans d'une crémaillère.* – *Cran d'arrêt, de sûreté* : cran qui cale la gâchette d'une arme à feu, la lame d'un couteau. **2.** Entaille faite en bordure d'un vêtement ou d'une chaussure en fabrication et qui sert de point de repère. **3.** Ondulation des cheveux. **4.** Rang, degré. – *Reculer d'un cran, monter, baisser d'un cran* : passer à qqch de supérieur ou d'inférieur. **5. Fam.** Sang froid, courage. *Avoir du cran.* **6. Fam.** *Être à cran* : être exaspéré, à bout de nerfs.

Petit Larousse illustré
© Larousse-Bordas, 1997

Les chiffres arabes indiquent des sens différents.

Le caractère italique est utilisé pour les exemples.

Qu'est-ce qu'un dictionnaire de synonymes?

Un dictionnaire de synonymes présente des mots synonymes, c'est-à-dire des mots qui ont à peu près le même sens ou un sens voisin. Certains dictionnaires présentent aussi des mots contraires.

DICTIONNAIRE DE SYNONYMES

> **Cher**
> *Syn.* **I.** Adoré, adulé, affectionné, aimé, chéri. **II.** Estimable, inestimable, précieux. – Coûteux, dispendieux, exorbitant, inabordable, onéreux.
> *Ant.* **I.** Abandonné, désagréable, détestable, odieux. **II.** Banal, insignifiant, négligeable. – Gratuit, modique *(prix)*.

Hector DUPUIS, Romain LÉGARÉ, *Dictionnaire des synonymes et des antonymes*, Fides, 1996

Comment utiliser un dictionnaire de synonymes?

Voici une bonne façon d'utiliser un dictionnaire de synonymes.

- Chercher dans le dictionnaire le mot (ou l'expression) pour lequel on veut trouver un synonyme.

Elle commença la conversation.

Ses propos étaient ***ennuyeux****.*

adjectif

- Choisir le sens qui convient au contexte.

> **Ennuyeux** : **1** Adj. Qui manque d'intérêt. *Ennuyeux*, insipide, sans agrément ni intérêt : *Les tourtereaux finissaient par être ennuyeux tant ils s'embrassaient* (ZOLA).
> **Ennuyant**, ennuyeux par occasion : *Une ennuyante cérémonie* (Roll.). **Fatigant, Lassant, Endormant , Assommant, Empoisonnant, Embêtant, Rasant** : → Ennuyer. **Fastidieux** implique un ennui qui lasse, dégoûte, souvent par sa durée : *Très long à expliquer, très fastidieux* (J. ROM.). **Rebutant** renchérit et implique qu'on se détourne de la chose, qu'on ne va pas jusqu'au bout : *Tout ce qu'on dit de trop est fade et rebutant* (BOIL.). **Dégoûtant**, vx, enchérissait; de nos jours, on dit plutôt **Écœurant,** rebutant par sa longueur ou sa fadeur : *Volume d'une lecture écœurante* (S.-B.). **Mortel,** par hyperbole, extrêmement ennuyeux. **Narcotique** (→ ce mot) et ses syn. enchérissent au fig. sur *endormant*. **Éternel,** fig., ennuyeux par sa fréquente répétition : *Plaintes éternelles*. En précisant le défaut qui rend ennuyeux : → Fade. **2** Adj. → Fâcheux. **3** N. → Importun.

Henri BÉNAC, Dictionnaire des synonymes, Librairie Hachette

- S'assurer que le synonyme choisi est de la **même classe** de mots que le mot remplacé.

Ses propos étaient ***endormants****.*

adjectif

Annexes

1 Les verbes en -eler

217 

Certains verbes en **-eler**, comme **geler**, prennent un accent grave devant une syllabe muette (*il gèle*).

Voici les verbes qui se conjuguent comme **geler**.

celer *ciseler* *congeler* *déceler* *décongeler* *dégeler* *démanteler* *écarteler* *harceler* *marteler* *modeler* *peler* *receler* *surgeler*

2 Les verbes en -eter

Certains verbes en **-eter**, comme **acheter**, prennent un accent grave devant une syllabe muette (*elle achète*).

Voici les verbes qui se conjuguent comme **acheter**.

crocheter *fureter* *haleter* *racheter*

3 Les verbes en -e(-)er

Les verbes qui ont un **e** muet à l'avant-dernière syllabe de l'infinitif remplacent ce **e** par **è** devant une syllabe muette (*il lève*).

Voici les verbes qui se conjuguent comme **lever**.

achever *amener* *crever* *démener* *dépecer* *élever* *emmener* *empeser* *enlever* *lever* *malmener* *mener* *parachever* *parsemer* *peser* *prélever* *promener* *ramener* *relever* *semer* *soulever* *soupeser* *surmener*

4 Les verbes en -é(-)er

218 

Les verbes qui ont un **é** à l'avant-dernière syllabe de l'infinitif remplacent ce **é** par **è** devant une syllabe muette finale (*elle cède*).

Voici les verbes qui se conjuguent comme **céder**.

accéder
accélérer
adhérer
aérer
allécher
alléger
alléguer
altérer
assécher
asséner
assiéger
blasphémer
céder
compléter
concéder
conférer
considérer
coopérer
déblatérer
décéder
décélérer
décréter
dégénérer
déléguer
délibérer
déposséder
dépoussiérer
désagréger
désaltérer
désespérer
dessécher
différer
digérer
disséquer
écrémer
émécher
empoussiérer
énumérer
espérer
exagérer
exaspérer
excéder
générer
gérer
héler
hydrogéner
hypothéquer
imprégner
incarcérer
incinérer
inférer
inquiéter
insérer
intercéder
interférer
interpréter
lacérer
lécher
légiférer
léguer
léser
libérer
modérer
obséder
opérer
oxygéner
pécher
persévérer
péter
pondérer
posséder
précéder
préférer
procéder
proférer
proliférer
prospérer
protéger
rapiécer
reconsidérer
récupérer
référer
refléter
refréner
réfrigérer
régénérer
régner
réinsérer
reléguer
rémunérer
réopérer
repérer
répéter
révéler
réverbérer
rouspéter
sécher
sécréter
siéger
succéder
suggérer
tempérer
tolérer
transférer
ulcérer
végéter
vénérer
vociférer

5 D'autres adverbes

282

La classe de l'adverbe comprend plusieurs adverbes et de nombreuses locutions adverbiales. Voici un tableau qui complète les adverbes qui ont déjà été présentés.

MANIÈRE	DEGRÉ, QUANTITÉ	TEMPS	LIEU	NÉGATION
adagio	*à moitié*	*à présent*	*arrière*	*aucunement*
à dessein	*à peine*	*après-demain*	*au-dedans*	*ne... guère*
a priori	*en sus*	*avant-hier*	*au-dehors*	*ne... jamais*
à regret	*entièrement*	*d'abord*	*au-dessous*	*ne... point*
à tort	*environ*	*de nouveau*	*au-dessus*	*nullement*
au hasard	*infiniment*	*dernièrement*	*ci-après*	etc.
crescendo	*peu à peu*	*désormais*	*ci-contre*	
de visu	*presque*	*dorénavant*	*derrière*	
exprès	*quasi*	*jadis*	*dessous*	
in extenso	*seulement*	*naguère*	*dessus*	**DOUTE**
par exprès	*suffisamment*	*plus tard*	*devant*	
pêle-mêle	*tant*	*plus tôt*	*en dedans*	*apparemment*
pis	*tellement*	*présentement*	*en dehors*	*par hasard*
surtout	*totalement*	*tantôt*	*en dessous*	etc.
des adjectifs	etc.	etc.	*là-haut*	
employés			*par-derrière*	**AFFIRMATION**
comme			*par-dessous*	
adverbes			*par-dessus*	*bien sûr*
chanter ***fort***			etc.	*d'accord*
viser ***juste***				*en vérité*
couper ***court***				*sans doute*
sentir ***bon***				*si*
coûter ***cher***				etc.
etc.				

6 D'autres coordonnants

286 

Voici quelques coordonnants que l'on peut ajouter à ceux qui ont été présentés dans une section précédente.

à savoir (explication)
de plus (addition)
en conséquence (conséquence)
enfin
mais aussi (opposition)
mais encore (opposition)
par conséquent (conséquence)
toutefois (opposition)
etc.

7 D'autres subordonnants

289 

Voici des subordonnants qui sont moins fréquents que ceux qui ont déjà été présentés, mais qui introduisent aussi des subordonnées circonstancielles.

Cause

du fait que

Conséquence

de manière à ce que
si bien que

Concession Opposition

bien loin que
quand bien même
quand même que

Temps

en attendant que
sitôt que
une fois que

Condition

à supposer que
au cas où
des fois que
pour peu que

But

de façon à ce que

8 La majuscule

302 

Voici des mots ou des expressions qui prennent une majuscule.

Sa **M**ajesté
Son **E**xcellence
Son **A**ltesse
la **B**ourse
la place **N**ormandie
le boulevard des **S**eigneurs
la mer **M**éditerranée
la mer **M**orte
l'océan **I**ndien
l'**A**ssemblée nationale
la **C**roix-**R**ouge
le **M**oyen **Â**ge
le ministère de l'**É**ducation
saint **P**ierre
rue **S**aint-**H**ubert
coquille **S**aint-**J**acques
le **P**roche-**O**rient

9 D'autres préfixes

339 

Nous avons présenté, dans une section précédente, les préfixes les plus fréquents et les plus productifs de mots. Vous trouverez ici d'autres préfixes.

anté*cédent*	(avant)
archi*plein*	(au plus haut degré)
circon*férence*	(autour)
com*patriote*	(avec)
con*citoyen*	(avec)
hypo*dermique*	(au-dessous)
infra*structure*	(en dessous de)
multi*média*	(plusieurs)
pré*histoire*	(avant)
pro*nom*	(à la place de)
trans*continental*	(au-delà de)
uni*latéral*	(un)

10 D'autres suffixes

Voici d'autres suffixes qui s'ajoutent à ceux que nous avons présentés dans une section précédente.

NOMS	
*amygdal****ite***	(maladie)
*douz****aine***	(ensemble)
*franch****ise***	(état, qualité)
*libr****aire***	(métier)
*mouch****eron***	(diminutif)
*oisill****on***	(diminutif)
*pens****ée***	(résultat de l'action)
*petit****esse***	(état)
*roser****aie***	(ensemble)

ADJECTIFS	
*incréd****ule***	(qualité)
*légend****aire***	(qui a rapport à)
*sol****uble***	(possibilité)
*vant****ard***	(péjoratif)
*vieill****ot***	(diminutif)

VERBES	
*trott****iner***	(diminutif)

11 Les verbes défectifs

Un verbe défectif est un verbe qui n'a pas toutes les formes de conjugaison que prend normalement un verbe. Ainsi, il n'est pas employé à certains temps ou à certains modes, ou encore il n'est employé qu'à certaines personnes.

Voici les verbes défectifs qui ont conservé une certaine «signifiance» à certains modes ou à certains temps, ou encore dans certaines expressions.

ACCROIRE	DOUER	PARFAIRE
On l'emploie surtout à l'infinitif dans l'expression **faire accroire**.	On l'emploie surtout au participe passé (**doué**).	On l'emploie surtout à l'infinitif, aux temps composés et au présent de l'indicatif. Il se conjugue comme **faire**.
BÉER	**ÉCHOIR**	**QUÉRIR**
On l'emploie surtout au participe présent (**béant**) et au participe passé dans l'expression **bouche bée**.	On l'emploie surtout à l'infinitif, au participe présent (**échéant**) et au participe passé (**échu**).	On l'emploie surtout à l'infinitif.
BRAIRE	**FÉRIR**	**RENAÎTRE**
On l'emploie surtout à l'infinitif et à la 3e personne du singulier et du pluriel.	On l'emploie surtout dans l'expression **sans coup férir**.	On l'emploie surtout aux temps simples. Il se conjugue comme **naître**. Le participe passé est inusité.
BRUIRE	**FRIRE**	**RÉSULTER**
On l'emploie surtout à la 3e personne du singulier et du pluriel. Il se conjugue comme **fournir**.	On l'emploie surtout à l'infinitif et au participe passé (**frit**).	On l'emploie surtout à la 3e personne du singulier et du pluriel. Il se conjugue comme **parler**.
CLORE	**GÉSIR**	**SEOIR**
On l'emploie surtout à l'infinitif et au participe passé (**clos**).	On l'emploie surtout au présent (il **gît**) et à l'imparfait (il **gisait**) de l'indicatif, et dans l'expression **ci-gît**.	On l'emploie surtout au participe passé (**sis**).
DÉCHOIR	**ISSIR**	**URGER**
On l'emploie surtout à l'infinitif et au participe passé (**déchu**).	On l'emploie surtout au participe passé (**issu**).	On l'emploie surtout à la 3e personne du singulier. Il se conjugue comme **manger**.

12 Les abréviations les plus utiles

- adj. : adjectif
- adv. : adverbe
- angl. : anglais
- art. : article
- av. : avant
- c.-à-d. : c'est-à-dire
- compl. : complément
- condit. : conditionnel
- conj. : conjonction
- conjug. : conjugaison
- contr. : contraire
- cour. : courant
- déf. : défini
- dém. : démonstratif
- dimin. : diminutif
- dir. : direct
- div. : divers
- env. : environ
- équiv. : équivalent
- ex. : exemple
- exclam. : exclamatif
- expr. : expression
- fém. : féminin
- fig. : figuré
- fut. : futur
- génér. : général
- gramm. : grammaire
- gymn. : gymnastique
- hist. : histoire
- *ibid.* : *ibidem* (dans le même livre)
- *id.* : *idem*
- imp. : imparfait
- impér. : impératif
- impers. : impersonnel
- ind. : indirect
- indéf. : indéfini
- indic. : indicatif
- inf. : infinitif
- interj. : interjection
- interrog. : interrogatif
- inv. : invariable
- irrég. : irrégulier
- lang. : langage
- ling. : linguistique
- littér. : littéraire
- loc. : locution
- masc. : masculin
- math. : mathématiques
- mod. : moderne
- n. f. : nom féminin
- n. f. pl. : nom féminin pluriel
- n. m. : nom masculin
- n. m. pl. : nom masculin pluriel
- n. pr. : nom propre
- n° : numéro
- numér. : numéral
- ord. : ordinal
- orthogr. : orthographe
- p.-ê. : peut-être
- péj. : péjoratif
- pers. : personne
- pl. : pluriel
- plur. : pluriel
- pop. : populaire
- poss. : possessif
- préf. : préfixe
- prép. : préposition
- prés. : présent
- pron. : pronom
- propos. : proposition
- qqch. : quelque chose
- qqf. : quelquefois
- qqn : quelqu'un
- rac. : racine
- rad. : radical
- rel. : relatif
- rem. : remarque
- s. : siècle
- scol. : scolaire
- sing. : singulier
- subj. : subjonctif
- subordin. : subordination
- suff. : suffixe
- suiv. : suivant
- syll. : syllabe
- syn. : synonyme
- v. : verbe
- voc. : vocabulaire
- vs : versus
- vx : vieux

13 Les semi-auxiliaires

237  

Voici d'autres semi-auxiliaires qui présentent des aspects de temps ou de mode.

aller en	*faillir*	*sembler*
avoir à	*manquer*	*vouloir*
être sur le point de	*pouvoir*	
être en train de	*risquer*	

14 Le nombre de certains compléments du nom

148  

Certains compléments du nom sont généralement au singulier, alors que d'autres sont généralement au pluriel.

SINGULIER	PLURIEL
des objets en carton	*un placard à balais*
un carton à dessin	*un carton à chapeaux*
des lames de couteau	*des peaux de bêtes*
des questions de détail	*une bête à cornes*
des caisses d'épargne	*un voyage de noces*
des rampes d'escalier	*une boîte à clous*
des feux d'artifice	*une boîte d'allumettes*
des coups de canon	*une boîte aux lettres*
des salles de concert	*un champ de betteraves*
des chantiers de construction	*un titre en grosses lettres*
la peinture sur porcelaine	*une paire de lunettes*
un clou sans tête	*un magasin de nouveautés*
des poignées de main	*une salade de pommes de terre*
des coups de poing	*une salade de fruits*
des coups de fusil	*une lettre de félicitations*
des projets de loi	*un nid de guêpes*

15 L'harmonisation des temps des verbes

185 190 192 
194 196 199 200

Voici quelques suggestions qui peuvent aider
à harmoniser les temps des verbes d'un texte.

Le présent

Le **présent** de l'**indicatif** indique les faits et les événements qui servent de fil conducteur lorsque le récit se déroule au **présent**.

- Le **présent** peut exprimer :
  - un fait qui se déroule au moment où l'on parle ou écrit ; — *Les élèves **se précipitent** vers la porte principale.*
  - un fait général ; — *Parfois, les semaines **ressemblent** à des années.*
  - un fait qui se répète de façon habituelle. — *Élisabeth **relève** toujours les défis avec enthousiasme.*

Les temps du passé et du futur

Le **passé simple** et le **passé composé** indiquent les faits et les événements qui servent de fil conducteur lorsque le récit se déroule au **passé**.

- Les temps expriment généralement un fait terminé au moment de la parole ou de l'écriture.

*Le cours de danse **commença**, mais le professeur ne nous avait pas encore donné les premières consignes.*

*Le cours de danse **a commencé** à l'heure prévue, mais le professeur ne nous avait pas encore donné les premières consignes.*

L'**imparfait**, le **plus-que-parfait** et le **futur simple** indiquent des faits ou des événements qui se situent en arrière-plan dans le récit.

- L'**imparfait** est souvent employé pour décrire ou expliquer le contexte dans lequel se déroulent les faits.

*Cette journée-là, le soleil **était** au rendez-vous. Toute la classe **se préparait** à travailler lorsque l'alarme d'incendie a retenti.*

- Il exprime principalement un fait qui était en train de se dérouler avant qu'un autre ne commence.

*Toute la classe **se préparait** à travailler lorsque l'alarme d'incendie a retenti.*

→

→ ▸ Le **plus-que-parfait** sert à indiquer un fait ou un événement qui est terminé dans le temps et qui est antérieur à un autre fait exprimé à l'imparfait, au passé simple ou au passé composé.

Il fallut quelques instants à Martin pour comprendre que le feu ***avait éclaté*** *quelque part dans l'école et que la fumée* ***avait commencé*** *à envahir les couloirs.*

▸ Le **futur simple** peut exprimer :

- un fait ou un événement qui se produira dans l'avenir ;

  À la fin des cours, les élèves ***se précipiteront*** *vers la porte principale.*

- un fait général hors du temps.

  La guerre ***sera*** *toujours le pire fléau sur terre.*

Index

B

C

E

F

G

H

I

* Les applications concrètes sont trop nombreuses pour être énumérées ici. Rappelons que les principales applications sont désignées par + (addition), – (effacement), ↷ (déplacement), R (remplacement).

Q

R

S